A Mão Esquerda de Deus

SUMA de letras

PAUL HOFFMAN

A Mão Esquerda de Deus

Tradução
Fabiano Morais

SUMA de letras

EDITORA OBJETIVA LTDA.
Rua Cosme Velho, 103
Rio de Janeiro – RJ – CEP: 22241-090
Tel.: (21) 2199-7824 – Fax: (21) 2199-7825
www.objetiva.com.br

Título original
The Left Hand of God

Capa
Adaptação de Pronto Design sobre ilustração de Peter Bergting

Revisão
Fátima Fadel
Maria Flávia Pinheiro
Héllen Dutra

Editoração eletrônica
Abreu's System Ltda.

CIP-BRASIL. CATALOGAÇÃO-NA-FONTE
SINDICATO NACIONAL DOS EDITORES DE LIVROS, RJ

H647m

Hoffman, Paul
A mão esquerda de Deus / Paul Hoffman ; tradução Fabiano Morais. - Rio de Janeiro : Objetiva, 2010.

327p. ISBN 978-85-60280-53-7
Tradução de: *The left hand of God*

1. Ficção inglesa. I. Morais, Fabiano. II. Título.

10-0820. CDD: 823
CDU: 821.111-3

1

Preste atenção. O Santuário dos Redentores no Penhasco de Shotover deve seu nome a uma grande mentira, pois há pouca redenção naquele lugar e ele tampouco serve de refúgio divino. A região à sua volta é coberta de arbustos rasteiros e vegetação mirrada e você mal consegue notar a diferença entre verão e inverno, o que quer dizer que faz sempre um frio de rachar a qualquer época do ano. É possível ver o Santuário propriamente dito a quilômetros de distância — quando não está encoberto por uma neblina imunda, o que é raro —, com sua estrutura de sílex, concreto e farinha de arroz. A farinha deixa o concreto mais duro do que pedra, e esse é um dos motivos que possibilitaram à prisão — pois é isso que ele é na verdade — resistir às várias tentativas de conquista, agora consideradas tão inúteis que há centenas de anos ninguém tenta tomar o Santuário de Shotover.

Trata-se de um lugar fedorento e asqueroso ao qual somente os Lordes Redentores vão por livre e espontânea vontade. Quem seriam seus prisioneiros, então? Essa, na realidade, é a palavra errada para os que são levados para Shotover, pois sugere a existência de um crime, e nenhum deles transgrediu qualquer lei feita por Deus ou pelos homens. Eles também são diferentes de qualquer prisioneiro que você tenha visto antes: somente garotos com menos de 10 anos são levados para lá. Dependendo da idade em que entram, podem demorar mais de 15 anos para sair e, mesmo assim, apenas metade deles chega a tanto. A outra metade é despachada dentro de sacos azuis para ser enterrada em Ginky's Field, um cemitério que começa atrás dos muros. O cemitério é amplo, estendendo-se a perder de vista, o que talvez possa lhe dar uma ideia do tamanho de Shotover e de como é difícil simplesmente continuar vivo ali. Ninguém conhece toda a sua geografia e é tão fácil se perder em meio aos seus corredores intermináveis e sinuosos quanto em um deserto. Isso é agravado pelo fato de não haver mudança na paisagem — cada lugar é praticamente idêntico ao outro: marrom, escuro, sinistro e com cheiro de coisa velha e rançosa.

Parado em um desses corredores, um garoto olha pela janela, segurando um saco azul-escuro grande. Tem algo entre 14 ou 15 anos de idade. Nem ele nem ninguém sabe ao certo. Já não recorda como se chama de verdade, pois todos os que chegam ali são rebatizados com o nome de um dos mártires dos Lordes Redentores — que são muitos, uma vez que, desde tempos imemoriais, todos os que eles não conseguiram converter os odeiam profundamente. O menino que olha pela janela se chama Thomas Cale, embora ninguém jamais use seu primeiro nome e ele esteja cometendo um pecado gravíssimo por fazê-lo.

O que o atraiu para a janela foi o som do Portão Noroeste rangendo como sempre rangia nas raras vezes em que era aberto, como o gemido de um gigante com os joelhos terrivelmente doloridos. Ele ficou olhando enquanto dois Lordes com suas batinas negras atravessavam o portal, conduzindo um garotinho de cerca de 8 anos seguido por outro um pouco mais jovem e por um terceiro. Cale contou vinte ao todo antes que outra dupla de Redentores chegasse por último e o portão novamente se fechasse, lenta e artriticamente.

A expressão de Cale mudou à medida que ele se inclinava para a frente, tentando enxergar as Terras Crestadas que se estendiam para além do portão que se fechava. Ele havia estado do lado de fora dos muros apenas seis vezes desde que chegara ali, mais de uma década atrás — a criança mais jovem já trazida para o Santuário, pelo que diziam. Nas seis, tinha sido protegido como se as vidas dos guardas dependessem disso (o que era verdade). Se tivesse fracassado em algum desses seis testes — pois eles não eram outra coisa —, teria sido morto no ato. Da sua vida pregressa, Cale não tinha lembrança.

Quando o portão se fechou, ele tornou a focar sua atenção nos meninos. Nenhum deles era gorducho, mas tinham os rostos arredondados de crianças pequenas. Todos ficaram de olhos arregalados ao verem a fortaleza, com seu tamanho descomunal e muros enormes. No entanto, embora estivessem perplexos e intimidados pela simples estranheza do ambiente, não sentiam medo. O peito de Cale se encheu de emoções profundas e estranhas que ele não conseguia nomear. Contudo, por mais que estivesse entregue a elas, sua habilidade de manter uma orelha em pé para qualquer coisa que acontecesse ao seu redor o salvou, como tantas vezes no passado.

Ele se afastou da janela e desceu o corredor.

— Você! Espere!

Cale parou e deu meia-volta. Um dos Redentores, enorme de gordo, com dobras de pele pendendo sobre o colarinho, estava parado em um dos portais ao longo do corredor. Vapores e sons estranhos saíam do aposento às suas costas. Cale olhou para ele, sua expressão inalterada.

— Venha cá e deixe-me ver seu rosto.

O menino andou na direção dele.

— Ah, é você — disse o Redentor gordo. — O que está fazendo aqui?

— O Lorde Disciplinador me mandou levar isto até o tímpano. — Ele ergueu o saco azul que estava carregando.

— O que você disse? Fale pra fora!

É claro que Cale sabia que o Redentor gordo era surdo de um ouvido e falara baixinho de propósito.

Cale repetiu a frase, desta vez gritando a plenos pulmões.

— Está dando uma de engraçadinho, menino?

— Não, Redentor.

— O que você estava fazendo na janela?

— Na janela?

— Não pense que eu sou idiota. O que estava fazendo?

— Eu ouvi o Portão Noroeste sendo aberto.

— É mesmo, por Deus?

Isso pareceu distraí-lo.

— Estão adiantados — resmungou ele, contrariado, virando-se e olhando de volta para a cozinha, pois era isto que era o gordo: o Lorde dos Víveres, supervisor da cozinha que alimentava com fartura os Redentores e mal dava de comer aos meninos. — Temos mais vinte para jantar — gritou para a fumaça malcheirosa às suas costas. Ele se voltou para Cale.

— Você estava pensando enquanto estava naquela janela?

— Não, Redentor.

— Estava sonhando acordado?

— Não, Redentor.

— Se pegar você vadiando novamente, Cale, eu vou arrancar seu couro. Entendido?

— Sim, Redentor.

O Lorde dos Víveres se virou para entrar na cozinha e começou a fechar a porta. Ao mesmo tempo, Cale falou baixinho, porém muito claramente, de modo que qualquer pessoa sem problemas de audição poderia ter ouvido:

— Morra engasgado, seu *dritsek* cheio de banha.

O Redentor bateu a porta e Cale voltou a descer o corredor, arrastando o saco grande atrás de si. Levou quase 15 minutos, correndo por boa parte do caminho, até chegar ao tímpano, localizado ao final de um pequeno corredor à parte. Ele era chamado assim porque parecia mesmo um tímpano, desconsiderando-se o fato de ter 1,80m de altura e estar embutido em uma parede de tijolos. Do outro lado dele, havia um ambiente isolado do restante do Santuário onde, segundo boatos, viviam 12 freiras que cozinhavam somente para os Redentores e lavavam suas roupas. Cale não sabia o que era uma freira e nunca tinha visto nenhuma, embora de vez em quando falasse com uma delas através do tímpano. Ele não sabia o que diferenciava as freiras das outras mulheres, das quais raramente se falava e, mesmo assim, sempre com repulsa. Havia duas exceções: a Irmã Sagrada do Redentor Enforcado e a Santa Imelda Lambertini que, aos 11 anos de idade, havia morrido de êxtase durante sua primeira comunhão. Os Redentores não explicavam o que significava êxtase e ninguém era idiota de perguntar. Cale rodou o tímpano, que girou sobre o próprio eixo, revelando uma grande abertura. Ele largou o saco azul lá dentro e o rodou novamente. Então, bateu na sua parede, fazendo-o ressoar com força. Aguardou trinta segundos e então uma voz abafada falou do outro lado da parede.

— O que foi?

Cale aproximou a cabeça do tímpano para ser ouvido, seus lábios quase tocando a parede.

— O Redentor Bosco quer este aqui de volta amanhã de manhã — gritou ele.

— Por que não veio com os outros?

— Como você quer que eu saiba?

Ouviu-se um grito agudo e abafado de raiva vindo do outro lado do tímpano.

— Qual o seu nome, fedelho herege?

— Dominic Savio — mentiu Cale.

— Bem, Dominic Savio, eu vou denunciar você ao Lorde Disciplinador e ele vai tirar o seu couro.

— Estou pouco me lixando.

Vinte minutos depois, Cale estava de volta à sala de treinamento do Lorde da Guerra. Ela estava vazia, com exceção do próprio Lorde, que não ergueu os olhos ou deu qualquer sinal de ter visto Cale. Ele continuou escrevendo em seu livro-razão por mais cinco minutos antes de falar, com os olhos ainda baixados.

— Por que você demorou tanto?

— O Lorde dos Víveres me parou no corredor da ala externa.

— Por quê?

— Acho que ele ouviu um barulho lá fora.

— Que barulho? — perguntou o Lorde da Guerra, olhando finalmente para Cale. Seus olhos eram de um azul-claro, quase cristalino, mas afiados. Não deixavam muita coisa passar. Ou nada.

— O Portão Noroeste estava sendo aberto para a entrada dos novatos. Ele não esperava que fossem chegar hoje. Me parece que ficou de ovo virado.

— Controle sua língua — disse o Lorde da Guerra, embora tenha falado com brandura, considerando a rispidez habitual. Cale sabia que ele detestava o Lorde dos Víveres e, por isso mesmo, achava menos perigoso se referir a um Redentor naqueles termos.

— Eu perguntei ao seu amigo sobre o boato de que eles haviam chegado — disse o Redentor.

— Eu não tenho amigos — respondeu Cale. — É proibido.

O Lorde da Guerra deu uma risadinha; um som nada agradável.

— Você não me preocupa nesse sentido, Cale. Mas, já que precisa ser difícil: o loiro magricela. Como vocês o chamam?

— Henri.

— Eu sei o nome de batismo dele. Mas vocês lhe deram um apelido.

— Nós o chamamos de Henri Embromador.

O Lorde da Guerra riu, porém, desta vez podia se ouvir o eco de um bom humor normal.

— Muito bem — disse ele, satisfeito. — Eu lhe perguntei a que horas os novatos chegariam e ele disse que não sabia ao certo, em algum momento entre as oito e as nove badaladas. Então, quis saber quantos viriam e ele respondeu por volta de 15, talvez mais. — Ele fitou dentro dos olhos de Cale. — Eu lhe dei uma surra para ele aprender a ser mais específico da próxima vez. O que você acha disso?

— Não faz diferença para mim, Redentor — respondeu friamente Cale. — Ele mereceu qualquer castigo que o senhor tenha aplicado.

— É mesmo? Que gratificante você pensar dessa forma. A que horas eles chegaram?

— Pouco antes das cinco.

— Quantos?

— Vinte.

— De que idade?

— Nenhum com menos de 7 e nenhum com mais de 9.

— De que raças?

— Quatro mezos, quatro uitlanders, três folders, cinco mestiços, três miamis e um que não consegui identificar.

O Lorde da Guerra grunhiu como se estivesse apenas ligeiramente satisfeito que todas as suas perguntas tivessem sido respondidas com tanta precisão.

— Vá até a mesa. Preparei um enigma para você. Dez minutos.

Cale se encaminhou para um mesa grande, de 6 x 6 metros, sobre a qual o Lorde da Guerra havia desenrolado um mapa que caía um pouco pelas beiradas. Era fácil reconhecer algumas das coisas desenhadas nele — colinas, rios, florestas —, porém, no restante do espaço, havia diversos bloquinhos de madeira com números e hieróglifos escritos, alguns em ordem e outros aparentemente misturados. Cale analisou o mapa pelo tempo que lhe foi concedido, erguendo os olhos em seguida.

— E então? — disse o Lorde da Guerra.

Cale começou a montar sua solução.

Vinte minutos depois havia acabado, suas mãos ainda estendidas diante do corpo.

— Muito engenhoso. Impressionante, até — disse o Lorde da Guerra.

Algo mudou nos olhos de Cale. Então, com uma velocidade extraordinária, o Redentor açoitou a mão esquerda do menino com um cinto de couro salpicado de tachinhas minúsculas, porém grossas.

Cale se encolheu e seus dentes trincaram de dor. No entanto, logo seu rosto retornou à frieza vigilante habitual, a única coisa que o Redentor via nele ultimamente. O Lorde da Guerra se sentou, analisando o menino como se ele fosse um objeto ao mesmo tempo interessante e insatisfatório.

— Quando você vai aprender que fazer a coisa mais inteligente, mais original, significa apenas estar à mercê do seu próprio orgulho? Essa solução pode funcionar, porém, é arriscada demais. Você conhece muito bem a solução consagrada para este problema. Na guerra, uma vitória insossa é sempre melhor do que uma vitória brilhante. Já está na hora de você começar a entender por quê.

Ele esmurrou a mesa, furioso.

— Você se esqueceu que um Redentor tem o direito de matar no ato qualquer menino que faça algo de inesperado?

Ouviu-se outro estrondo quando ele esmurrou a mesa novamente, levantando-se e fuzilando Cale com o olhar. Um pouco de sangue pingava dos quatro buracos na mão esquerda ainda estendida do menino.

— Nenhum dos outros o trataria com tanta condescendência quanto eu. O Lorde Disciplinador está de olho em você. De tempos em tempos, ele gosta de dar um exemplo. Você quer terminar como um Ato de Fé?

Cale ficou olhando para a frente, sem dizer uma palavra.

— Responda!

— Não, senhor.

— Você se acha importante, seu Zed inútil?

— Não, senhor.

— É minha culpa, minha culpa, minha máxima culpa — disse o Lorde da Guerra, batendo três vezes no peito com a mão. — Você tem 24 horas para refletir sobre seus pecados e então irá se humilhar perante o Lorde Disciplinador.

— Sim, Redentor.

— Agora saia daqui.

Largando as mãos dos lados do corpo, Cale deu meia-volta e andou até a porta.

— Não sangre no tapete — falou o Lorde da Guerra enquanto ele ia embora.

Sozinho no seu cubículo, o Redentor ficou observando a porta se fechar. Quando ouviu o clique do trinco, a raiva mal contida em seu rosto se transformou em curiosidade reflexiva.

No corredor, Cale ficou parado por um instante sob a luz marrom tenebrosa que infestava todas as partes do Santuário e examinou sua mão esquerda. As feridas não eram profundas porque as tachas no cinto eram feitas para causar dor intensa sem que os machucados demorassem a sarar. Ele cerrou a mão em um punho e a apertou; à medida que o sangue pingava em gotas pesadas no chão, sua cabeça tremia como se um pequeno terremoto estivesse acontecendo no fundo do seu crânio. Então, relaxou a mão e, sob a luz sinistra, uma expressão de desespero atroz atravessou seu rosto. No instante seguinte ela havia desaparecido e Cale continuou descendo o corredor, sumindo de vista.

Nenhum dos meninos no Santuário sabia quantos iguais a eles havia ali. Alguns diziam que o número chegava a 10 mil e crescia a cada mês. Mesmo entre os que beiravam os 20 anos de idade, havia um consenso que, antes dos últimos cinco anos, o número, fosse ele qual fosse, permanecera constante. No entanto, desde então ele vinha crescendo. Os Redentores haviam mudado sua maneira de agir, o que por si só era estranho, além de mau sinal: velhos hábitos e conformidade com o passado eram para eles tão naturais quanto o ar que se respira. Cada dia deveria ser como o dia seguinte e cada mês como o mês seguinte. Um ano jamais deveria ser diferente do outro. Contudo, o aumento significativo no número de meninos exigira mudanças. Os dormitórios tinham sido reformados com beliches de dois e até mesmo três catres para acomodar os recém-chegados. Os cultos divinos eram realizados por escalas, de modo que todos pudessem rezar e receber os conselhos contra a danação todos os dias. Também as refeições passaram a ser feitas em turnos. Porém, os meninos não faziam ideia dos motivos por trás dessas mudanças.

Cale, com a mão esquerda envolvida em um pedaço de linho sujo que os lavadores de pratos haviam jogado fora, atravessou o refeitório imenso para a segunda refeição do dia carregando uma bandeja de madeira. Atrasado, mas não muito — caso contrário teria sido surrado e expulso dali —, ele seguiu em direção à mesa grande no fim do salão, onde sempre comia. Parou atrás de outro menino, aproximadamente da mesma idade e altura que ele, mas tão concentrado em comer que não percebeu Cale em pé às suas costas. Só se deu conta quando viu que os outros meninos à mesa estavam com as cabeças levantadas. Ele ergueu os olhos.

— Desculpe, Cale — disse ele, empurrando os restos de comida para dentro da boca ao mesmo tempo que saía de trás do banco e se apressava em ir embora, carregando sua bandeja.

Cale se sentou, olhando para o seu jantar: havia algo nele que parecia uma salsicha, mas não era, coberto por um molho aguado junto com algum tubérculo indeterminável, embranquecido após ferver eternamente em uma papa amarelada e anêmica. Em uma tigela ao lado daquilo, havia mingau — gelatinoso, frio e cinza como neve derretida de uma semana atrás. Por um instante, apesar de faminto, ele não conseguiu se forçar a comer. Então alguém abriu caminho aos empurrões até o assento ao seu lado. Cale não olhou para o menino, mas começou a atacar a comida. Somente depois de uma pequena mordida com o canto da boca ele descobriu o que era aquela coisa nojenta.

O menino que se acotovelara para sentar ao seu lado começou a falar, mas com uma voz tão baixa que somente Cale conseguia ouvir. Não era prudente ser pego conversando com outro menino durante as refeições.

— Eu descobri uma coisa — disse o menino, a empolgação clara na sua voz, embora ela fosse quase inaudível.

— Bom para você — respondeu Cale com frieza.

— Uma coisa maravilhosa.

Desta vez, Cale não demonstrou reação alguma, concentrando-se em mandar o mingau goela abaixo sem ter engulhos. O menino fez uma pausa.

— Eu encontrei comida. Do tipo que dá pra comer. — Cale mal ergueu a cabeça, mas isso bastou para que o menino ao seu lado soubesse que tinha vencido.

— Por que eu deveria acreditar em você?

— Henri Embromador estava comigo. Nos encontre às sete atrás do Redentor Enforcado.

Com essas palavras, o menino se levantou e foi embora. Cale ergueu a cabeça e uma expressão estranha de anseio tomou conta do seu rosto, tão diferente da máscara fria que ele geralmente mostrava para o mundo que o menino sentado à sua frente o encarou.

— Você quer isso, não quer? — disse o menino, seus olhos brilhando de esperança como se a salsicha rançosa e o mingau verde-esbranquiçado oferecessem mais prazer do que a mente de Cale era capaz de vislumbrar.

Cale não respondeu ou olhou para o menino, mas voltou a comer, forçando-se a engolir e tentando não passar mal.

Quando terminou, ele levou a bandeja de madeira ao lavadouro e a esfregou na bacia com areia, devolvendo-a à sua prateleira. Enquanto saía, observado por um Redentor sentado em uma cadeira alta imensa da qual podia inspecionar o refeitório, Cale se ajoelhou diante da estátua do Redentor Enforcado, bateu três vezes no peito e murmurou: "Eu sou um Pecado, eu sou um Pecado, eu sou um Pecado", sem dar a menor atenção ao significado dessas palavras.

Estava escuro lá fora, e a neblina noturna havia descido sobre o Santuário. Isso era bom; seria mais fácil para Cale passar despercebido pelo púlpito até os arbustos que cresciam atrás da grande estátua.

Quando chegou ali, Cale já não conseguia enxergar nem 5 metros diante do seu nariz. Ele desceu do púlpito até o caminho de cascalhos diante da estátua.

Aquele era o maior de todos os cadafalsos sagrados do Santuário, sendo que provavelmente havia centenas deles, alguns de não mais que poucos centímetros, pregados às paredes, montados em nichos, decorando as tinas de cinzas sagradas ao final de cada corredor e nos vãos que encimavam cada porta. Eles eram tão comuns e tão comentados que a imagem em si há muito perdera qualquer sentido. Ninguém, exceto pelos novatos, chegavam a notá-la pelo que era de fato: a representação de um homem pendurado numa forca com uma corda em volta do pescoço, seu corpo riscado pelas cicatrizes das torturas que antecederam a execução, suas pernas quebradas pendendo em um ângulo estranho no ar. Os cadafalsos sagrados do Redentor Enforcado feitos na época da fundação do Santuário, mil anos antes, eram toscos e tendiam a um realismo explícito: um terror nos olhos e no rosto, apesar da falta de habilidade do escultor; o corpo retorcido e devastado, a língua saltando da boca. Essa, segundo os escultores, era uma maneira terrível de se morrer. Com o passar dos anos, as estátuas se tornaram mais requintadas, mas também mais insossas. A grande estátua, com suas forcas imensas, sua corda grossa e o messias de 6 metros de altura suspenso na ponta dela tinha apenas 30 anos de idade: os vincos nas suas costas eram salientes, porém, limpos e sem sangue. Suas pernas não estavam esmagadas de forma aflitiva, mas posicionadas como se ele estivesse sentindo câimbras. Contudo, o mais estranho era a expressão no seu rosto — em vez da dor do estrangulamento, ele transmitia uma espécie de santidade incomodada, como se um ossinho estivesse preso na sua garganta e ele estivesse tentando soltá-lo com uma tosse discreta.

No entanto, em meio à neblina e à escuridão daquela noite, a única coisa que Cale conseguia ver do Redentor eram os seus pés enormes suspensos na névoa branca. A estranheza daquilo o deixou apreensivo. Tomando cuidado para não fazer barulho, Cale se embrenhou nos arbustos que o ocultariam de qualquer um que passasse por ali.

— Cale?

— Sou eu.

Kleist, o menino do refeitório, e Henri Embromador surgiram de dentro dos arbustos à sua frente.

— É melhor que isso valha a pena o risco, Henri — sussurrou Cale.

— Vale sim, Cale. Eu prometo.

Kleist gesticulou para Cale, chamando-o para entrar nos arbustos. Estava mais escuro ainda ali e Cale teve que esperar seus olhos se ajustarem. Os outros dois aguardaram. Então, uma porta surgiu diante deles.

Isso era espantoso — embora houvesse muitos portais no Santuário, quase não havia portas. Durante a Grande Reforma de duzentos anos atrás, mais da metade dos Redentores foi queimada na fogueira por heresia. Temendo que os apóstatas pudessem ter contaminado seus meninos, a seita vitoriosa dos Redentores os degolou para não correr nenhum risco. Uma vez reabastecidos de novos jovens, os Redentores fizeram muitas mudanças, e uma delas foi retirar todas as portas de qualquer parte do Santuário em que houvesse garotos.

Afinal, de que servem as portas onde existem pecadores? Portas escondem as coisas. Elas possibilitam vários comportamentos diabólicos, decidiram os Redentores, como guardar segredos e ficar sozinho ou na companhia de terceiros aprontando sabe-se lá o quê. O próprio conceito por trás de uma porta, pensando melhor, começou a fazê-los tremer de raiva e medo. Até o diabo já não era representado apenas como uma besta com chifres, mas também, e quase com a mesma frequência, como um retângulo dotado de uma fechadura. É claro que essa antipatia em relação às portas não se aplicava aos próprios Redentores: a presença de uma delas em seus locais de trabalho e nos cubículos em que dormiam era, por si só, um sinal de redenção. Para eles, a santidade era medida pelo número de chaves que lhes era permitido carregar na corrente em volta da cintura. Se você tilintasse ao caminhar, seu lugar no céu já estava garantido.

É por isso que a descoberta de uma porta desconhecida era algo extraordinário.

À medida que seus olhos se habituavam à escuridão, Cale conseguia ver uma pilha de reboco despedaçado e tijolos esfarelados ao lado da porta.

— Eu estava me escondendo de Chetnik — disse Henri Embromador. — Foi assim que achei este lugar. O reboco estava soltando naquele canto, então eu fui mexer nele enquanto esperava. Estava caindo aos pedaços de tão infiltrado. Não demorou nada pra sair.

Cale estendeu o braço em direção à beirada da porta e a empurrou com cuidado. Então a empurrou novamente. E novamente.

— Está trancada.

Kleist e Henri Embromador sorriram. O primeiro enfiou a mão no bolso e retirou algo que Cale nunca tinha visto aos cuidados de um menino — uma chave. Àquela altura, os olhos dos três estavam brilhando de entusiasmo. Kleist colocou a chave na fechadura e a girou, grunhindo por conta do esforço. Então, com um barulho surdo, ela se moveu.

— A gente passou três dias enchendo essa porta de graxa e tudo o mais para ela abrir — disse Henri Embromador, sua voz cheia de orgulho.

— Onde vocês conseguiram a chave? — perguntou Cale. Kleist e Henri Embromador estavam adorando o fato de Cale estar falando com eles como se tivessem ressuscitado os mortos ou caminhado sobre as águas.

— Eu conto depois que a gente entrar. Venham. — Kleist encostou o ombro na porta e os outros dois fizeram o mesmo. — Não empurrem com muita força, as dobradiças podem estar enferrujadas. Não queremos fazer barulho. Vou contar até três. — Ele fez uma pausa. — Preparados? Um, dois, três.

Eles empurraram e, com um rangido, a porta se moveu. Os três recuaram, sobressaltados. Ser ouvido era o mesmo que ser pego, e ser pego era o mesmo que sofrer só Deus sabia o quê.

— Nós podemos ser enforcados por isso — disse Cale. Os outros dois o encararam.

— Eles não fariam uma coisa dessas. Não um enforcamento. — falou Henri Embromador.

— O Lorde da Guerra me disse que o Disciplinador estava procurando uma desculpa para dar um exemplo. Já faz cinco anos desde o último enforcamento.

— Eles não fariam uma coisa dessas — repetiu Henri, chocado.

— Fariam, sim. Pelo amor de Deus, isto é uma *porta*. Vocês estão com uma *chave*. — Cale se voltou para Kleist. — Você mentiu para mim. Não faz a menor ideia do que tem aí dentro. É provavelmente um beco sem saída, sem nada que valha a pena roubar e nada que valha a pena saber. — Ele se virou para encarar o outro menino. — Isso não vale o risco, Henri, mas o pescoço é seu. Eu estou fora.

Assim que ele começou a dar meia-volta, uma voz chamou do púlpito, irritada e impaciente.

— Quem está aí? Que barulho é esse?

Então, eles ouviram o som de um homem pisoteando o caminho de cascalhos em frente ao Redentor Enforcado.

2

Terror absoluto seria pouco se comparado ao que Kleist e Henri sentiram ao ouvirem aquele som e tomarem consciência da crueldade que os aguardava por serem tão burros — a multidão enorme e silenciosa aguardando sob a luz cinzenta, seus gritos à medida que eles eram arrastados para o cadafalso, a terrível espera de uma hora enquanto a Missa era realizada e, finalmente, a forca e os dois sendo atirados para baixo, sufocando e chutando o ar.

Cale, no entanto, já havia retornado à porta e, com um esforço silencioso, a ergueu das suas dobradiças em frangalhos, empurrando-a para a frente. Ele apanhou os dois garotos paralisados pelo ombro e os empurrou em direção à abertura. Uma vez que os dois estavam lá dentro, Cale se espremeu para entrar atrás deles e, com outro esforço monumental, fechou a porta às suas costas, novamente quase sem fazer barulho algum.

— Apareça agora mesmo! — A voz do homem soava abafada, porém nítida.

— Me dê a chave — disse Cale. Kleist a entregou para ele. Cale se voltou para a porta e tateou em busca da fechadura. Então, se deteve. Não sabia como usar uma chave. — Kleist! Faça você! — sussurrou ele. Kleist procurou a fechadura no escuro e enfiou a chave pesada nela.

— Sem barulho — disse Cale.

Com sua mão trêmula ciente de que aquilo era uma questão de vida ou morte, Kleist girou a chave.

Ela rodou com o que lhes pareceu o estardalhaço de um martelo batendo em uma panela de ferro.

— Venha cá agora! — exigiu a voz abafada. Porém, Cale conseguia notar um quê de insegurança nela. Quem quer que estivesse lá fora na neblina não sabia bem o que tinha ouvido.

Eles esperaram. O silêncio quebrado apenas pelo leve chiado da respiração dos amedrontados. Por fim, conseguiram ouvir, bem baixinho, o barulho abafado de pés esmagando o cascalho à medida que o homem se afastava, o som desaparecendo rapidamente.

— Ele foi buscar os Patrulheiros.

— Talvez não — disse Cale. — Acho que era o Lorde dos Víveres. Ele é um gordo preguiçoso e não sabe direito o que ouviu. Poderia ter vasculhado os arbustos, mas não quis se dar o trabalho. Não vai se arriscar a chamar os Patrulheiros com seus cachorros quando não estava disposto nem a olhar atrás de algumas moitas para não ter que arrastar sua carcaça banhuda.

— Se ele voltar amanhã, quando estiver claro, vai encontrar a porta — disse Henri Embromador. — Mesmo se escaparmos agora, eles virão atrás da gente.

— Eles virão atrás de *alguém* e vão dar um jeito de encontrar, independente de a pessoa ser culpada ou não. Não tem nada que nos associe a este lugar. Alguém vai pagar o pato, mas não há o menor motivo para sermos nós.

— E se ele tiver ido buscar ajuda? — perguntou Kleist.

— Destranque a porta e vamos sair daqui.

Kleist tateou a porta e foi descendo a mão até a chave que saltava da fechadura. Tentou girá-la, mas ela não se mexeu. Tentou novamente. Nada. Então, a torceu com toda a sua força. Um estalo alto ressoou na escuridão.

— O que foi isso? — quis saber Henri Embromador.

— A chave — disse Kleist. — Ela quebrou na fechadura.

— O quê? — disse Cale.

— Está quebrada. Não dá pra gente sair. Não por aqui.

— Meu Deus! — praguejou Cale. — Seu cabeça-oca. Se conseguisse enxergar você eu torceria o seu pescoço.

— Deve haver outra saída.

— E como nós vamos encontrá-la neste breu? — perguntou Cale com rispidez.

— Eu trouxe luz — disse Kleist. — Achei que a gente ia precisar mesmo.

Por um instante, ouviu-se apenas o barulho de Kleist remexendo na sua batina, deixando cair algo no chão, apanhando-o de volta e remexendo na batina novamente. Então, com o auxílio de uma pederneira, ele acendeu faíscas sobre um punhado de limo seco. Logo ele pegou fogo e os outros dois viram Kleist encostando o pavio de uma vela à chama. Sem demora, a colocou dentro da sua redoma de vidro e os meninos puderam finalmente olhar à sua volta.

É verdade que não havia muito para se ver sob a luz da vela — a gordura animal derretida não oferecia mais que uma iluminação precária —, porém, à medida que os meninos corriam os olhos pelo local, logo ficou claro que aquilo não era uma sala, mas sim um corredor bloqueado.

Cale pegou a vela das mãos de Kleist e examinou a porta.

— O reboco não é tão velho. Tem no máximo alguns anos.

Algo fugiu correndo pelos cantos e os três pensaram na mesma coisa: ratos.

Os acólitos eram proibidos de comer ratos por motivos religiosos, mas pelo menos havia uma boa razão para esse tabu em especial — aqueles bichos eram doenças ambulantes. Ainda assim, os meninos consideravam a carne deles uma iguaria e tanto. Mas obviamente nem todo mundo podia ser um açougueiro de ratos. Tratava-se de uma habilidade muito prezada, que era transmitida do açougueiro para o aprendiz em troca apenas de objetos valiosos e favores. Os açougueiros de ratos eram discretos e cobravam metade do roedor pelos seus serviços — um preço tão caro que, vez por outra, alguns apanhadores resolviam dispensá-los e tentar preparar a carne por conta própria, geralmente com resultados que incentivavam os demais a pagarem com satisfação. Kleist era um açougueiro treinado.

— Não temos tempo — disse Cale, percebendo o que estava passando pela cabeça do outro. — E não há luz o suficiente para preparar a carne.

— Eu consigo esfolar um rato no escuro — respondeu Kleist. — Quem sabe quanto tempo vamos ficar presos aqui? — Ele levantou a batina, tirando uma pedra grande de um bolso escondido na bainha. Mirou com atenção e a atirou na penumbra. Ouviu-se um guincho vindo do canto e um barulho terrível de correria. Kleist apanhou a vela de Cale e andou em direção ao som. Enfiou a mão no bolso e, com muito cuidado, desdobrou um pedacinho de pano, usando-o para apanhar a criatura. Com um giro do punho, quebrou seu pescoço e a colocou no mesmo bolso.

— Depois eu termino.

— Isto aqui é um corredor — disse Cale. — Devia dar em algum lugar antes. Talvez ainda dê. — Como estava com a vela, Kleist liderou o caminho.

Menos de um minuto depois, Cale começou a reconsiderar sua hipótese. O corredor logo se estreitou tanto que eles não conseguiam mais seguir em frente sem se apertarem. Contrariando as expectativas de Cale, nenhum portal apareceu, emparedado ou não.

— Isto não é um corredor — disse ele por fim, ainda mantendo a voz baixa. — Está mais para um túnel.

Eles continuaram andando por mais de meia hora, movendo-se a passos rápidos apesar do escuro, pois o solo era praticamente liso, sem entulho algum.

Algum tempo depois, foi Cale quem voltou a falar.

— Por que você me disse que havia comida se nunca tinha entrado neste lugar?

— Não é óbvio? — disse Henri Embromador. — Você não teria vindo de outra forma, teria?

— E que burrice teria sido isso, não é? Você me prometeu comida, Kleist, e eu fui idiota o bastante para confiar em você.

— Eu achava que você tinha fama de não confiar nas pessoas — disse Kleist. — Além do mais, estou com um rato no bolso. Não menti. E, de qualquer forma, tem comida aqui, sim.

— Como você sabe? — perguntou Henri, sua voz traindo a fome que sentia.

— Tem muito mais ratos neste lugar. Ratos precisam comer. Eles precisam tirar a comida de algum lugar.

Kleist parou de andar de repente.

— O que foi? — perguntou Henri.

Kleist estendeu a vela para a frente. Uma parede se erguia diante deles. Não havia porta.

— Talvez esteja atrás do reboco — falou Kleist.

Cale correu a palma da mão pela parede e então bateu nela com o punho cerrado.

— Não é reboco. É farinha de arroz e concreto. Igual aos muros externos. — Seria impossível quebrar aquilo.

— Temos que voltar. Talvez a gente tenha passado por uma porta lateral no túnel. Não estávamos procurando por isso.

— Duvido — disse Cale. — E, além disso... até quando essa vela vai durar?

Kleist olhou para a vela que estava segurando.

— Uns vinte minutos.

— O que a gente vai fazer? — disse Henri Embromador.

— Apagar e vela e pensar — falou Cale.

— Boa ideia — disse Kleist.

— Que bom que você acha — murmurou Cale, sentando-se no chão.

Depois de se sentar também, Kleist abriu a redoma de vidro e apagou a vela entre o polegar e o indicador.

Os três ficaram sentados no escuro, distraídos pelo cheiro de gordura animal que a vela soltava. Para eles, o fedor rançoso de sebo queimado lembrava uma só coisa: comida.

Depois de cinco minutos, Henri Embromador falou.

— É só que... — disse ele, interrompendo a frase no meio. Os outros dois esperaram. — A gente está em uma ponta de um túnel... — Ele se deteve novamente. — Mas tem que haver mais de uma maneira de se entrar num túnel... — Ele balbuciou algo mais e então se calou. — É só uma ideia.

— Uma *ideia*? — disse Kleist. — Não seja presunçoso.

Henri não respondeu, mas Cale se levantou.

— Acenda a vela.

Kleist precisou de um minuto para fazer fogo com o limo e a pederneira, mas logo eles conseguiam enxergar novamente. Cale se agachou.

— Entregue-a para Henry e suba nos meus ombros.

Kleist entregou a vela para Henry, subiu nas costas de Cale e prendeu as pernas em volta do seu pescoço. Com um grunhido, Cale o ergueu no ar.

— Pegue a vela.

Kleist obedeceu.

— Agora dê uma olhada no teto.

Kleist levantou a vela, sem fazer ideia do que estava procurando.

— Achei! — exclamou ele.

— Não grite, droga!

— É um alçapão — sussurrou ele, eufórico.

— Você consegue alcançar?

— Consigo. Quase não preciso esticar os braços.

— Tenha cuidado, empurre de leve. Pode ter alguém por perto.

Kleist colocou a palma da mão sobre a extremidade mais próxima do alçapão e o empurrou.

— Está se mexendo.

— Tente empurrá-lo para cima. Tente ver alguma coisa.

Ouviu-se um rangido.

— Nada. Está escuro. Vou colocar a vela lá em cima. — E então, após uma pausa: — Ainda não dá pra ver muita coisa.

— Não consegue subir?

— Empurre os meus pés depois que eu agarrar a beirada. Agora!

Cale agarrou os pés dele e os impulsionou para cima. Kleist subiu lentamente, esgueirando-se pelo buraco no teto à medida que o alçapão se fechava ruidosamente sobre as cabeças dos outros dois.

— Não faça barulho! — sibilou Cale.

Então ele desapareceu.

Cale e Henri ficaram esperando no escuro, iluminados pela luz fraca do alçapão. À medida que Kleist vasculhava as redondezas, mesmo ela perdeu seu brilho, apagando-se em seguida.

— Você acha que podemos confiar que ele não vai dar no pé?

— Bem — disse Henri Embromador. — Acho que sim. — Ele fez uma pausa. — Provavelmente.

Porém, não terminou de falar. A luz reapareceu no alçapão, seguida pela cabeça de Kleist.

— É uma espécie de aposento — sussurrou ele. — Mas consigo ver luz saindo de outro alçapão.

— Suba nos meus ombros — disse Cale para Henri Embromador.

— E você?

— Não se preocupe, só esperem lá em cima para me puxarem.

Henri Embromador era muito mais leve do que Kleist e foi fácil erguê-lo até o alçapão, onde Kleist pôde acabar de puxá-lo.

— Baixe a vela o máximo que puder.

Kleist desceu pelo buraco enquanto Henri Embromador o segurava pelos pés.

Cale foi até a parede do túnel e ergueu os braços até uma fenda, usando-a para puxar o corpo para cima. Então encontrou outra e depois outra, até conseguir alcançar a mão de Kleist.

Eles se agarraram pelos pulsos.

— Você acha que consegue?

— Se preocupe com você mesmo, Cale. Vou dar a vela para Henri.

Ele virou a mão para trás em direção a Henri Embromador, com metade do corpo pendendo do alçapão, e a luz desapareceu novamente na escuridão acima.

— Quando eu chegar no três. — Ele fez uma pausa. — Um, dois, três.

Cale largou a parede e seu corpo se balançou no ar — Kleist soltou um grunhido forte ao sustentar seu peso. Ele ficou pendurado ali por um instante, esperando o vaivém parar. Então, esticou o braço livre para cima e pegou o ombro de Kleist, enquanto Henri o puxava pelas pernas. Os dois tinham se movido apenas 15 centímetros, porém, foi o suficiente para Cale agarrar a beirada do alçapão e aliviar o peso de Kleist e Henri. Ele se segurou ali por alguns segundos e depois foi puxado pelo buraco até o chão de madeira.

Os três ficaram deitados ali, ofegando por conta do esforço. Então, Cale se levantou.

— Me mostre o outro alçapão.

Após se levantar também, Kleist apanhou a vela quase no fim e andou até a outra extremidade do aposento, que Cale calculava ter uns 6 metros por 4,5.

Kleist se agachou ao lado do primeiro de três alçapões. Havia, conforme ele dissera, uma fenda em uma de suas laterais. Cale aproximou o olho o máximo possível dela; no entanto, apesar de haver luz ali, ele não conseguiu ver nada em especial. Então, colou o ouvido à fenda.

— O que você...?

— Cale a boca! — sibilou Cale.

Ele continuou com o ouvido grudado ali por uns bons dois minutos. Então se sentou, voltando-se para o alçapão. Não havia nenhuma maneira clara de abri-lo, de modo que ele tateou as beiradas até encontrar uma fresta grande o bastante para puxá-lo para cima em direção ao lado preso. O alçapão cedeu um pouco, soltando um rangido. Cale franziu o rosto de irritação. Como não havia espaço o bastante nem para um dedo, ele teve que cravar as unhas na madeira para conseguir algum tipo de apoio. Doeu quando ele puxou a beirada, mas logo ela estava levantada o bastante para Cale enfiar as mãos por baixo. O menino ergueu a tampa da armação e os três olharam pelo buraco.

O que os esperava cerca de 5 metros abaixo era diferente de qualquer coisa que tivessem visto na vida; na verdade, superava até seus sonhos mais grandiosos.

3

Totalmente imóveis, totalmente em silêncio, os três meninos continuaram a olhar para a cozinha, pois era isso que ela era. Cada superfície estava coberta de travessas de comida: havia frangos assados com a pele douradinha temperada com sal e pimenta em pó, bifes grossos e carne de porco com uma casquinha tão crocante que faria o som de um graveto seco se partindo ao ser mordida. Fatias grossas de pão com a casca tão escura que era quase preta em algumas partes, travessas com pilhas altas de cebolas roxas e arroz com frutas secas, passas gordas e maçãs. E, para completar, os doces: suspiros que pareciam montanhas, pudins de ovos amarelo-escuros e tigelas de creme de leite.

Os meninos não tinham palavras para a maioria das coisas que viam: como ter uma palavra para pudim de ovos se você nunca sequer imaginou a existência de algo parecido, ou pensar que as fatias de bife e peito de frango tinham alguma relação com os pedaços de vísceras, patas e cérebro cozidos na mesma panela e enfiados em salsichas que eram a única coisa que conheciam por carne? Imagine como as cores e os atrativos do mundo seriam estranhos para um cego que tivesse começado a enxergar de repente; ou um homem surdo de nascença ouvindo pela primeira vez a melodia de uma centena de flautas.

No entanto, por mais confusos e impressionados que estivessem, a fome os fez descer pelo alçapão como macacos, balançando-se para não caírem em cima da mesa e aterrissando no meio da cozinha. Os três ficaram pasmos diante da fartura que os cercava. Até Cale quase se esqueceu de que o alçapão precisava ser fechado. Deslumbrado com os cheiros doces e as cores, ele tirou algumas das travessas de cima da mesa para subir nela. Esticando as mãos ao máximo, conseguiu puxar a tampa de volta e colocá-la no lugar.

Quando voltou ao chão, os outros dois já estavam roubando a comida com a habilidade de saqueadores experientes. Eles pegavam apenas uma coisa de cada travessa e reorganizavam o monte para dar a impressão de que nada havia sido retirado. Não conseguiram resistir e comeram algumas lasquinhas de frango ou pão, porém, a maioria das coisas que pegavam ia direto para os bolsos ocultos costurados nas suas batinas para guardar qualquer artigo fácil de roubar e esconder que encontrassem.

Cale ficou enjoado por conta dos cheiros fortes que pareciam dilatar no seu cérebro e lhe davam vontade de desmaiar, como se eles tivessem sido enfeitiçados por vapores estranhos.

— Não comam. Apenas levem o que puderem esconder. — Aquelas instruções serviam tanto para os outros quanto para ele. Cale pegou sua parte e escondeu o que surrupiou, porém, tinha poucos bolsos para esconder a comida. Não havia necessidade de muitos esconderijos, uma vez que normalmente os roubos eram poucos e irrisórios.

— Temos que sair daqui. Agora. — disse Cale, encaminhando-se para a porta. Como se tivessem sido despertados de um sono profundo, Kleist e Henri Embromador começaram a perceber o tamanho do perigo que estavam correndo. Cale ficou escutando diante da porta por um instante e depois a abriu devagar. Era um corredor.

— Só Deus sabe onde nós estamos — disse ele. — Mas precisamos encontrar um esconderijo. — Com essas palavras, acabou de abrir a porta e saiu da cozinha, os outros dois o seguindo com cautela.

Eles andaram depressa, mantendo-se colados às paredes. Poucos metros depois, passaram por uma escada que subia. Cale balançou a cabeça quando Henri Embromador andou na direção dela.

— Temos que encontrar uma janela ou sair para ver se descobrimos onde estamos. Precisamos voltar para o dormitório antes do apagar das luzes, ou eles saberão que nós sumimos.

Eles seguiram em frente, porém, quando se aproximaram de uma porta à esquerda, ela começou a se abrir.

Em um piscar de olhos, deram meia-volta e fugiram de volta para a escada, correndo até o último degrau. Os três se deitaram rente ao chão do patamar, ouvindo vozes atravessarem o corredor lá embaixo. Escutaram outra porta sendo aberta e, erguendo a cabeça, Cale pôde ver um vulto entrar na cozinha da qual tinham acabado de sair. Henri Embromador veio para o seu lado. Ele parecia confuso e assustado.

— Aquelas vozes — sussurrou ele. — O que há de errado com elas?

Cale balançou a cabeça, mas também notara como elas eram estranhas e sentiu um movimento estranho na barriga. Então, se levantou para examinar o local onde eles estavam se escondendo. Não havia saída, exceto por uma porta às suas costas. Ele girou rapidamente a maçaneta e se esgueirou para dentro do aposento atrás dela. Porém, não era um aposento. Era uma espécie de balcão com um muro baixo a uns 3 metros da porta. Cale engatinhou até ele enquanto os outros dois faziam o mesmo até estarem todos agachados atrás do muro.

Uma explosão de risadas e aplausos veio do espaço para o qual o balcão dava vista.

Não foram apenas as gargalhadas que assustaram os três meninos — pois era raro se ouvir tanta risada por ali, e jamais naquela altura e com tanta alegria —, mas acima de tudo o tom e a sonoridade delas. Como as vozes que tinham escutado no corredor pouco antes, as risadas desencadearam uma emoção desconhecida dentro deles.

— Levanta pra olhar — sussurrou Henri Embromador.

— Não — fez Cale com a boca.

— Você tem que olhar, senão olho eu.

Cale agarrou seu punho e o apertou.

— Se nós formos pegos, estamos mortos.

Com relutância, Henri Embromador se recostou de volta contra o muro do balcão. Houve outra explosão de risadas, porém, desta vez, Cale ficou de olho em Henri. Então percebeu que Kleist tinha se ajoelhado e estava olhando para baixo, fascinado, em direção à fonte de tanta alegria despreocupada. Normalmente, o riso de um acólito era algo estranho, lacônico e amargo. Ele tentou puxá-lo de volta, mas Kleist era muito mais forte do que Henri Embromador e era impossível movê-lo sem fazer uma força tal que os entregaria imediatamente.

Cale ergueu a cabeça devagar por sobre o muro do balcão e, olhando para baixo, se deparou com algo muito mais chocante e perturbador do que a visão da comida na cozinha. Era como se tudo dentro dele estivesse sendo espetado por uma centena dos pauzinhos de laranjeira dos Redentores.

Lá embaixo, em um grande salão, havia cerca de uma dúzia de mesas, todas cobertas com as mesmas comidas que eles tinham visto na cozinha. As mesas estavam dispostas em um círculo, de modo que todos os que as ocupavam pudessem ver uns aos outros, e parecia óbvio que duas garotas vestidas do mais puro branco eram o motivo da celebração. Uma delas em especial era estonteante, com cabelos negros longos e olhos verdes profundos. Ela era bonita, mas também rechonchuda como uma almofada. No meio do círculo de mesas, havia uma enorme piscina cheia de água quente, coberta por uma camada de vapor. Foram as cerca de meia dúzia de meninas dentro dela que deixaram os olhos de Cale e Kleist arregalados, congelando seus rostos em uma expressão tão chocada e perplexa quanto se tivessem se deparado com o próprio paraíso.

As meninas na piscina estavam nuas. Elas eram rosadas e pardas, a cor da pele variando de acordo com suas origens, mas todas eram curvilíneas e voluptuosas. No entanto, não foi a nudez delas que os espantou, mas sim o fato de nunca terem visto uma mulher antes.

Quem poderia capturar o que eles sentiram? Nenhum poeta seria capaz de colocar em palavras a alegria terrível, o choque e o assombro daqueles meninos.

Desta vez foi Henry Embromador, que àquela altura estava de pé do lado dos dois, quem engasgou de espanto.

O barulho pôs a cabeça de Cale de volta no lugar. Ele se jogou para baixo, recostando-se contra a parede. Poucos segundos depois, os outros dois fizeram o mesmo, pálidos e confusos.

— Que coisa linda — sussurrou Henri Embromador para si mesmo. — Linda, linda, linda.

— Temos que sair daqui, ou vamos morrer.

Cale se colocou de quatro e engatinhou até a porta com os outros dois no seu encalço. Eles saíram do balcão, se arrastaram até a beirada do patamar e ficaram escutando. Nada. Então, desceram a escada e começaram a atravessar o corredor. A sorte estava do lado deles, pois não restava mais nada dos meninos habilidosos e precavidos que tinham chegado ao balcão e testemunhado as cenas chocantes lá embaixo. Contudo, mesmo nesse estado abalado e embevecido, eles conseguiram chegar até um portal que conduzia a um segundo corredor. Uma vez nele, viraram à esquerda por não terem motivo melhor para virarem na outra direção.

Então, restando apenas meia hora para voltarem ao galpão-dormitório, os três começaram a correr. Porém, menos de um minuto depois, chegaram a uma curva fechada. O caminho depois dela se estendia por 6 metros e terminava em uma porta grossa. Seus rostos se encheram de desespero.

— Deus do céu! — sussurrou Henri Embromador.

— Daqui a quarenta minutos eles vão mandar os Patrulheiros atrás da gente — disse Kleist.

— Bem, com a gente preso aqui, vai ser moleza pra eles, não é mesmo? — disse Cale.

— E depois? Eles não vão nos deixar contar o que vimos aqui — falou Kleist.

— Então nós temos que dar o fora — disse Cale.

— Dar o fora?

— É, tipo ir embora e nunca mais voltar.

— A gente não consegue nem sair daqui — disse Kleist —, e você vem me falar em escapar do Santuário como um todo.

— Que outra escolha nós... — Porém, a resposta de Cale foi interrompida pelo som de uma chave girando a fechadura da porta à sua frente. Era uma porta imensa, com pelo menos 15 centímetros de espessura, de modo que eles tinham apenas alguns segundos para encontrar um esconderijo. O único problema é que não havia nenhum.

Cale fez sinal para os outros dois se espremerem contra a parede onde a porta aberta os esconderia, pelo menos até ser fechada novamente. Mas não havia outra saída: correr de volta significava ficarem presos onde estavam até sua ausência ser descoberta, ao que se seguiria uma captura rápida e uma morte lenta.

A porta se abriu, não sem algum esforço, a julgar pelo xingamento e pelo grunhido irritado que os meninos ouviram. Em meio a outros resmungos mal-humorados, a porta se moveu na direção deles e parou. Então, um pequeno calço de madeira foi empurrado para baixo dela de modo a mantê-la aberta. Depois de mais alguns xingamentos e resmungos, ouviu-se o som de um carrinho sendo empurrado pelo corredor. Cale, que estava na beirada da porta, olhou para fora e divisou um vulto familiar com uma batina preta dobrar, mancando, a curva e desaparecer. Ele fez sinal para os outros e atravessou depressa a porta.

No instante seguinte, estavam do lado de fora, envoltos pela neblina fria. Havia outro carrinho cheio de carvão esperando para ser levado para dentro. Era por isso que o Sub-Redentor Smith, preguiçoso como sempre, tinha prendido a porta aberta em vez de trancá-la de volta, conforme devia ter sido ordenado.

Normalmente, eles teriam roubado o máximo de carvão possível, porém, seus bolsos estavam cheios de comida e, de qualquer forma, estavam assustados demais.

— Onde estamos? — perguntou Henri Embromador.

— Não faço ideia — respondeu Cale. Ele desceu do púlpito tentando se acostumar à neblina e à escuridão para encontrar um ponto de referência. No entanto, o alívio de terem escapado já estava desaparecendo. Eles tinham andado bastante no túnel. Poderiam estar em qualquer lugar do Santuário, com seu labirinto de construções, púlpitos e corredores.

Então, dois pés enormes foram saindo aos poucos da neblina. Era a grande estátua do Redentor Enforcado que eles haviam deixado para trás mais de uma hora antes.

Cinco minutos depois, já haviam se juntado, separadamente, à fila para o galpão-dormitório, mais formalmente conhecido como o Dormitório da Nossa Senhora do Perpétuo Socorro. Não faziam ideia do que tudo isso significava e estavam pouco se lixando. Então, começaram a cantar junto com os demais:

"E se eu morresse esta noite? E se eu morresse esta noite? E se eu morresse esta noite?" Os Redentores haviam deixado a resposta para essa pergunta sinistra bem clara desde que os acólitos se entendiam por gente: a maioria deles iria para o inferno por conta do estado corrompido e repugnante de suas almas, onde queimariam por toda a eternidade. Por anos, sempre que o assunto de eles morrerem no meio da noite vinha à tona — o que era bem frequente —, Cale era arrastado para a frente do grupo, ao que o Redentor responsável levantava-lhe a batina para expor suas costas nuas e mostrar as feridas que as cobriam da nuca até a base da coluna. As chagas possuíam os mais variados tamanhos e, enquanto passavam pelas diversas etapas de cicatrização, eram às vezes até bonitas de se olhar, com seus inúmeros tons de azul, cinza, verde, vermelho vivo e amarelo quase dourado.

— Olhem para essas cores! — dizia o Redentor. — Suas almas, que deveriam ser brancas como as nadadeiras de uma tartaruga, são piores do que as manchas negras e roxas nas costas deste menino. É assim que todos vocês são aos olhos de Deus: roxos e negros. E se algum de vocês morrer esta noite, sabe muito bem em qual fila irá entrar. Quando chegarem ao final dela, eis o que os espera: bestas que irão comê-los, evacuá-los e então comê-los novamente. Fornos de metal, vermelhos de tão quentes, nos quais serão reduzidos a cinzas por uma hora e depois transformados em gordura. Em seguida, um demônio irá misturá-los, reduzindo-os a uma massa repulsiva de cinzas e banha, quando finalmente renascerão para serem queimados novamente e novamente por toda a eternidade.

Certa vez, um dignitário visitante — um tal Redentor Compton, que se opunha a Bosco — testemunhou essa demonstração e também uma das surras que causava as feridas.

— Estes meninos — disse o Redentor Compton — estão sendo treinados para combater a blasfêmia dos Antagonistas. Uma violência tão extrema contra uma criança, por mais que ela tenha se tornado um joguete do diabo, quebrará seu espírito muito antes de ela ficar forte o bastante para nos ajudar a varrer o sacrilégio dos nossos inimigos dos olhos de Deus.

— Ele não é rebelde e está muito longe de ser um joguete do diabo. — Bosco, sempre muito cauteloso quando o assunto era Cale, ficou imediatamente com raiva de si mesmo por ter sido provocado a dar uma explicação, por mais enigmática que fosse.

— Então por que o senhor permite isso?

— Não pergunte o motivo. Apenas fique satisfeito.

— Diga-me, Redentor.

— Eu me recuso.

E, diante dessas palavras, o Redentor Compton, como sempre mais sábio do que Bosco, se calou. Porém, mais tarde, instruiu dois de seus informantes no Santuário a descobrirem tudo o possível sobre o menino de costas roxas.

À medida que Cale e os demais murmuravam: "E se eu morresse esta noite? E se eu morresse esta noite? E se eu morresse esta noite", a caminho do galpão-dormitório, a ladainha que anos de repetição quase esvaziaram de sentido reconquistou o poder terrível que tinha sobre eles durante a infância, quando os deixava acordados a noite inteira, convencidos de que bastaria fecharem os olhos para sentir a boca quente da besta, ou para ouvir o bater das portas chamuscadas dos fornos de metal.

Dez minutos depois, o dormitório enorme estava cheio e a porta trancada, enquanto 5 mil meninos se preparavam para dormir em silêncio total no galpão amplo, frio e mal iluminado. Então, as velas foram apagadas e eles começaram a se preparar para um sono que veio depressa, pois estavam acordados desde as cinco da manhã. O dormitório foi tomado por uma mistura barulhenta de roncos, choro, gritinhos e gemidos à medida que os meninos se refugiavam em qualquer que fosse o conforto ou o horror que os aguardava em seus sonhos.

Três deles, é claro, não adormeceram tão rapidamente, continuando despertos por várias horas.

4

Cale acordou cedo. Tinha esse hábito desde quando conseguia se lembrar. Isso lhe dava uma hora inteira sozinho, até onde isso era possível com 5 mil meninos dormindo no mesmo lugar. Porém, na escuridão que precede o amanhecer, não havia ninguém para falar com ele, observá-lo, lhe dar ordens, fazer ameaças, ou procurar alguma desculpa para espancá-lo ou até mesmo matá-lo. E, embora sentisse fome, pelo menos estava aquecido. Então, é claro, ele se lembrou da comida. Seus bolsos estavam cheios dela. Era arriscado esticar o braço para apanhar a batina pendurada do lado da cama, mas algo irresistível o impulsionava; não era apenas a fome, pois ela era uma companheira constante, mas a alegria, a ideia, o prazer esmagador de comer algo que tinha um gosto tão maravilhoso. Sem pressa, ele enfiou a mão no bolso e pegou a primeira coisa que encontrou lá dentro, uma espécie de biscoito com uma cobertura de creme de ovos, e a enfiou na boca.

A princípio, achou que iria enlouquecer de satisfação, o gosto de açúcar e manteiga explodindo não só na sua boca, mas também no cérebro, ou melhor, em sua própria alma. Ele continuou mastigando e engoliu, sentindo um prazer inenarrável.

Então, obviamente, Cale passou mal. Estava tão acostumado àquele tipo de comida quanto um elefante a voar no céu. Como um homem morrendo de sede ou de inanição, ele precisava ser alimentado a conta-gotas e com migalhas, ou seu corpo se rebelaria, morrendo graças à própria coisa de que necessitava tão desesperadamente. Cale ficou meia hora deitado ali, se esforçando ao máximo para não vomitar.

À medida que começava a se recuperar, Cale conseguia ouvir o som de um dos Redentores fazendo sua ronda antes da hora de acordar. As solas duras dos seus sapatos estalavam no chão de pedra enquanto ele andava em meio aos meninos adormecidos. Isso durou dez minutos. Então, de repente, os passos ficaram mais rápidos e o homem bateu palmas com força. DE PÉ! DE PÉ!

Cale, ainda enjoado, se empertigou e começou a vestir a batina, tomando cuidado para não derrubar nada dos bolsos abarrotados enquanto 5 mil meninos gemiam e se levantavam cambaleantes.

Poucos minutos depois, eles marcharam pela chuva até a missa no grande edifício de pedra da Basílica da Eterna Misericórdia, onde passaram as duas horas seguintes murmurando preces em resposta aos dez Redentores que celebravam o culto, usando palavras há tempos esvaziadas de sentido por conta da repetição. Cale não via problema nisso, ainda pequeno aprendera a dormir de olhos abertos e murmurar com o resto dos meninos, apenas uma pequena parte da sua mente de prontidão, alerta a qualquer Redentor à cata de preguiçosos.

Em seguida, veio o café da manhã. Mais mingau cinza e pé de defunto, uma espécie de bolo feito com diversos tipos de animais e gordura vegetal, geralmente estragada, e uma grande variedade de grãos. Repugnante, porém muito nutritivo. Era somente por conta dessa mistura nojenta que os meninos conseguiam sobreviver. Os Redentores queriam que eles tivessem o mínimo de prazer possível na vida, contudo, seus planos para o futuro — a grande guerra contra os Antagonistas — exigiam que os meninos fossem fortes. Os que sobrevivessem, é claro.

Somente às oito, quando foram enfileirados para o treino no Campo da Absoluta Misericórdia dos Nossos Redentores, que os três puderam conversar novamente.

— Estou passando mal — disse Kleist.

— Eu também — sussurrou Henri Embromador.

— Eu quase vomitei — admitiu Cale.

— A gente vai ter que esconder a comida.

— Ou jogar fora.

— Vocês vão se acostumar — disse Cale. — Bem, podem me dar o que pegaram se não quiserem mais.

— Eu vou ter que dobrar as vestes depois do treino — disse Henri Embromador. — Me deem a comida que eu escondo no meio delas.

— Conversando. Vocês. Conversando. — O Redentor Malik tinha aparecido atrás deles daquele seu jeito quase miraculoso de sempre. Era estupidez fazer qualquer coisa de errado quando Malik estava por perto, por conta da sua estranha habilidade de apanhar os outros de surpresa. O fato inesperado de ele ter assumido o treinamento no lugar do Redentor Fitzsimmons, conhecido universalmente como Fitz Caganeira, por conta da disenteria que o atormentava desde a época em que serviu na campanha dos Pântanos, foi um tremendo azar.

— Pague duzentas — disse Malik, dando um cascudo forte na parte de trás da cabeça de Kleist. Ele obrigou toda a fileira, e não só os três, a se apoiar no chão com os punhos fechados e começar a fazer as flexões exigidas. — Você não, Cale — disse Malik. — Fique de ponta-cabeça. — Cale plantou bananeira com facilidade e começou a subir e descer o corpo. Com a exceção de Kleist, os outros meninos da fileira já estavam franzindo o cenho por conta do esforço.

Cale, no entanto, continuava a se mover para cima e para baixo, como se pudesse fazer aquilo para sempre, seu olhar vazio, a mil quilômetros de distância. Kleist parecia apenas entediado, mas totalmente à vontade, enquanto fazia o exercício duas vezes mais rápido do que os demais. Quando o último da fileira terminou, exausto e dolorido, Malik mandou Cale fazer mais duzentas flexões por demonstrar orgulho físico.

— Eu mandei você ficar de ponta-cabeça, e não fazer flexões também. O orgulho de um menino é um tira-gosto delicioso para o diabo. — Essa foi uma lição de moral incompreensível para os acólitos à sua frente, que o encararam confusos: comer alguma coisa leve, porém revigorante, entre as refeições, fosse ela saborosa ou não, era algo que eles jamais tinham imaginado, quanto mais feito.

Quando a sirene tocou para sinalizar o fim do treino, 5 mil meninos se encaminharam o mais lentamente que a ousadia deles permitia de volta à Basílica para as orações matinais. Ao passarem pelo beco que conduzia aos fundos do grande edifício, os três meninos escapuliram. Kleist e Cale entregaram toda a comida nos seus bolsos para Henri Embromador e então voltaram à longa fila que se aglomerava na praça em frente à Basílica.

Enquanto isso, Henri Embromador abria o trinco da entrada da Sacristia com o ombro, pois suas mãos estavam cheias de pão, carne e bolo. Ele empurrou a porta e tentou ouvir se havia Redentores lá dentro. Então, adentrou o recanto marrom-escuro do vestiário, preparado para sair se visse qualquer coisa. A Sacristia parecia vazia. Ele correu em direção a um dos armários, mas precisou largar um pouco de comida no chão para conseguir abri-lo. Um pouco de sujeira, refletiu ele, nunca fez mal a ninguém. Com a porta aberta, enfiou a mão dentro do móvel e levantou uma tábua de madeira do chão. Debaixo dela, havia um espaço grande onde Henri Embromador guardava seus pertences — todos eles proibidos. Os acólitos não podiam possuir nada que os fizessem, nas palavras do Redentor Porco, "cobiçar as coisas materiais do mundo". (Porco, diga-se de passagem, não era seu verdadeiro nome, mas sim Redentor Glebe.)

E foi então que a voz do próprio Glebe ressoou atrás dele.

— Quem está aí?

Com três quartos do corpo escondidos pela porta do armário, Henri Embromador jogou a comida nos seus braços, além das coxas de galinha e do bolo que estavam no chão, dentro do móvel e, levantando-se, fechou a porta.

— O que o senhor disse, Redentor?

— Ah, é você — disse Glebe. — O que está fazendo?

— O que estou fazendo, Redentor?

— Sim — falou Glebe, irritado.

— Eu... hã... bem. — Henri Embromador olhou à sua volta como se buscasse inspiração. Pareceu encontrá-la em algum lugar no teto.

— Eu estava... guardando as vestes que o Redentor Bent esqueceu aqui. — Não havia dúvidas de que o Redentor Bent era louco, porém, sua reputação de esquecido devia-se principalmente ao fato de que, sempre que tinham uma chance, os acólitos o culpavam por qualquer coisa que estivesse fora do lugar ou sempre que eram questionados por algo que estivessem fazendo. Se fossem pegos fazendo algo que não deviam ou em um lugar onde não deveriam estar, seu primeiro argumento de defesa era dizer que estavam sob as ordens do Redentor Bent, cuja péssima memória de curto prazo era uma garantia de que eles não seriam contestados.

— Traga-me minhas vestes. — Henri Embromador encarou Glebe como se não fizesse ideia do que aquilo se tratava.

— E então? O que foi?— disse Glebe.

— Vestes? — perguntou Henri Embromador. Quando Glebe estava prestes a dar um passo à frente para esbofeteá-lo, ele disse alegremente: — É claro, Redentor. — Então, se virou e foi até outro armário, abrindo a porta como se estivesse muito entusiasmado.

— Pretas ou brancas, Redentor?

— Qual é o seu problema?

— Meu problema, Redentor?

— Sim, seu idiota. Por que eu usaria vestes negras em um dia de semana durante o mês dos mortos?

— Em um dia de semana? — disse Henri Embromador, como se estivesse impressionado com aquele conceito. — É claro que não, Redentor. Mas o senhor vai precisar de um *thrannock*, obviamente.

— Do que você está falando? — O tom irritado de Glebe também parecia hesitante. Existiam centenas de hábitos cerimoniais e ornamentos, muitos tendo caído em desuso durante os mil anos desde a fundação do Santuário. Estava claro que ele jamais tinha ouvido falar de nenhum *thrannock*, porém, isso não significava que a coisa não existisse.

Henri Embromador foi até uma gaveta e a abriu, observado pelo Redentor Glebe. Ele a vasculhou por um momento e então retirou um colar feito de pequenas contas, em cuja ponta havia um pequeno quadrado feito de pano.

— Ele deve ser usado no dia do mártir Fulton.

— Eu nunca usei uma coisa dessas antes — disse Glebe, ainda hesitante. Ele foi até o Ecclesiasticum e abriu o livro no dia em que estavam. Era, de fato, dia do mártir Fulton, porém, havia mais mártires do que dias no calendário, de modo que alguns dos menos importantes eram celebrados apenas de vinte em vinte anos, ou coisa parecida. Glebe fungou com irritação.

— Ande logo, estamos atrasados.

Com a devida solenidade, Henri Embromador colocou o *thrannock* em volta do pescoço de Glebe e o ajudou a vestir o longo hábito branco, repleto de enfeites. Feito isso, ele seguiu o Redentor até a Basílica reservada para as orações matinais, onde passou a meia hora seguinte revivendo com prazer o episódio do *thrannock*, que não existia fora da sua imaginação. Ele não fazia ideia para que servia o quadrado de pano na ponta do colar de contas, porém, havia inúmeras quinquilharias desconhecidas como aquela na Sacristia, cujo significado religioso há tempos caíra no esquecimento. Seja como for, ele tinha corrido um risco imenso pelo simples prazer de fazer um Redentor de bobo — e não era a primeira vez. Se algum dia fosse desmascarado, eles lhe arrancariam o couro. Literalmente.

O apelido que Cale lhe dera tinha pegado, porém, apenas os dois sabiam o que ele realmente significava. Somente Cale percebia que a maneira evasiva de Henri retrucar ou repetir qualquer pergunta que lhe era feita não se devia a uma incapacidade de compreender o que escutava ou de dar respostas claras. Tratava-se apenas de uma maneira de desafiar os Redentores, forçando a barra até os limites da tolerância deles, que já não era muito grande. Foi por ter descoberto o que Henri estava fazendo e passado a admirar sua espetacular ousadia que Cale quebrara uma de suas regras mais importantes: não fazer amizades e não permitir que ninguém faça amizade com você.

Cale abriu caminho até um banco vago na Basílica Número Quatro, louco para colocar o sono em dia durante as Orações de Degradação. Ele havia dominado a arte de cochilar enquanto se flagelava pelos seus pecados — de torpeza, de *delectatio morosa*, de *gaudium*, de *desiderium*, de desejos eficazes e ineficazes. Em uníssono, as 5 mil crianças na Basílica Quatro juravam nunca mais cometer transgressões que lhes seriam impossíveis mesmo que soubessem do que se tratavam: meninos de 5 anos de idade juravam solenemente jamais cobiçar a mulher do próximo, outros de 9 juravam não esculpir imagens sob hipótese alguma, enquanto os de 14 prometiam não adorá-las mesmo que as esculpissem. Tudo isso sob pena de o castigo divino recair sobre seus filhos até a terceira ou quarta geração. Após um revigorante cochilo de 45 minutos, a Missa terminou e Cale se juntou em silêncio à fila que saía da Basílica, retornando ao campo de treinamento.

O campo nunca mais ficava vazio durante o dia. O enorme aumento no número de acólitos sob a tutela dos Redentores nos últimos cinco anos fez com que quase tudo passasse a ser realizado em turnos: o treinamento, as refeições, os banhos, os cultos. Havia treino até mesmo à noite, para os que supostamente estavam ficando para trás — horário especialmente odiado por conta do frio de rachar, o vento que soprava das Terras Crestadas cortando como uma faca mesmo durante o verão. Não era segredo que o motivo desse aumento era fornecer mais tropas para a guerra contra os Antagonistas. Cale sabia que muitos dos que deixavam o Santuário não eram enviados permanentemente para o Front Ocidental, mas sim mantidos em reserva a maior parte do tempo e revezados por seis meses entre um front e outro, voltando para a reserva por um ano ou mais entre as transferências. Ele sabia disso porque Bosco lhe contara.

— Você pode fazer duas perguntas — disse Bosco depois de informá-lo sobre essa estratégia curiosa. Cale refletiu por um instante.

— O tempo que eles são mantidos em reserva... o senhor pretende aumentá-lo cada vez mais?

— Sim — respondeu Bosco. — Segunda pergunta.

— Não preciso de uma segunda pergunta — disse Cale.

— Sério? É melhor ter certeza, você não acha?

— Eu ouvi o Redentor Compton dizendo para o senhor que havia um impasse nos fronts.

— Sim, eu notei que você estava bisbilhotando.

— E, ainda assim, vocês dois trataram o assunto como se não fosse problema.

— Prossiga.

— Vocês treinaram uma quantidade imensa de padres guerreiros durante os últimos cinco anos; gente demais. Querem lhes dar a chance de lutar, mas não querem que os Antagonistas descubram que estão ampliando suas forças. É por isso que o tempo na reserva vem aumentando. Estamos sempre ouvindo falar que os fronts estão cheios de traidores Antagonistas. Isso é verdade?

— Ah — sorriu Bosco, algo nada bonito de se ver —, uma segunda pergunta, depois de ficar se gabando de que só precisava de uma. A vaidade será sua ruína, menino, e não digo isso pelo bem da sua alma. Eu tenho... — Ele se deteve, como se não soubesse ao certo o que dizer em seguida, coisa que Cale nunca tinha visto antes. Era perturbador. — Eu tenho *expectativas* quanto a você. Exigências serão feitas. Ser jogado de cima dos muros deste lugar com uma pedra amarrada ao pescoço seria muito melhor do que fracassar em cumprir essas exigências e expectativas. E é o seu orgulho que mais me preocupa. Qualquer Redentor daqui até a eternidade lhe dirá que ele é a causa de todos os outros 28 pecados mortais, porém, tenho outras prioridades mais importantes do que sua alma. O orgulho distorce seu juízo e faz com que você se coloque em situações que poderia ter evitado. Eu lhe concedi duas perguntas e, por pura soberba, você quis ser melhor do que eu, arriscando uma punição por fracassar que poderia ter evitado. O orgulho o enfraquece de tal forma que chego a me perguntar se você mereceu de fato minha proteção por todos esses anos.

Ele encarou Cale, que baixou os olhos para o chão, ao mesmo tempo odiando e desdenhando a ideia de que Bosco o protegesse. Pensamentos estranhos e perigosos cruzaram sua mente enquanto ele esperava.

— A resposta para sua segunda pergunta é que sim, existem espiões e agentes secretos Antagonistas nos fronts. Poucos, mas em número suficiente.

Cale manteve os olhos baixados. Era preciso fingir não oferecer resistência. Minimizar o castigo. Por mais que sentisse, ao mesmo tempo, uma raiva imensa por saber que Bosco tinha razão e que ele poderia ter evitado o que estava por vir.

— Vocês estão acumulando tropas de reserva para um grande ataque em ambas as frentes, mas precisam manter os números nelas mais ou menos no mesmo nível, ou eles conseguirão prever o que estão planejando. Querem que essas tropas ganhem experiência, mas agora existem demais delas, então os soldados precisam passar mais tempo longe do front. E, ao mesmo tempo, o senhor precisa de mais homens para acabar de vez com os Antagonistas, porém, eles precisam ser endurecidos no campo de batalha e já não há combates o suficiente. É um dilema, senhor.

— Qual a sua solução?

— Preciso de tempo, Redentor. Talvez não haja solução que não seja outro problema.

Bosco riu.

— Deixe-me lhe dizer uma coisa, menino: a solução para qualquer problema é *sempre* outro problema.

Então, sem aviso, Bosco lançou um golpe contra Cale. O menino o bloqueou tão facilmente quanto se tivesse sido atacado por um velho. Os dois trocaram olhares.

— Abaixe sua mão.

Cale obedeceu.

— Eu vou lhe bater outra vez em um instante — falou Bosco com a voz calma — e, quando eu fizer isso, você não moverá as mãos ou a cabeça. Deixará que eu lhe bata. Você me dará sua permissão. Seu consentimento.

Cale aguardou. Desta vez, Bosco deixou bem claro que se preparava para golpeá-lo. Então, atacou novamente. Cale se encolheu, mas o golpe não o atingiu. A mão de Bosco parou a milímetros do seu rosto.

— Não se mexa, menino. — Bosco puxou a mão de volta e iniciou um terceiro golpe. Cale se encolheu novamente. — NÃO SE MEXA! — gritou ele outra vez, seu rosto vermelho de raiva, exceto por dois círculos brancos muito pequenos no meio das bochechas, que ficavam cada vez mais pálidos à medida que o restante do seu rosto escurecia. Então, mais um golpe, porém, desta vez ele atingiu seu alvo enquanto o menino ficava imóvel com uma pedra. Depois outro e mais outro. Por último, uma pancada tão forte que derrubou Cale, atordoado, no chão.

— Levante-se — disse Bosco, em um tom de voz quase inaudível. Cale se levantou, tremendo como se estivesse sentindo um frio intenso. Então, outro golpe. Ele caiu e se levantou novamente. E outro. Cale voltou a se levantar. Bosco trocou de mão. Sua esquerda era mais fraca, de modo que foram precisos mais cinco golpes para derrubá-lo desta vez. Bosco baixou os olhos para o menino enquanto ele começava a se levantar. Àquela altura, os dois tremiam.

— Fique onde está. — Bosco estava quase sussurrando. — Se você se levantar, não me responsabilizo pelo que pode acontecer. Estou indo embora. — Ele parecia quase desnorteado, exausto pela intensidade terrível da sua ira. — Espere cinco minutos e depois suma daqui. — Então, Bosco caminhou até a porta e saiu.

Cale ficou um minuto inteiro sem se mover. Em seguida, sentiu enjoo. Precisou de mais um minuto para descansar e de outros três para se limpar. Então, lentamente, ele saiu para o corredor — tremendo como se nunca fosse conseguir alcançá-lo — e, apoiando-se ao longo da parede, se encaminhou até um dos becos sem saída que cercavam um pátio e se sentou no chão.

— MANTENHA A CINTURA RETA! NÃO! NÃO! NÃO! — Cale despertou sobressaltado do que se tornara quase um transe. Os barulhos e as cenas do campo de treinamento haviam desaparecido à medida que ele se perdia nas lembranças do passado. Isso era algo que vinha acontecendo com cada vez mais frequência, porém, não era uma boa ideia ser tão distraído em um lugar como o Santuário. Era preciso ficar atento ali, ou logo, logo algo desagradável podia acontecer. No instante seguinte, todas as visões e todos os sons do treino ao seu redor já lhe pareciam vívidas. Uma fileira de vinte acólitos que em breve deixariam o Santuário praticava uma formação de ataque. O Redentor Gil — conhecido como Gil, o Gorila, por conta da sua feiura e força terrível, fazia as reclamações de praxe sobre a displicência dos seus recrutas: — Você por acaso teve um vislumbre dos portões da morte, Gavin? — falou ele com cansaço na voz. — É o que vai acontecer se continuar expondo seu flanco esquerdo desse jeito.

Os acólitos na fileira sorriam diante do constrangimento de Gavin. Apesar de toda a força física e feiura abrutalhada, o Redentor Gil era o mais próximo de um homem decente que um Redentor já conseguiu ser. Com a exceção do Redentor Navratil, que era um caso à parte.

— Treino noturno para você — disse Gil ao desafortunado Gavin. — O menino ao seu lado riu. — E pode se juntar a ele, Gregor. E você também, Holdaway.

Logo atrás da fileira, um garotinho de no máximo 7 anos de idade estava pendurado pelos braços em uma armação de madeira a 2 metros do chão. Havia um cinturão de pesos amarrado em volta das suas canelas e ele fazia uma careta, lágrimas de dor escorrendo pelo seu rosto contorcido. O Sub-Redentor debaixo dele não parava de insistir que, a menos que ele erguesse os pés em um L perfeito todas as vezes, nenhuma de suas tentativas contaria.

— Chorar é perda de tempo, só fazer direito vai adiantar alguma coisa. — Enquanto a criança se esforçava para fazer o que era mandado, Cale notou como eram extremamente definidos os seis músculos da sua barriga, salientes e fortes como os de um adulto. — Quatro! — contou o Sub-Redentor.

Cale passou andando por meninos de 5 anos, alguns rindo como fazem os garotinhos do mundo todo, e rapazes de 18 que pareciam homens de meia-idade. Havia grupos de mais ou menos oitenta acólitos treinando, se empurrando para frente e para trás, gritando em compasso, como se fossem gigantes grunhindo um contra o outro; uma fileira adicional de cerca de quinhentos meninos marchava em formação num silêncio absoluto, virando-se em uníssono ao sabor da bandeira de sinalização: esquerda e direita, então parando de repente, depois recuando, parando outra vez e seguindo adiante. Àquela altura, Cale estava a uns 50 metros da grande muralha que cercava o Santuário, à beira da galeria de tiro com arco na qual Kleist fazia gato e sapato de um pelotão de dez acólitos no mínimo quatro anos mais velhos do que ele. Ele os humilhava por serem inúteis, feios, ineptos, terem os dentes podres e os olhos muito juntos uns dos outros. Parou somente depois que viu Cale.

— Você está atrasado — disse. — Sorte sua que Primo está doente, ou ele tiraria seu couro.

— Você pode tentar fazer isso, se quiser.

— Eu? Estou pouco me lixando se você aparece ou não. O problema é seu.

Cale encolheu os ombros de leve, indicando admitir com relutância que isso era provavelmente verdade. Kleist estava nu até a cintura, revelando um físico extraordinário, por mais estranho que fosse. Ele parecia ser todo costas e ombros, como se o torso de um homem adulto tivesse sido encaixado entre as pernas e a cabeça de um menino de 14 anos. Seu braço e ombro direitos, em especial, eram tão mais cheios de músculos do que o lado esquerdo que ele parecia quase deformado.

— Certo — disse Kleist —, vamos ver onde você está errando. — Ele estava claramente gostando da chance de demonstrar sua sensação de superioridade e muito interessado em deixá-la clara para Cale também.

Cale ergueu o arco longo que Kleist lhe dera, puxou a corda para trás até a bochecha, mirou, manteve a posição por um instante e atirou a flecha em direção ao alvo a 80 metros dali. Soltou um gemido enquanto ela saía. A flecha descreveu um arco até o alvo, que era do tamanho e formato de um corpo humano, e o errou por vários metros.

— Merda!

— Nossa mãe — disse Kleist —, não vejo uma coisa dessas desde... bem, não consigo nem me lembrar. Você costumava ser razoável; onde foi arranjar este bando de cacoetes?

— Só me diga o que eu devo fazer para melhorar.

— Ora, isso é moleza. Você está estalando a corda quando deveria apenas soltá-la... assim. — Ele esticou a corda do seu próprio arco para mostrar o que Cale estava fazendo de errado e então indicou, com enorme prazer, como deveria ser feito. — Também está abrindo a boca quando atira e deixando o braço que segura a corda cair antes de soltá-la. — Cale começou a protestar. — E — interrompeu Kleist — está deixando a mão se arrastar para frente ao mesmo tempo.

— Certo, já entendi. É só ir falando o que preciso fazer. Eu adquiri uns maus hábitos, só isso.

— Não sei não, acho que pode ser mais do que alguns maus hábitos. Você me parece é estar amarelando. — Ele apontou para a cabeça de Cale. — Acho que deu zebra aí em cima, parceiro. Pensando melhor, o seu é o pior caso de treme-treme que eu já vi.

— Você inventou isso agora.

— Você sofre de treme-treme sim senhor. Está tudo aí: os cacoetes, os tiques. Não tem cura. Toda essa coisa de ficar com a boca aberta e deixar o cotovelo cair não passa de um reflexo do estado da sua alma. O verdadeiro problema está no seu espírito. — Kleist colocou uma flecha no seu arco, puxou a corda para trás e a soltou com um movimento elegante. Ela descreveu um arco impecável no ar e atingiu com um baque gratificante o peito do alvo. — Está vendo: perfeito. Um sinal externo de graça interna.

A essa altura, Cale já estava rindo. Então, quando se voltou para a aljava largada no banco atrás dele, viu Bosco atravessando o meio do campo de treinamento e se aproximando do Redentor Gil, que imediatamente gesticulou para um acólito ir andando até onde os dois estavam. Cale ouviu um "Vupt!" baixinho às suas costas e virou a cabeça para ver Kleist, que apontava furtivamente seu arco para o ainda distante Bosco, fazendo o som de uma flecha rumo ao alvo.

— Vá em frente. Ou não tem coragem?

Kleist riu e se voltou para os seus pupilos, que estavam sentados a alguma distância dali, conversando. Um deles, Donovan, havia se aproveitado, como sempre, do intervalo para começar seu sermão sobre a maldade dos Antagonistas.

— Eles não creem em um purgatório onde você possa expiar seus pecados e ir para o céu. Em vez disso, acreditam em absolvição pela fé. — Alguns dos acólitos que o ouviam se sobressaltaram de incredulidade. — Eles afirmam que é o Redentor quem escolhe definitivamente se qualquer um de nós vai ser salvo ou condenado e que não há nada que possamos fazer a respeito. Além disso, pegam as melodias das canções dos bêbados e as utilizam para compor seus hinos. O Redentor Enforcado no qual acreditam nunca existiu e eles têm horror a se confessarem, e por isso morrerão em pecado e partirão desta vida com todas as suas transgressões gravadas na alma para serem condenados.

— Cale a boca, Donovan — disse Kleist —, e volte ao trabalho.

Logo que o acólito se afastou com a mensagem para Cale, Bosco chamou o Redentor de lado para que eles não fossem ouvidos.

— Há um boato de que os Antagonistas estão negociando com os mercenários lacônicos.

— E ele é confiável?

— Até onde boatos podem ser...

— Então deveríamos estar preocupados. — Um pensamento veio à cabeça de Gil. — Eles precisarão de 10 mil deles ou mais para nos derrotar. Como irão pagar?

— Os Antagonistas encontraram minas de prata em Laurium. E isso não é um boato.

— Então que Deus nos ajude. Mesmo nós temos apenas algumas mil tropas... três, talvez... capazes de enfrentar mercenários lacônicos. A reputação deles não é exagerada.

— Deus ajuda quem ajuda a si mesmo. Se não formos capazes de enfrentar homens que lutam apenas por dinheiro e não pela glória do Senhor, então merecemos a derrota. Este teste já era esperado. — Ele sorriu. — Apesar das masmorras, do fogo e da espada, certo, Redentor?

— Bem, meu caro Lorde da Guerra, se este é um teste, não sei como passar dele. E, perdoe-me pelo pecado de orgulho, mas, se *eu* não sei, nenhum outro Redentor saberá.

— O senhor tem certeza? Sobre o pecado de orgulho, quero dizer.

— Aonde o senhor quer chegar? Não há necessidade de ser misterioso comigo. Mereço um melhor tratamento da sua parte.

— Claro que sim. Perdão pela minha própria arrogância. — Ele bateu de leve no peito três vezes. — Minha culpa, minha culpa, minha máxima culpa. Já venho esperando isso, ou algo parecido, há algum tempo. Sempre tive a sensação de que nossa fé seria testada e testada com severidade. O Redentor foi enviado para nos salvar e a resposta da humanidade a esse presente divino foi pendurá-lo em uma forca. — Seus olhos começaram a ficar marejados e se perderam na distância, como se ele estivesse diante de algo que testemunhara pessoalmente, embora um milênio tivesse se passado desde a execução do Redentor. Ele suspirou fundo novamente, como se relembrasse uma dor terrível e recente, e então encarou Gil. — Isso é tudo que posso dizer — prosseguiu, tocando o braço do outro delicadamente, com uma ternura genuína —, exceto que, se essa informação for verdadeira, não perdi meu tempo em buscar uma forma de acabar com a apostasia dos Antagonistas e remediar o crime terrível de se assassinar o único mensageiro de Deus. — Ele sorriu para Gil. — Há uma nova estratégia.

— Não compreendo.

— Não se trata de uma tática militar, mas sim de uma nova forma de enxergar as coisas. Não devemos mais pensar apenas no problema dos Antagonistas; é preciso buscar uma solução definitiva para a questão da maldade humana em si.

Ele chamou Gil mais para perto e baixou ainda mais a voz.

— Há muito tempo que nos concentramos apenas na heresia dos Antagonistas e em nossa guerra contra eles; no que eles fazem ou deixam de fazer. Isso nos fez esquecer que eles são menos importantes do que nosso propósito de não permitir que haja nenhum deus além do Único e Verdadeiro Deus e nenhuma fé além da Única e Verdadeira Fé. Por nossa própria culpa, ficamos presos a essa guerra como se ela fosse um fim em si mesma. Permitimos que ela se tornasse uma rixa a mais em um mundo cheio de rixas.

— Perdão, Redentor, mas o Front Ocidental se espalha por mais de 1.500 quilômetros e os mortos chegam a centenas de milhares... não estamos falando de uma simples rixa.

— Não somos os Materazzi ou os Janes, interessados na guerra por dinheiro ou poder. No entanto, foi nisso que nos transformamos. Uma potência entre tantas outras na guerra de todos contra todos e, como elas, desejamos a vitória, mas tememos a derrota.

— É sensato temer a derrota.

— Nós somos os representantes de Deus na Terra através do Divino Redentor. Nossa existência possui apenas um propósito, e nós nos esquecemos dele porque temos medo. Portanto, as coisas precisam mudar: é melhor cair uma só vez do que para sempre. Precisamos decidir se acreditamos ou não que Deus está do nosso lado. Se acreditamos de verdade nisso, em vez de apenas fingir que sim, então, logicamente, devemos buscar a vitória absoluta em detrimento de todas as outras.

— Se o senhor diz, Redentor.

Bosco soltou uma risada gostosa, genuinamente alegre.

— Pois digo sim, meu amigo.

Tanto Cale quanto Kleist perceberam que o acólito vinha na direção deles, feliz por ter a chance de transmitir o que sem dúvida eram más notícias. Assim que começou a falar, Kleist o interrompeu.

— O que foi, Salk? Estou ocupado.

Isso frustrou seus planos cruéis de dar a notícia vagarosamente.

— Se deu mal, Kleist. Não tem nada a ver com você. O Redentor Bosco quer que Cale vá até os aposentos dele depois das orações da noite.

— Ótimo — disse Kleist, como se aquilo fosse pura rotina. — Agora dê o fora.

Pego desprevenido tanto pela falta de curiosidade hostil quanto pelo fato de Cale o estar encarando de um jeito esquisito, Salk cuspiu no chão para mostrar sua própria indiferença e se afastou. Cale e Kleist trocaram olhares. Uma vez que Cale era o zelote de Bosco, ser chamado para uma audiência com o Lorde da Guerra, coisa que teria deixado qualquer outro menino apavorado, não era algo incomum. O que não era nada comum e, portanto, preocupante — considerando os acontecimentos do dia anterior — era que Cale fosse convocado para os seus aposentos particulares, e à noite. Isso nunca tinha acontecido antes.

— E se ele tiver descoberto? — disse Kleist.

— Já estaríamos na Casa do Desígnio Especial, se fosse o caso.

— É bem a cara de Bosco fazer a gente pensar assim.

— Pode ser. Mas agora já não podemos fazer nada. — Cale puxou a corda do arco, manteve-a esticada por um instante e então soltou a flecha.

— Ela descreveu um arco em direção ao alvo e não o acertou por uns bons 30 centímetros.

Os três já haviam combinado de fugir do jantar. Normalmente, estar em qualquer lugar que não fosse onde deveria era perigoso, contudo, ninguém nunca tinha ouvido falar de um acólito que tivesse faltado a uma refeição, pois, por mais repugnante que fosse a comida, eles estavam sempre famintos. Portanto, os Redentores jamais ficavam tão pouco atentos quanto durante a refeição da noite, o que tornou mais fácil para Cale e Kleist se esconderem atrás da Basílica Número Quatro e esperarem que Henri Embromador trouxesse a comida deles da Sacristia. Os meninos comeram mais lentamente desta vez — e pouco — porém, dez minutos depois já estavam todos passando mal.

Dali a trinta minutos, Cale estava esperando no corredor escuro em frente aos aposentos do Lorde da Guerra. Passada uma hora, ainda estava lá. Então, a porta de ferro batido se abriu e o vulto alto de Bosco parou sob o batente, observando-o.

— Entre.

Cale entrou atrás dele em um aposento pouco menos iluminado do que o corredor. Se tivesse nutrido esperanças de ver algo da vida privada daquele homem depois de todos aqueles anos, teria se decepcionado. Havia portas que conduziam para além da sala em que ele se encontrava, porém, estavam fechadas e tudo o que havia para ver era o próprio gabinete, com o pouco que havia ali. Cale ficou parado e esperou, sabendo que poderia ter sido chamado apenas para apanhar uma dúzia de sacos azuis ou para receber sua própria sentença de morte.

Depois de alguns minutos, Bosco falou, mas sem erguer os olhos e em um tom de voz questionador, porém ameno.

— Você tem alguma coisa para me dizer?

— Não, senhor — respondeu Cale.

Bosco continuou com os olhos baixados.

— Se mentir para mim, não há nada que eu possa fazer para salvá-lo. — Ele fitou dentro dos olhos de Cale, seu olhar infinitamente frio e negro. Era como se a própria morte o encarasse. — Então, vou lhe perguntar novamente. Você tem alguma coisa para me dizer?

Mantendo o olhar firme, Cale respondeu.

— Não, senhor.

O Lorde da Guerra não desviou os olhos de Cale, que sentiu sua força de vontade se dissolver, como se estivessem derramando ácido na sua alma. Um desejo terrível de confessar começou a crescer na sua garganta. Era o pavor, a certeza que o acompanhara desde garotinho de que o Redentor à sua frente era capaz de qualquer coisa, de que dor e sofrimento eram companheiros constantes daquele homem e que qualquer coisa viva se calava diante da sua presença.

Bosco olhou de volta para o papel à sua frente e assinou seu nome. Então dobrou a folha, selando-a com cera vermelha. Ele a entregou para Cale.

— Leve isto para o Lorde Disciplinador.

Um vento gelado atravessou o corpo de Cale.

— Agora?

— Sim. Agora.

— Já está escuro. O dormitório será fechado em poucos minutos.

— Não se preocupe com isso. Já tomei as devidas providências.

Sem erguer os olhos, o Redentor Bosco voltou a escrever.

Cale não se moveu. O Redentor levantou a cabeça de volta.

— Algo mais, Cale?

Instinto lutava contra instinto dentro de Cale. Se confessasse, o Redentor talvez pudesse ajudá-lo. Afinal de contas, ele era seu zelote. Ele poderia salvá-lo. Porém, outras criaturas dentro da alma de Cale gritavam com ele: "Jamais confesse! Jamais admita a culpa! Jamais! Sempre negue tudo. Sempre."

— Não, senhor.

— Então vá.

Cale deu meia-volta e andou até a porta, resistindo à vontade de correr. Uma vez no corredor, ele fechou a porta de ferro batido e olhou de volta para o aposento como se ela fosse transparente como vidro, seus olhos repletos de ódio e repulsa.

Ele foi até o corredor vizinho e parou sob a luz fraca de uma vela presa à parede. Sabia que Bosco o estava testando deliberadamente ao lhe dar a chance de abrir a carta, um delito que levaria à sua execução imediata. Se Bosco sabia sobre o dia anterior, era possível que aquela fosse uma ordem para que o Lorde Disciplinador o matasse — a maneira que o Redentor encontrara de fazer com que Cale entregasse sua própria sentença de morte. Por outro lado, poderia não ser nada, apenas mais uma das intermináveis tentativas do Lorde da Guerra de testá-lo sempre que possível.

Ele respirou fundo e tentou ver as coisas como elas eram, descoloridas pelo medo. Era óbvio: poderia não haver nada de mortal naquela carta, embora suas consequências estivessem fadadas a ser desagradáveis e dolorosas — porém, abri-la significaria morte certa. Com isso em mente, ele começou a andar em direção ao gabinete do Lorde Disciplinador, por mais que as dúvidas sobre o que faria se o pior acontecesse não parassem de martelar na sua cabeça.

Dez minutos depois, após se perder brevemente no labirinto de corredores, ele chegou à Câmara da Salvação. Por um instante, deteve-se na penumbra diante da grande porta, o coração disparado de medo e raiva. Então, notou que ela estava destrancada e ligeiramente entreaberta.

Cale ficou parado por um momento, pensando no que fazer. Olhou para o documento que trazia na mão e então empurrou a porta o suficiente para olhar para dentro. Na extremidade oposta do aposento, ele conseguia ver o Lorde Disciplinador debruçado sobre alguma coisa e cantarolando.

A fé dos nossos pais ainda vive
Apesar das masmorras, do fogo e da espada
Pã, pã pã rã, pã pã rã, pã pã rã
Pã, pã pã rã, pã pã rã, pã pã
A fé dos nossos pais, pã pã pã
Nós seremos fiéis a vós até a morte.

Então, ele interrompeu a cantoria, vendo necessidade de se concentrar com atenção especial em algo. Aquela parte do aposento estava tão bem iluminada quanto o possível pela luz de uma vela, e era como se o Lorde Disciplinador estivesse contendo a luz em uma espécie de redoma de um brilho cálido, delimitada pelo seu próprio corpo. À medida que os olhos de Cale se ajustavam, ele pôde ver que o Redentor se debruçava sobre uma mesa de madeira de cerca de 1,80 por 60 centímetros e que havia algo estendido nela, embora o final da coisa estivesse coberto por um pano. Então o Lorde Disciplinador voltou a cantar, virando-se para o lado e largando algo pequeno e pesado em uma bandeja de ferro. Apanhando uma tesoura que estava ao lado dela, ele voltou ao trabalho.

Como seria doce o destino dos seus filhos,
Se eles também pudessem morrer por vós!
Pã, pã pã rã, pã pã rã, pã pã rã
Pã, pã pã rã, pã pã rã, pã pã

Cale abriu um pouco mais a porta. Mais adiante, na parte mais escura do aposento, ele conseguia ver outra mesa, também com algo estendido em cima dela, porém, obscurecido pela penumbra. Então, o Lorde Disciplinador se empertigou novamente, foi até um armário baixo à sua direita e começou a remexer em uma gaveta. Cale ficou apenas olhando, incapaz de entender o que era aquela coisa deitada ali, embora já pudesse ver com bastante clareza o que o Redentor estava fazendo. Sobre a mesa, havia um corpo que o Lorde da Disciplina estava dissecando. O peito havia sido destrinchado com muita habilidade e aberto até o fim da barriga. Cada pedaço de pele e músculo tinha sido seccionado e mantido separado da incisão por uma espécie de pesinho. O que mais chocara Cale — além da visão de um corpo naquele estado —, o que tornara aquilo tão difícil de aguentar, apesar de ele já ter visto muitos cadáveres antes, era o fato de se tratar de uma garota. E ela não estava morta. Vez por outra, a mão esquerda que pendia de um dos lados da mesa estremecia, enquanto o Lorde Disciplinador continuava remexendo na gaveta, ainda cantarolando.

Cale teve a sensação de que aranhas subiam pelas suas costas. Então, ouviu um gemido. Sem o corpo do Lorde Disciplinador para conter a luz, ele conseguiu ver o que estava sobre a outra mesa. Era outra garota, amarrada e amordaçada, tentando gritar. E ele a conhecia. Ela era a mais estonteante das duas que estavam vestidas de branco e rindo de alegria no cento das comemorações do dia anterior.

O Lorde Disciplinador parou de cantarolar, se empertigou e olhou para a garota.

— Fique quietinha, aí — disse ele, com uma voz quase gentil.

Então, se debruçou novamente, voltou a cantar e continuou procurando.

Cale tinha visto muitas coisas pavorosas durante sua curta vida, atos de crueldade escabrosos, e tolerado sofrimentos quase indescritíveis. Porém, naquele instante, ele estava assombrado pelo que via, sem conseguir entender o sentido daquela garota dissecada, com sua mão que se mexia cada vez menos. E então, muito lentamente, ele saiu de costas do aposento, voltando para o corredor, e começou a se afastar de forma tão silenciosa quanto havia vindo.

5

— Ah! — disse para si mesmo, com uma satisfação profunda, o Redentor Picarbo, também conhecido como Lorde Disciplinador, ao encontrar o que estava procurando: uma vareta longa e fina com uma pinça afiada na ponta. — Deus seja louvado. — Ele a testou, cortando o ar.

Satisfeito, voltou-se para a garota em cima da mesa e analisou pensativo a ferida terrível, porém muito bem feita. Pegou com delicadeza a mão já sem vida dela e a colocou ao lado de seu corpo deitado. Então, apanhou a pinça com a mão direita e estava prestes a continuar quando a garota no canto da sala começou a tentar gritar novamente. Desta vez, ele falou com mais firmeza, como se sua paciência tivesse se esgotado.

— Já falei para você ficar quieta. — Ele sorriu. — Não se preocupe, a sua hora está chegando.

Talvez tenha ouvido alguma coisa, ou talvez tenha sido apenas seu instinto afiado por anos de experiência, mas o Lorde Disciplinador se virou e ergueu o braço para bloquear o golpe contra a sua nuca desferido por Cale. O Redentor o atingiu logo abaixo do punho, uma pancada tão forte que o meio tijolo na mão do menino saiu voando pela sala, chocando-se ruidosamente contra um dos armários e se quebrando em uma dúzia de pedaços. Cale perdeu o equilíbrio e o Lorde Disciplinador o empurrou com violência para a esquerda, atirando-o contra a base da mesa em que a garota amarrada estava deitada. Ela soltou outro grito abafado.

O Redentor lançou um olhar de absoluta perplexidade para Cale. Era simplesmente impossível que ele tivesse sido atacado por um acólito; não ali, não naquele lugar, ou em qualquer outra ocasião. Em mil anos, ninguém jamais ouvira falar de coisa parecida. Por um instante, eles ficaram apenas se encarando.

— Você está louco? O que está fazendo aqui? — exigiu saber o Redentor, possesso. — Será enforcado por isso... enforcado e esquartejado. Será estrangulado e estripado vivo e verá suas entranhas queimarem diante dos seus olhos. E...

Ele se deteve após aquele jorro veloz de palavras, novamente subjugado pelo espanto de ter sido atacado. Cale estava lívido de horror. O Lorde Disciplinador se virou para o lado e apanhou o que parecia, e de fato era, uma faca de açougueiro.

— Vou fazer isso agora mesmo, seu merdinha. — Ele foi em direção ao menino caído de bruços e, parado em cima dele com as pernas separadas, ergueu a faca no ar. Foi então que Cale desferiu um golpe com a pinça que havia caído do seu lado durante a luta, atingindo o Lorde Disciplinador na parte de dentro da coxa.

O Redentor cambaleou para trás, não por ter sido ferido, mas por conta de um espanto ainda mais profundo, maior do que ele imaginava possível.

— Você me atacou! — disse ele. Assombro. Incredulidade. Surpresa. — Você me atacou. — Ele baixou os olhos para o menino. — Por Deus, sua morte será lenta. Por tudo que há de mais... — O Redentor se deteve, de forma bastante repentina, no meio da frase. O seu rosto foi tomado por uma expressão intrigada, como se tivesse ouvido uma pergunta difícil. Ele entortou a cabeça para o lado, como quem tenta escutar algo.

Então, sentou-se lentamente, como se empurrado pela mão enorme, porém gentil, de um gigante. O Redentor observou Cale enquanto o menino recuava, afastando-se dele. Em seguida, olhou para as próprias pernas. Uma poça grande de sangue manchava a parte de baixo de sua batina. De repente, Cale não parecia ser nem um menino assustado nem um assassino furioso. Uma calma estranha o invadiu, deixando-o mais parecido com uma criança curiosa observando algo de interesse considerável, porém não irresistível. O Redentor Picarbo continuou puxando sua batina, estupefato, revelando a enorme mancha vermelha que cobria suas calças de baixo. Ele puxou a mão de volta como se ofendido, olhou para Cale com uma expressão de "Está vendo o que fez?", e, então, rasgou a calça por sobre a ferida, expondo a pele da própria coxa. Sangue brotava do pequeno talho em jatos sucessivos. O Redentor ficou olhando para ele, totalmente perplexo, então encarou Cale com a mesma expressão.

— Traga-me uma toalha — disse, gesticulando para uma pilha de panos na mesa ao lado da garota morta. Cale reagiu levantando-se, mas não saiu de onde estava. Era como se apenas parte do que ele via fosse real. O Redentor à sua frente tentando conter a hemorragia com os dedos e suspirando de irritação, como se tivesse causado um vazamento pequeno, porém muito inconveniente; a mancha preta de sangue espalhando-se, implacável, pelo chão. Era impossível assimilar aquela cena e o que ela significava. A parte dele incapaz de compreender o que havia feito estava pensando que era impossível voltar atrás e tornar as coisas como elas eram há menos de um minuto, e que, quanto mais esperasse para fazer isso, mais difícil seria. No entanto, também sabia que não havia nada a fazer. Tudo tinha mudado, terrível e completamente. Um versículo que ele ouvira uma centena de vezes do Livro de Provérbios dos Redentores voltou-lhe à memória e ficou ecoando sem parar em sua cabeça: "Nós somos como a água esparramada no chão que não pode ser juntada novamente." Assim, ele continuou olhando, petrificado, enquanto Picarbo se recostava e, como se estivesse exausto, apoiava-se primeiro no próprio cotovelo e, depois, estendia-se no chão.

Cale continuou observando enquanto a respiração do corpo dele cessava e a luz nos olhos desaparecia aos poucos. O Redentor Picarbo, o quinquagésimo a receber o título de Lorde Disciplinador, estava morto.

6

Kleist acordou com a sensação de estar sendo sufocado e pressionado contra a cama. O motivo era simples: Cale tapava sua boca com a mão, enquanto Henri Embromador prendia-lhe as mãos dos lados do corpo.

— Shhhh! Somos nós, Cale e Henri. — Cale esperou Kleist parar de se debater e então tirou a mão de cima da sua boca. Henri soltou um pouco seus braços. — Você precisa vir com a gente agora. Se ficar, está morto. Você vem?

Kleist se sentou na cama e olhou para Henri Embromador sob a escuridão iluminada pela lua.

— Isso é verdade?

Henri assentiu. Kleist deu um suspiro e se levantou.

— Cadê o Spider? — perguntou Kleist, olhando ao seu redor em busca do Redentor do dormitório.

— Foi fumar um cigarro. Temos que ir andando.

Cale deu meia-volta e os outros dois o seguiram. Então ele parou e se agachou rente à cama de um menino que fingia estar dormindo.

— Se disser uma palavra para Spider, Savio, eu vou estripar você, seu merdinha. Entendido? — O menino desperto assentiu sem abrir os olhos e Cale seguiu em frente.

Depois de atravessar a porta que Spider, descuidado como sempre, havia deixado destrancada, Cale os conduziu até o púlpito. Então, mantendo-se do lado do muro, seguiu até a grande estátua do Redentor Enforcado, chegando à entrada que haviam descoberto no dia anterior.

— O que está acontecendo? — perguntou Kleist.

— Fique quieto.

Cale abriu a porta e empurrou os dois para dentro. Então, acendeu uma vela muito mais brilhante do que qualquer coisa que tinham visto na vida.

— Como você abriu a porta? — perguntou Kleist.

— Com um pé de cabra.

— E onde arranjou esta vela?

— No mesmo lugar em que arranjei o pé de cabra.

Kleist se voltou para Henri Embromador.

— Você sabe o que está acontecendo? — Henri balançou a cabeça. Cale foi até o canto esquerdo do túnel e ergueu a vela.

— Meu Deus! — disse Kleist ao ver a figura aterrorizada agachada no chão.

— Está tudo bem — disse Cale, agachando-se em direção à garota. — Eles estão aqui para ajudar — acrescentou ele, sem muita convicção.

— Conte-me o que está acontecendo — exigiu Kleist. — Ou nós vamos sair no braço aqui e agora.

Cale olhou para ele e sorriu, embora com certa amargura.

— Preste atenção... — disse ele, apagando a vela com um sopro. Vinte minutos depois, havia terminado a história e acendido a vela de volta.

Os dois meninos ficaram olhando para ele e para a garota, horrorizados com o que tinham acabado de ouvir e, ao mesmo tempo, fascinados pela menina. Kleist precisou de um momento para se recompor.

— *Você* matou Picarbo, Cale. Por que nos arrastar para isso?

— Não seja idiota. Assim que descobrirem que fui eu, eles irão torturar Henri porque sabem que nós somos amigos. Depois, ligarão Henri a você. Do meu jeito, você tem uma chance.

— Mas eu não tenho nada a ver com isso.

— E que diferença faz? Você foi visto conversando comigo pelo menos duas vezes nos últimos dias. Eles o matarão para provar que estão certos e para não correrem riscos.

— Isso significa que você tem um plano? — perguntou Henri, com medo, mas tentando se acalmar.

— Sim — disse Cale. — Provavelmente não vai dar certo. Mas temos uma chance. — Ele apagou a vela e lhes contou o que havia bolado.

— Você tem razão — disse Kleist depois que ele terminou. — Provavelmente *não vai* dar certo.

— Se tiver alguma ideia melhor... — Cale deixou a frase pelo meio. Ele acendeu a vela de volta e a aproximou da garota, que estava com o olhar distante, tremendo e abraçando o próprio corpo.

— Qual o seu nome? — perguntou Cale. A princípio, ela não pareceu escutá-lo, então voltou os olhos para o seu rosto. Porém, não falou nada.

— Pobrezinha — disse Henri Embromador.

— Ela é alguma coisa sua para você ficar sentindo pena? — disse Kleist com amargura, dividido entre seu próprio medo e a criatura estranha encolhida no canto do túnel. — Você deveria estar preocupado é com sua própria pele.

Cale se levantou, entregou a vela para Henri Embromador e foi até a porta.

— Agora — disse ele.

Henri apagou a luz. Ouviu-se o som da porta abrindo e fechando, e Henri Embromador, Kleist e a garota se viram numa escuridão total.

O choque causado pelos acontecimentos daquela noite começou a passar enquanto Cale atravessava o Santuário pela terceira vez. Ele continuava, obviamente, seguindo pelas sombras, porém, estava mais calmo àquela altura. Começava a perceber que seus hábitos de uma vida inteira — a consciência de que estava sendo observado a cada momento, de que sempre havia olhos preparados para perceber e informar cada passo seu — já não eram necessários. Os Redentores tinham bons motivos para supor que sua habilidade de vigiar os acólitos, aliada à crueldade dos castigos a qualquer desobediência imaginada ou real, manteria a ordem entre eles. Partiam do pressuposto que, à noite — com os acólitos trancados em seus dormitórios, exaustos e temendo, com razão, as consequências de uma tentativa de fuga —, podiam diminuir sua vigilância obsessiva. Ao atravessar o Santuário pela terceira vez naquela noite em um espaço de poucas horas, Cale vira apenas um Redentor ao longe.

Ele foi invadido por uma estranha euforia. As pessoas que odiava e pareciam tão invulneráveis não eram nada disso. Tinha sido mais esperto que Bosco, matado o Lorde Disciplinador e estava transitando com facilidade pelo Santuário. Um alarme soou bem no fundo do seu coração, dizendo-lhe para não ficar tão convencido: "Tome cuidado, ou vai acabar na forca."

Ainda assim, por mais que ele pensasse sobre o assunto — e por mais que aquilo cheirasse à imprudência —, fazia sentido voltar aos aposentos do Lorde Disciplinador. Ele havia pegado algumas coisas antes de sair com a garota, porém, se os quatro quisessem ter alguma chance de sobreviver lá fora, precisariam... na verdade, Cale não sabia do que eles precisariam, mas provavelmente encontraria muitas coisas úteis nos aposentos do morto e seria uma tolice não aproveitar essa chance. Com sorte, o corpo do Redentor só seria descoberto dali a quatro horas.

Dez minutos depois, Cale estava parado sobre o cadáver de Picarbo novamente. Ele se deteve por um instante e então começou sua busca. Foi uma experiência estranha, pois havia coisas demais ali. Aos acólitos, não era permitido ter nada. Mesmo os Redentores deveriam possuir apenas sete coisas, embora ninguém soubesse por que não seis ou oito. Havia inúmeras delas nos aposentos de Picarbo. Muitas, Cale nem sabia o que eram e teria adorado passar algum tempo simplesmente girando-as em suas mãos e especulando para que serviriam — como era estranho e agradável tocar um pincel de barba de pelo de texugo e sentir o cheiro maravilhoso e a textura escorregadia de uma barra de sabão. No entanto, a morte logo tolheu sua curiosidade e ele começou a escolher o que colocaria na mochila que havia encontrado: facas, um telescópio, uma coisa fabulosa que ele tinha visto Bosco usar através das ameias da fortaleza, um amolador para os instrumentos cirúrgicos de Picarbo, uma sacola de linho, algumas ervas que ele já vira sendo usadas para tratar feridas, agulhas de fino calibre, linha, um rolo de barbante. Ele vasculhou os armários, porém, a maioria deles continha apenas vasos sobre vasos de amostras de órgãos conservados de corpos femininos. Cale, obviamente, não reconheceu boa parte deles. Não que precisasse de qualquer tipo de justificativa para matar Picarbo, um homem que ele havia visto espancar várias crianças durante punições formais e até matar uma delas. No entanto, os órgãos cuidadosamente desidratados o fizeram sentir repulsa e pavor ao mesmo tempo.

Então, ele tentou abrir uma das portas que conduziam para além daquela sala, evitando olhar para a pobre criatura sobre a mesa de dissecação.

Assim que conseguiu, um cheiro forte e desagradável de padre encheu suas narinas. Cale já havia notado, sempre que ficava entre mais de dois Redentores em um espaço fechado, que eles tinham um cheiro esquisito. Porém, naquele aposento, ele parecia estar entranhado nas próprias paredes — um fedor de coisa podre, como se tudo que houvesse dentro deles, a própria alma que os animava, estivesse em processo de decomposição. Enquanto saía, ele não quis olhar para o corpo da menina, mas algo o atraiu em sua direção. Ele olhou apenas por um instante para a mutilação minuciosa daquela bela jovem. Sentiu um arroubo incomum de pena que algo tão macio e delicado pudesse ter sido destruído de tal maneira. Então, seu olhar detectou o pequeno objeto duro na bandeja de metal que o Lorde Disciplinador havia retirado do estômago da menina logo antes de Cale sair dali pela primeira vez. Não era um osso ou nada que parecesse muito repulsivo — possuía o formato e a textura de um pequeno seixo alisado pela exposição contínua a uma corrente de água veloz. Era de um marrom puxado para o dourado, leitoso e translúcido. Cuidadosamente, ele o tocou com o indicador. Então o apanhou e pôs-se a observá-lo, cheirando-o em seguida. Foi quase subjugado por aquele odor, como se cada célula do seu cérebro tivesse sido tomada pelo perfume estranho, porém maravilhoso. Cale ficou parado por um instante, entorpecido e prestes a desmaiar. Porém, tinha que ir embora. Ele respirou fundo e continuou a busca, enchendo a mochila com mais algumas coisas que talvez pudessem ser úteis e algumas outras das quais apenas gostou da aparência. Em seguida, saiu pela porta para retornar ao seu esconderijo.

7

Cale vinha planejando sua fuga há quase dois anos. Ele jamais usaria o plano em questão se tivesse escolha, pois as chances de sucesso eram muito pequenas. Os Redentores moviam mundos e fundos para recapturar fugitivos, para os quais a punição era enforcamento seguido de esquartejamento. Ninguém, até onde Cale sabia, havia conseguido despistar os Cães do Paraíso e seu plano de longo prazo para escapar dos Redentores envolvia paciência, aguardar até os 20 anos de idade, ser enviado para a fronteira e aproveitar sua chance quando ela chegasse. "De qualquer forma", pensou ele com seus botões, "que bom que me preparei para isso". Enquanto se esgueirava pelo púlpito, ele tentava não pensar nas chances de aquilo dar certo. Apesar disso, não conseguia conter a raiva ao ver o quanto sua intervenção lhe custara. Salvar a menina tinha sido *inútil.* Tudo que conseguira com aquilo era a morte quase certa; a sua e — o que era menos importante — a de Henri Embromador e Kleist. Idiota! Ele respirou fundo e tentou se acalmar. Mas ela parecera tão feliz na noite anterior, seu sorriso tão... o quê? Era difícil descrever o que ele sentia sobre a felicidade, sobre ver alguém feliz de fato. Era isso que tinha voltado à sua memória quando ele tentou ir embora e ficou parado no corredor escuro, tremendo por conta do que vira nos aposentos do Lorde Disciplinador e do horror daquela crueldade repugnante. Aquilo o deixara lívido de raiva, coisa com a qual já estava acostumado, porém, pela primeira vez na vida, Cale dera vazão a ela. "Mas nada de bom saiu disso", pensou ele. "Nada mesmo."

Fosse como fosse, ele já havia chegado. Estava em um pequeno vão depois do púlpito principal, que tinha uma fenda em uma das pontas, não exatamente uma passagem, mas apenas o local onde parte de um muro interno não se encontrava direito com a muralha externa do Santuário. Ele deslizou de lado para dentro dela, prendendo a respiração e se enfiando com dificuldade na abertura. Dentro de alguns meses, já estaria grande demais para passar por ali. No entanto, ele estendeu o braço para agarrar um apoio que tinha cavado quando era menor e conseguiu entrar raspando. Estava escuro demais para enxergar, mas o espaço era pequeno e Cale conhecia bem o esconderijo. Ele se agachou, puxando um dos tijolos soltos para fora e depois o que havia do seu lado, deslocando em seguida os dois meios tijolos em cima deles.

Em seguida, enfiou a mão no buraco e puxou uma corda longa trançada com esmero, em cuja ponta havia um gancho de ferro. Então, empertigou-se e se espremeu de volta entre as paredes.

De volta ao vão, ficou escutando por um instante. Nada. Ergueu o braço e tateou a superfície áspera do muro principal, enfiando o gancho em uma pequena fissura que talhara no mês anterior, logo após terminar de trançar a corda. Ele a havia feito não de juta ou sisal, mas com os fios de cabelo dos acólitos e Redentores que catara dos banheiros durante os anos em que trabalhara como faxineiro — uma função repugnante, sem dúvida, que lhe causara engulhos diversas vezes, mas que Cale se forçara a suportar por ver nela uma chance de sobrevivência. Ele puxou a corda para se certificar de que estava presa. Então, com uma força impressionante para um menino de 14 anos, içou o próprio corpo e se encaixou entre as duas paredes do vão, apoiando as costas contra uma e os pés contra a outra. Soltou o gancho, erguendo-o novamente até outra fissura e repetiu várias vezes o processo. Durante a hora seguinte, movendo-se não mais que 60 centímetros por vez — e muitas vezes menos — ele foi subindo até o topo da muralha do Santuário.

Quando rolou pela beirada do topo, ele soltou um grunhido exausto de satisfação. Ficou deitado ali por cinco minutos, seus braços como pesos mortos, sem vida exceto pela dor excruciante. Não ousou esperar mais que isso. Estendendo o braço para baixo, puxou a corda desenrolada atrás de si e enfiou o gancho na maior fissura que conseguiu encontrar. Então, jogou a corda pelo outro lado.

Esperava que ela fizesse um barulho quando batesse no chão, porém, o som que a corda fez quando ele a balançou para cima e para baixo não lhe pareceu nem um pouco claro. Ela tinha a metade da altura do muro, como no lado de dentro do Santuário, porém, até onde ele sabia, aquela parte da muralha poderia ter sido construída à beira de um precipício.

Ele olhou para baixo, em direção à escuridão insondável, se deteve por um momento e então desceu o corpo pela beirada. Com a mão direita, tateou em busca da corda e a esticou de tal forma que o gancho foi obrigado a fincar sua ponta na fissura. Com uma das mãos no muro e a outra mantendo a corda retesada, ele parou onde estava ao perceber como aquela situação era apavorante. *Mesmo assim, melhor isso do que ser enforcado e frito.* E, com esse pensamento consolador em mente, soltou o muro, deixou a corda aguentar o tranco e desceu pela beirada.

Com as pernas cruzadas sobre a corda, Cale foi descendo de mão em mão. Essa era a parte fácil, pois seu peso fazia todo o trabalho. Na verdade, ele teria ficado exultante, não fosse pelo fato de a corda não ter sido testada e poder arrebentar ou se desfazer de tanto se arrastar contra os muros ásperos — além da hipótese desagradável de ela não ser longa o bastante e deixá-lo pendurado a 30 metros do solo. Mesmo se caísse de uma altura de 3 metros nas rochas, quebraria a perna. Mas de que adiantava se preocupar? Era tarde demais.

Em menos de cinco minutos, ele já havia alcançado o nó na corda que lhe dizia faltarem apenas 15 metros para ela acabar. Então, chegou ao marco de 3 metros. E, por fim, ao nó grande na ponta.

Não havia nada abaixo dele. Ele deslizou pelo nó até estar se segurando apenas com uma das mãos.

Um. Dois. Três. Ele soltou.

8

De poucos em poucos minutos, Kleist e Henri Embromador acendiam a vela que Cale roubara do Lorde Disciplinador e olhavam para a garota. Haviam concordado que era melhor dar uma conferida nela de vez em quando. Afinal de contas, tinham nove velas, de modo que não precisavam economizar. Eles já haviam visto pessoas ficarem caladas como aquela garota e com aquele mesmo olhar cego e estranho, geralmente meninos que tinham levado mais de cem chibatadas. Se ficassem assim por mais de dois dias, eram levados embora e nunca mais voltavam. Os que conseguiam se recompor costumavam acordar aos gritos no meio da noite, semanas ou até meses depois — no caso de Morto, foram anos. Então eles desapareciam também.

Era por isso, diziam para si mesmos, que ficavam de olho na garota. Se ela começasse a gritar, alguém poderia ouvir.

Sempre que acendiam a vela, Henri Embromador dizia para ela: "Vai ficar tudo bem." A garota não respondia, limitando-se a estremecer de vez em quando. Na terceira vez em que acenderam a luz, Henri se lembrou de algo do passado muito distante, uma frase que lhe veio à cabeça, algo reconfortante que ouvira certa vez e do qual se esquecera há tempos.

— Passou, passou — disse ele. — Passou, passou.

Porém, eles tinham outro motivo para ficarem acendendo a vela, além de conferirem a garota: não conseguiam parar de olhar para ela. Ambos tinham chegado ao Santuário aos 7 anos de idade, saídos de uma vida que, àquela altura, lhes parecia tão distante quanto a lua. Os pais de Henri Embromador tinham morrido pouco depois de ele nascer. Os de Kleist o haviam vendido por cinco dólares aos Redentores e eram apenas um pouco menos violentos com ele. Os dois não viam uma garota ou mulher desde que passaram pelos grandes portões do Santuário, e tudo que os Redentores haviam lhes dito era que mulheres e garotas eram joguetes do diabo. Se por acaso vissem alguma delas quando deixassem a fortaleza em direção à fronteira ou aos Vales Ocidentais, deveriam baixar os olhos. "O corpo de uma mulher é o pecado encarnado, clamando os céus por vingança!" Apenas uma mulher deveria ser olhada sem repulsa ou temor: a mãe do Redentor Enforcado que, caso único entre o seu sexo, era pura. Ela era fonte de compaixão, perpétuo socorro e conforto — embora os meninos não fizessem ideia do que significavam essas virtudes, uma vez que jamais haviam se deparado com nenhuma delas. Os Redentores eram igualmente vagos sobre o que implicava toda essa coisa de as mulheres serem joguetes do diabo. Por conta disso, Kleist e Henri Embromador se sentiam impelidos a observar a garota com uma curiosidade profunda, misturada a um medo e assombro consideráveis. Qualquer criatura que conseguisse levar os Redentores a arroubos tão intensos de repulsa e ódio deveria ser bastante poderosa e, portanto, de maneiras que eles jamais conseguiriam sequer imaginar, digna de medo.

Naquele momento, tremendo e apavorada sob a luz da vela, a garota não parecia nada assustadora. Ela ainda era, no entanto, fascinante. Para começo de conversa, suas formas eram extraordinárias. Ela usava um vestido de linho de boa qualidade, muito melhor do que qualquer coisa que os meninos já tivessem vestido, amarrado em volta da cintura por um cordão.

Kleist pediu para Henri Embromador se afastar e abaixou a cabeça para sussurrar no ouvido dele.

— O que são aquelas saliências no peito dela? — perguntou ele.

Henri Embromador, com o máximo de deferência possível, levando-se em conta que ele não sabia como se comportar em relação a uma mulher, estendeu a vela em direção aos seus seios e os observou com atenção.

— Não sei — sussurrou ele por fim.

— Ela deve ser gorda — sussurrou Kleist. — Como aquele merda do Lorde dos Víveres. — Obviamente, quase não havia meninos gordos no Santuário. Podia-se contá-los nos dedos entre todos os 10 mil.

Henri Embromador refletiu sobre aquilo.

— O Lorde dos Víveres é pelancudo e redondo. Ela é toda cheia de curvas.

— Pegue para ver, então — disse Kleist.

Henri pensou na hipótese por um instante.

— Não, talvez seja melhor a gente deixá-la em paz — disse ele. — A coitada deve ter levado uma surra dele.

Kleist deu um suspiro profundo enquanto analisava a garota.

— Ela não tem cara de quem aguenta uma surra, não do tipo que Picarbo é capaz de dar.

— *Costumava* dar — corrigiu Henri Embromador. Os dois grunhiram com uma satisfação estranha, levando-se em conta o perigo em que a morte dele os colocara.

— Por que será que ele bateu nela? — perguntou-se Kleist.

— Provavelmente — disse Henri Embromador —, por ela ser um joguete do diabo.

Kleist assentiu. Parecia plausível.

— Como você se chama? — perguntou Henri Embromador, não pela primeira vez. Novamente, ela não respondeu. — Quanto tempo será que Cale vai demorar? — disse ele.

— Você acha que ele tem um plano?

— Acho — disse Henri Embromador, em um tom de certeza absoluta. — Quando ele diz uma coisa, é pra levar a sério.

— Bem, fico feliz que você tenha tanta certeza. Quem me dera pensar assim.

Então a garota disse algo, mas tão baixinho que eles não conseguiram ouvir.

— Hã, o que você disse? — perguntou Henri Embromador.

— Riba. — Ela respirou fundo. — Meu nome é Riba.

9

Enquanto descia pela escuridão profunda, os dois maiores medos de Cale se tornaram realidade. Primeiramente, seus pés chegaram ao nó grande que havia feito na ponta da corda com ele ainda no meio do ar, sem fazer ideia do quanto faltava até o solo. Em segundo lugar, ele conseguia sentir que a tensão sobre o gancho de ferro que sustentava seu peso tinha sido forte demais. Mesmo estando tão longe do topo, percebia que ele estava começando a ceder. "Você vai cair de qualquer jeito", pensou ele com seus botões e, tomando impulso com os dois pés na muralha, Cale ergueu os braços para proteger a cabeça e arriscou a queda.

Quer dizer, se é que um tombo de uma altura de 60 centímetros pode ser chamado de queda. Um Cale maravilhado se levantou e ergueu as mãos, triunfante. Então, apanhou uma das velas que havia roubado do Lorde Disciplinador e tentou acendê-la com limo seco e uma pederneira. Algum tempo depois, conseguiu fazer uma chama e acendeu a vela, porém, quando a ergueu em meio à vasta escuridão, sua luz era tão fraca que ele não conseguiu enxergar quase nada. Então, o vento a apagou.

A escuridão era total, à medida que uma nuvem grossa eclipsava a lua. Se tentasse andar, ele poderia cair, e até mesmo um ferimento superficial que o atrasasse significaria a morte. Era melhor esperar mais ou menos duas horas até o amanhecer. Com essa decisão tomada, Cale se enrolou na própria batina, deitou no chão e adormeceu.

Quase duas horas depois, abriu os olhos e descobriu que a alvorada cinza-escura já lhe dava luz suficiente para enxergar o caminho. Ele olhou de volta para a corda que pendia da muralha, apontando o local em que ele iniciara sua fuga como um enorme dedo indicador. Contudo, não havia nada a fazer quanto àquilo, nem quanto ao remorso por estar deixando para trás algo que lhe custou 18 meses, e engulhos sem fim, para fazer. Ela parecia um rabo de cavalo de 60 metros, embora Cale nunca tivesse visto um na vida. Ele se virou e, sob a luz nascente, desceu pela encosta rochosa e acidentada da Colina do Santuário, satisfeito com a possibilidade de ainda ter uma hora antes que o corpo do Lorde Disciplinador fosse descoberto e, com sorte, outras duas antes de encontrarem a corda.

* * *

Ele não teve sorte em nenhum dos dois casos. O corpo do Redentor Picarbo havia sido descoberto meia hora antes do amanhecer por seu criado, cujos gritos histéricos fizeram o Santuário inteiro, por maior que fosse, acordar e ficar em polvorosa em questão de minutos. Os acólitos de todos os dormitórios foram acordados rapidamente e a chamada feita, e logo ficou claro que três deles estavam desaparecidos.

Brunt Farejador, que cuidava dos cães e era o Redentor encarregado de capturar os pouquíssimos acólitos idiotas o suficiente para tentar escapar, foi convocado imediatamente pelo Redentor Bosco e, pela primeira vez na vida, conduzido ao seu gabinete sem demora.

— Quero os três de volta vivos, e com isso quero dizer que você fará tudo ao seu alcance para que isso aconteça.

— É claro, Lorde da Guerra. Eu sempre...

— Poupe-me — interrompeu Bosco. — Não estou *pedindo* que você seja cuidadoso, estou *mandando*. Sob nenhuma circunstância, nem mesmo que lhe custe a própria vida, Thomas Cale deve ser ferido. Creio que não há problema se Kleist e Henri forem mortos, embora eu também os prefira vivos.

— O senhor me permite perguntar por que a vida de Cale é tão preciosa, senhor?

— Não.

— O que devo dizer aos outros? Eles jamais entenderão uma coisa dessas e estão furiosos.

Bosco percebeu aonde Brunt queria chegar. A ira sagrada podia dominar até o mais obediente Redentor diante de um acólito que fez algo tão inimaginavelmente terrível. Ele suspirou com irritação.

— Você pode sugerir que Cale está sob minhas ordens e foi forçado a acompanhar esses assassinos enquanto tentava desvendar uma conspiração das mais tenebrosas para assassinar o Sumo Pontífice. — Essa, pensou Bosco, é uma desculpa medíocre, porém boa o suficiente para Brunt, que ficou imediatamente pálido de aflição. Ele era de uma brutalidade excepcional, mesmo para os padrões dos Redentores responsáveis pelos canis, porém, o zelo profundo que Brunt sentia pelo Pontífice, como o de uma mãe pelo filho, era evidente para qualquer um.

A corda de fios de cabelo de Cale foi logo descoberta e seu cheiro mostrado para os Cães do Paraíso. Em seguida, os portões foram abertos e uma equipe de caçadores foi enviada, com Cale a menos de 8 quilômetros de distância dali.

No entanto, em seu aspecto mais importante, o plano tinha sido um sucesso: não ocorrera a ninguém que apenas um acólito tivesse escapado, de modo que não foi feito nenhum tipo de busca dentro do Santuário. Por ora, Henri Embromador, Kleist e a garota estavam a salvo. Partindo do princípio, é claro, que Cale mantivesse sua promessa.

Cale já havia andando outros 6,5 quilômetros quando ouviu, muito ao longe, o som de cães se deslocando contra o vento. Ele se deteve e ficou escutando no silêncio. Por um instante, havia apenas o vento gelado raspando as rochas arenosas. Então, ficou claro que, por mais distante que aquele som lhe parecesse, cedo ou tarde ele enfrentaria problemas. Era um barulho estranho e agudo, diferente dos latidos habituais de uma matilha de cães de caça, e que mais parecia um grito contínuo de raiva, como os guinchos de um porco degolado por uma serra enferrujada. E aqueles cães eram, de fato, grandes como porcos, mais ferozes do que javalis e com presas que davam a impressão de que alguém tinha despejado uma sacola cheia de pregos enferrujados em suas bocas. O som morreu novamente enquanto ele procurava algum sinal do oásis de Voynich. Nada saltava à vista na extensão sem fim de outeiros pedregosos e de aparência doentia que davam às Terras Crestadas seu nome. Ele se pôs a correr novamente, desta vez, mais rápido do que nunca. Havia um longo caminho pela frente e, com os cães de caça tão próximos, ele sabia que teria sorte se conseguisse passar do meio-dia. Se andasse devagar demais, os cães o pegariam; se corresse, seria derrotado pelo cansaço. Ele bloqueou todos esses pensamentos e ficou escutando apenas o ritmo da sua própria respiração.

— Há quanto tempo você está aqui, Riba?

Por um instante, ela pareceu não ter escutado Henri Embromador, então o encarou como se tentasse colocá-lo em foco.

— Estou aqui há cinco anos. — Os meninos trocaram olhares de perplexidade.

— Mas por que você está aqui? — disse Kleist.

— Nós viemos para cá para aprendermos a ser noivas — disse ela. — Mas eles mentiram. Ele matou Lena, aquele homem, e teria me matado também. Por quê? — Suplicou a garota, transtornada. — Por que alguém faria uma coisa dessas?

— Não sabemos — disse Kleist. — Não sabemos nada a seu respeito. Não fazíamos ideia de que você existia.

— Comece do começo — disse Henri Embromador. — Conte para a gente como veio parar aqui, de onde saiu.

— Não precisa se apressar — falou Kleist. — Temos tempo de sobra.

— Ele vai voltar para buscar a gente, não vai, aquele outro menino?

— O nome dele é Cale.

— Ele vai voltar, certo?

— Vai — disse Henri Embromador. — Mas a gente pode ter que esperar bastante.

— Eu não quero esperar aqui — disse ela, furiosa. — É frio, escuro e horrível. Não vou esperar aqui!

— Fale baixo.

— Deixe-me sair, agora, ou eu grito.

A questão não era que Kleist nem imaginava como tratar um membro do sexo oposto, mas sim que não fazia ideia de como lidar com alguém que se comportasse de maneira tão emotiva. Expressar raiva descontrolada geralmente significava uma visita a um buraco de 90 centímetros de profundidade no cemitério de Ginky's Field. Kleist ergueu o braço para calá-la, mas Henri o impediu.

— Você precisa ficar quieta — disse ele para Riba. — Cale vai voltar e nós a levaremos para um lugar seguro. Mas, se eles nos ouvirem, estamos mortos. Você tem que entender isso.

Ela o encarou por um instante, como se a própria loucura estivesse sussurrando em seu ouvido. Então, assentiu com a cabeça.

— Conte para a gente de onde você veio e o máximo que souber sobre por que está aqui.

Em meio à sua enorme agitação, Riba tinha se levantado, uma garota alta e formosa, embora gorducha. Ela se sentou de volta e respirou fundo para se acalmar.

— A madre Teresa me comprou no mercado de escravos em Memphis quando eu tinha 10 anos. Ela comprou Lena, também.

— Você é uma escrava? — disse Kleist.

— Não — disse a garota sem titubear, envergonhada e ofendida. — A madre Teresa nos dizia que éramos livres e podíamos ir embora quando quiséssemos.

Kleist riu.

— Então por que você não foi?

— Porque ela era boa com a gente. Nos enchia de presentes, nos paparicava como se fôssemos gatas siamesas, nos dava comidas maravilhosas e muitas coisas bonitas, além de nos ensinar a sermos noivas e nos dizer que, quando estivéssemos preparadas, teríamos um cavaleiro de armadura reluzente que nos amaria e tomaria conta de nós para sempre. — Ela parou de falar, quase sem fôlego, como se o que dizia estivesse de fato acontecendo e os horrores do dia que passou fossem apenas um sonho. E foi melhor assim, pois muito pouco do que disse fez sentido para os meninos.

Henri Embromador se voltou para Kleist.

— Não estou entendendo. É contra a Fé possuir escravos.

— Nada disso faz sentido. Por que os Redentores comprariam garotas para fazer todas essas coisas com elas e depois as retalharem como...

— Cale a boca! — Henri Embromador olhou para a garota, mas ela estava, por ora, perdida em seu próprio mundo. Kleist suspirou com irritação. Henri Embromador o afastou dali e baixou a voz. — Como você se sentiria se tivesse que ver aquilo acontecendo com uma pessoa com quem conviveu por cinco anos?

— Eu agradeceria à minha estrela da sorte por ter um desmiolado como o Cale por perto para me salvar. Você precisa — acrescentou ele — se preocupar mais com a gente e menos com aquela garota. O que ela significa para a gente ou a gente para ela? Deus sabe que nós não precisamos procurar mais sarna para nos coçar.

— O que está feito, está feito.

— Mas ainda não está feito, está?

Como isso era verdade, Henri Embromador ficou em silêncio por um instante.

— Por que logo os Redentores — disse ele, finalmente, sussurrando — trariam criaturas que eram joguetes do diabo para dentro do Santuário, lhes dariam de comer, cuidariam delas e depois as cortariam em pedacinhos ainda vivas?

— Porque eles são uns desgraçados — disse Kleist em um tom sombrio. Porém, ele não era bobo e a pergunta o intrigava. — Por que eles multiplicaram o número de acólitos por cinco, talvez até por dez? — Então, Kleist praguejou e se sentou no chão. — Diga-me uma coisa, Henri.

— O quê?

— Se soubéssemos a resposta, você se sentiria melhor ou pior? — E, ao ouvir isso, ele se calou de vez.

Cale estava urinando sobre a beirada de um dos outeiros semidesmoronados das Terras Crestadas. Àquela altura, o latido estridente dos cães já soava próximo e ininterrupto. Ele terminou, esperando que o cheiro os desviasse do seu verdadeiro trajeto por alguns minutos. Apesar do descanso, estava ofegante, suas coxas pesadas começavam a retardá-lo. Pelos seus cálculos, que se baseavam no mapa que encontrara no gabinete do Redentor Bosco, ele já deveria estar no oásis. No entanto, ainda não havia sinal dele, apenas os outeiros, as rochas e pedras que se estendiam até onde a vista alcançava. Somente então Cale admitiu a possibilidade que vinha carregando consigo desde que havia encontrado o mapa — a de que aquilo era uma armadilha preparada para ele pelo Lorde da Guerra.

Não fazia sentido desacelerar agora; os cães estariam em cima dele em questão de minutos. Não houve interrupção no barulho, o que significava que eles haviam deixado de sentir ou ignorado o cheiro de sua urina. Ele começou a correr o mais rápido possível, embora estivesse cansado demais depois de quatro horas para aumentar em muito sua velocidade.

Os cachorros ladravam, preparados para matar, e Cale começou a diminuir o ritmo, sabendo que jamais conseguiria correr mais rápido do que eles. Sua respiração chiava como se areia estivesse sendo raspada contra os seus pulmões e ele começou a tropeçar. Então, caiu.

Cale se levantou em um instante, porém, a queda o fizera olhar ao seu redor. Ainda os mesmos outeiros e as mesmas rochas, mas já era possível ver mato ressecado e tufos de grama na areia. Onde havia grama, só poderia haver água. Imediatamente, os latidos ficaram mais intensos, como se os cães tivessem sido açoitados com um chicote coberto de pregos. Cale saiu correndo em busca do oásis, rezando para estar indo na direção certa, e não o contornando rumo a mais deserto e à morte certa.

Contudo, a grama e o mato ficaram mais espessos e, depois de quase levar um tombo ao saltar por sobre uma colina, Cale se viu diante do oásis de Voynich. Àquela altura, os cachorros estavam uivando, pois sentiam que a caçada chegara ao fim. Cale continuou correndo, tropeçando conforme seu corpo começava a se rebelar. Ele sabia que não devia olhar para trás, mas não pôde evitar. Os cães de caça saltavam do topo da colina como pedras de carvão de dentro de um saco, latindo e uivando em seu desespero para fazê-lo em pedaços e se atrapalhando enquanto rosnavam e mordiam uns aos outros.

Ele continuou correndo à medida que os cães saltavam em sua direção, com as costas vergadas e arreganhando os dentes. Então, conseguiu ver as primeiras árvores do oásis. Um dos cachorros, mais rápido e feroz que os demais, já estava em cima dele. A criatura sabia o que fazer e enganchou o calcanhar de Cale com a pata da frente, fazendo-o perder o equilíbrio e se estatelar no chão.

Isso deveria ter sido o fim — porém, de tão afoito em agarrar sua presa, o cão também se desequilibrou. Desacostumado à superfície mais úmida e movediça do oásis, ele não conseguiu apoio e caiu de cara, dando uma cambalhota e levando uma pancada forte na espinha ao bater contra uma árvore. O cão uivou de raiva, porém, seu desespero em ficar de pé só piorou a situação, à medida que ele se debatia em busca de equilíbrio no solo instável. Cale correu em direção ao lago no centro do oásis e já havia avançado 15 metros antes de o animal conseguir se levantar para segui-lo. Porém, ele não tardaria a alcançá-lo, uma vez que corria quatro vezes mais depressa do que o menino exausto. O cão venceu a distância rapidamente e estava prestes a saltar quando Cale saltou antes dele, descrevendo um longo arco no ar e espalhando água por toda parte ao atingir a superfície do lago.

O cão soltou um uivo de raiva ao parar na beirada do lago. Então, outro cachorro o alcançou, e depois outro; todos latindo para ele em um coro que parecia o fim do mundo — ódio, fúria e fome.

O Farejador e seus homens levaram cinco minutos para chegar, montados em seus pôneis, e encontrar os cães à beira do lago que alimentava o oásis. Eles ainda estavam latindo, porém, não havia nada à vista. O Farejador ficou parado na margem por algum tempo, observando e pensando — seu rosto, que nunca era bonito de se ver, enegrecido de decepção e suspeita. Finalmente, um dos homens falou.

— Tem certeza de que são eles, Redentor? Não seria a primeira vez que esses imbecis — disse ele, olhando para os cachorros — correram atrás de um cervo ou de um javali.

— Silêncio — falou Brunt em voz baixa. — Talvez eles ainda estejam aqui. Todos dizem que são ótimos nadadores. Cerquem esse lugar de guardas e dos melhores cães. Se estiverem aqui, nós os pegaremos. Mas, por Deus, Cale não deve ser ferido. — Na verdade, Brunt não havia contado nada a seus homens sobre a conspiração contra o Pontífice inventada por Bosco. Ele não havia mentido ao Redentor sobre a ira dos seus subordinados, pelo menos não exatamente. Eles estavam enfurecidos, não havia dúvida, porém, cumpririam suas ordens pelo simples fato de que elas partiam dele. Ser o único Redentor comum a conhecer a terrível ameaça contra o Pontífice fazia com que Brunt sentisse um amor ainda mais profundo pela Sua Santidade, e ele não queria desperdiçá-lo compartilhando-o com terceiros.

Ele fez um gesto — um leve menear da cabeça, nada mais — e, no instante seguinte, os homens ao seu redor começaram a se mexer. Em menos de uma hora, o oásis estava completamente fechado.

No corredor secreto do Santuário, Riba estava dormindo. Kleist tinha ido caçar ratos, enquanto Henri Embromador observava a garota, intrigado com suas curvas estranhas e sentindo novos e embaraçosos impulsos juntamente com a fome e o medo. Ele fazia bem em estar assustado. Os Redentores não paravam de procurar por fugitivos até eles serem apanhados, por mais que demorasse. Quando finalmente os recapturavam, transformavam-nos em exemplos que congelariam o sangue nas veias de cada acólito por cem anos, fazendo seus corações pararem dentro do peito e seus cabelos ficarem em pé como os espinhos de um ouriço irritado. A crueldade e a agonia da punição e morte deles se tornariam uma lenda.

Apesar de entretido com os ratos, Kleist sentia praticamente o mesmo. O outro sentimento que os dois compartilhavam era a suspeita cada vez maior de que Cale estava a meio caminho de Memphis e que jamais voltaria. Na verdade, Kleist não tinha dúvidas disso, porém, mesmo o leal Henri Embromador não estava seguro do que Cale faria. Ele sempre quis ser seu amigo, embora não conseguisse entender bem por quê. O medo do anátema contra amizades dos Redentores fazia com que os acólitos se evitassem, principalmente porque eles bolavam armadilhas. Os meninos que possuíam algum charme e certa tendência à deslealdade, eram treinados pelos padres a desenvolverem ainda mais essas qualidades. Conhecidos como frangotes, esses meninos seduziam os incautos a trocar confidências, bater papo e brincar, entre outros sinais de amizade. Os que caíam na conversa deles levavam trinta golpes com uma luva coberta de pregos diante do dormitório inteiro e eram deixados sangrando ali por 24 horas. Contudo, nem mesmo consequências tão terríveis impediam alguns acólitos de se tornarem bons amigos e aliados na grande batalha para continuarem vivos ou serem engolidos pela fé dos Redentores.

No entanto, quando o assunto era Cale, Henri Embromador nunca sabia ao certo se a amizade deles era verdadeira. Henri se deu o trabalho de instigar Cale bancando o insolente com vários Redentores na frente dele, esperando impressioná-lo com sua esperteza e ousadia. Ainda assim, passou meses achando que o outro nem percebia o que ele estava fazendo, ou que, se percebesse, estava pouco se lixando. Cale mantinha sempre a mesma expressão atenta, fria e lacônica. Ele jamais deixava suas emoções transparecerem, fossem quais fossem as circunstâncias. Suas vitórias nos treinamentos não pareciam lhe dar prazer, assim como as punições cruéis para as quais Bosco geralmente o selecionava não pareciam lhe causar dor. Não era exatamente temido pelos acólitos, que tampouco gostavam dele. Ninguém conseguia entendê-lo; Cale não se rebelava, mas também não abraçava a fé. Todos o deixavam em paz, e Cale, até onde dava para perceber, preferia que fosse assim.

— Uma moeda pelos seus pensamentos. — Era Kleist, de volta da caça aos ratos, as presas sem rabo pendendo de um cordão em volta da sua cintura. Cinco delas. Ele desatou um nó, largou os roedores em uma pedra e começou a esfolá-los.

— Melhor prepará-los antes que ela acorde — disse Kleist, sorrindo. — Não acho que ela os comeria cozidos nas suas próprias peles.

— Por que você não deixa ela em paz?

— Você sabe que a gente vai morrer por causa dela, não sabe? Não que tenhamos muita chance, de qualquer forma. Seu amigo tem 12 horas para voltar, ou...

— Ou o quê? — interrompeu Henri Embromador. — Se você tiver um plano, desembuche. Sou todo ouvidos.

Kleist fungou e começou a estripar os ratos.

— Se eu não tivesse essas belezinhas para comer — disse ele, gesticulando para os ratos —, estaria muito pessimista agora. Sobre nossas chances, quero dizer. Nossas chances de ver Cale novamente.

Depois de emergir de um dos canaviais às margens do lago, Cale atravessou cerca de 500 metros de escavações. Há 15 anos que os Redentores vinham até aquele oásis e levavam embora toneladas do húmus precioso que se formava sob as copas das árvores. Aquele húmus era mágico, capaz de enriquecer até mesmo o solo morto das hortas de vegetais do Santuário. Ele era tão fértil que seu uso permitiu, sozinho, que o número de acólitos treinados ali fosse multiplicado por dez. Cale, no entanto, descobrira que o solo do oásis possuía outra propriedade. Certo dia, enquanto trabalhava nos jardins sob a vigilância dos cães que eram lançados sobre qualquer acólito que roubasse, Cale parou por um instante e tirou do bolso um pedaço de pé de defunto que havia encontrado no chão do refeitório. Logo que o cheirou, percebeu que ele não tinha caído da panela, mas sido jogado fora: estava podre e completamente intragável. Cale notou que um dos cachorros estava dormindo ali perto, enquanto seu cuidador olhava para o outro lado. Ele jogou a carne na direção da criatura, não por bondade, mas esperando que ela — que, como qualquer cão, comeria qualquer coisa — mandasse aquilo goela abaixo e passasse mal — o que seria bem feito. O pedaço de pé de defunto caiu perto do cão, em cima de um montinho de húmus do oásis ao lado da sua cabeça. O cachorro se levantou ao ouvir o barulho, alerta. Porém, apesar de haver comida debaixo do seu nariz — que conseguia sentir o cheiro de xixi de mosquito a mil metros de distância —, ele sequer olhou para o pedaço de carne. Em vez disso, encarou Cale, deu um bocejo e se coçou, deitando-se novamente e voltando a dormir. Mais tarde, depois que o guarda e o cão foram embora, Cale apanhou o pedaço de pé de defunto e o cheirou. Estava fedendo terrivelmente. Intrigado, ele envolveu a carne em um punhado de húmus que apanhara do chão. Então, cheirou-a novamente e tudo o que conseguiu sentir dessa vez foi um aroma forte e pungente de adubo. Algo no húmus havia feito mais do que disfarçar o cheiro de gordura apodrecida: ele tinha desaparecido. Porém, somente enquanto os dois estavam em contato.

Voltando à horta nos dias seguintes, ele fez uma experiência com os cães, à medida que o pedaço de pé de defunto ficava cada vez mais fedorento. Em nenhuma das vezes eles sentiram cheiro algum. Por fim, Cale largou a carne sem a camada de húmus na calçada de pedra e, em questão de minutos, um dos cachorros a devorou, atraído pelo cheiro. Para grande satisfação de Cale, dez minutos depois ele pôde ver o cão botar suas prodigiosas tripas para fora em um canto.

Era mais perigoso do que difícil encontrar referências às origens do húmus na biblioteca. O Lorde da Guerra sempre lhe pedia para buscar mapas e arquivos nela, então, tudo que Cale precisava fazer era aguardar com paciência a chance de apanhar o arquivo certo e, depois, ter mais paciência ainda para aguardar a chance de devolvê-lo. Embora a probabilidade de ser apanhado fazendo isso fosse pouca, as consequências seriam terríveis, talvez fatais, se os Redentores descobrissem que seu interesse nos documentos sobre o oásis estava mais relacionado a um plano de fuga do que, digamos, a uma paixão por jardinagem e fertilizantes.

Logo depois de ter emergido do lago, um Cale encharcado ainda conseguia ouvir os latidos dos cães. Quando alcançasse as árvores, ele não poderia mais ser visto ou farejado, porém, sabia que isso não duraria muito tempo. Assim que começou a andar, ele se viu no território de escavação dos Redentores. A retirada do húmus havia deixado uma vasta extensão de buracos, em vez de fossos retos, pois, ao contrário da terra comum, ele era macio demais para sustentar paredes perpendiculares, embora sólido o bastante para prender e asfixiar um homem que fosse soterrado por ele, conforme os arquivos deixavam claro. A ideia agradou Cale, uma vez que uma dúzia de Redentores havia morrido retirando o húmus; mas nem tanto assim, pois ele precisava de algo que pudesse escondê-lo da visão e do faro dos cães.

Após escolher seu esconderijo, uma pequena depressão na base de um dos outeiros, ele cavou um buraco até onde teve coragem, juntou um pouco do húmus solto à sua volta para que os farejadores não detectassem sinais de escavação recente e passou para dentro daquela abertura funda, cercando-se com o adubo e arrastando-o com cuidado para dentro do buraco. Logo estava se sentindo vulnerável tão perto da superfície, porém, temia causar um desmoronamento se cavasse mais fundo. Tentou se lembrar de que precisava apenas manter-se longe dos olhos e do faro dos cães. A confiança dos Redentores em seus animais era uma fraqueza — para eles, se os cães não sentissem cheiro algum, não havia nada no local. Nem se davam o trabalho de fazer uma simples busca, pois não achavam necessário. Cale se recostou e tentou dormir, sabendo que não havia mais nada a fazer. Ele precisava descansar. E, de qualquer forma, não seria um sono profundo. Há tempos que havia aprendido a acordar em um instante.

E dormir foi o que ele fez, ainda que apenas por um instante, alerta ao som dos cães que latiam e dos Redentores que gritavam. Eles chegavam cada vez mais perto, os latidos se reduzindo a fungadelas à medida que os animais se concentravam na busca mais lenta, esquecendo a caçada. O som foi chegando mais e mais perto, até parecer que um deles estava farejando a poucos centímetros de distância. Porém, o cão não se demorou por ali. E por que se demoraria? O húmus fez sua parte, escondendo qualquer cheiro que não fosse o seu próprio. Logo, as fungadelas e os latidos espaçados desapareceram e Cale se permitiu um momento de alegria e triunfo. No entanto, ainda precisava ficar horas onde estava. Ele relaxou e adormeceu.

Quando voltou a acordar, seu corpo estava enrijecido pelos efeitos da longa corrida e seu joelho esquerdo em especial, dolorido por conta de uma lesão antiga, latejava. Ele também estava morrendo de frio. Ergueu o braço direito em meio ao húmus e o afastou o suficiente para ver que estava escuro. Ele aguardou. Duas horas depois, pôde ouvir pássaros cantando e, logo em seguida, o céu começou a clarear. Cale saiu lentamente do buraco, preparado para retornar a ele ao primeiro sinal dos Redentores. Contudo, não ouviu nada além do som dos pássaros nas árvores altas e o farfalhar de animais pequenos na vegetação rasteira. Então, apanhou a sacola de linho que havia roubado dos aposentos do Lorde Disciplinador e começou a enchê-la de húmus, empurrando-o para o fundo para poder enfiar o máximo possível.

Em seguida, jogou a sacola nas costas e saiu em busca dos Redentores e seus cães.

Ele os encontrou três horas depois. Não foi difícil — havia vinte Redentores e quarenta cachorros. Além do mais, eles não tinham motivo para cobrir seus rastros: ninguém em um raio de mais de 300 quilômetros chegaria perto de um Redentor por livre e espontânea vontade, quanto mais de um bando deles com cães. Eram eles que procuravam os outros, não o contrário. Depois de alcançá-los, Cale passou dez minutos refletindo se deveria ou não esquecer os três que o esperavam no Santuário e tentar fugir para Memphis enquanto podia. Ele não devia nada a Kleist, a Henri Embromador só um pouco, e já havia salvado a vida da menina uma vez. Como um polvo que muda de cor diante do perigo — tons de vermelho e amarelo oscilando debaixo de sua pele como as ondas do mar —, Cale se via à mercê de suas vontades conflitantes, que iam e vinham como a maré, numa mistura de águas turvas e límpidas. Os motivos para sumir naquele mesmo instante eram óbvios, enquanto os motivos para voltar eram nebulosos e obscuros, porém, foi a contracorrente destes últimos que o impulsionou, com grande relutância e muitos xingamentos, de volta aos cães farejadores e aos padres.

Embora estivesse coberto de terra do húmus, Cale continuou a favor do vento em relação aos cães, mantendo uma distância de no mínimo 800 metros. Duas horas depois, conforme ele havia esperado, eles interromperam a busca e deram meia-volta, retornando ao Santuário. Cale sabia que os Redentores não tinham desistido. Aquela era apenas a busca primária, enviada para apanhar um fugitivo rapidamente. Geralmente dava certo, porém, se eles perdessem o rastro dentro de trinta horas, a primeira equipe voltaria para ser substituída por um máximo de cinco equipes secundárias, totalmente equipadas e autossuficientes, que dariam continuidade à caça por anos a fio, se necessário. Nunca chegava a tanto. Dois meses foi o máximo que um acólito conseguiu evitar ser recapturado e sua punição ao ser apanhado foi inominável.

Ainda mantendo certa distância e a favor do vento, Cale seguiu os Redentores pelas 12 horas seguintes, aproximando-se cada vez mais, esperando que os cães dessem algum sinal de terem sentido seu cheiro. Ele os seguiu até o Santuário, já tão perto deles que tudo o que precisou fazer foi se juntar ao final do grupo — que àquela altura estava exausto — e, encapuzado, atravessar os portões envoltos na mais completa escuridão. Não havia revista de segurança. Afinal, que tipo de louco, adulto ou criança, tentaria invadir o Santuário?

Após esperar um dia inteiro no corredor secreto, os três estavam sentados no escuro, cada qual entregue aos seus próprios pensamentos, que eram sempre os mesmos, sempre sombrios. Quando ouviram a batidinha de leve na porta, correram até ela desesperadamente esperançosos, mas também dominados pelo medo de que pudesse ser uma armadilha.

— E se forem eles? — sussurrou Kleist.

— Se forem, eles vão entrar de qualquer jeito, não é mesmo? — respondeu Henri Embromador. Os dois começaram a abrir a porta.

— Graças a Deus é você — disse Henri.

— Quem você estava esperando? — disse Cale.

— Nós achamos que poderiam ser aqueles homens.

Aquela era a primeira vez que uma mulher dirigia a palavra para Cale cara a cara. Sua voz era suave e baixa e, se fosse possível ver a expressão dele no escuro, ela revelaria uma surpresa e um fascínio profundos.

— Se os Redentores vierem atrás de nós, eles não vão bater antes de entrar.

— Talvez batam — disse Kleist, sem muita convicção. — Como uma armadilha.

Cale fechou a porta.

— Isso já é uma armadilha.

— Já estamos fartos — disse Kleist. — Diga o que você estava fazendo e se vamos sair daqui vivos.

— Acenda uma vela, nós vamos precisar.

Dois minutos depois, eles já conseguiam ver uns aos outros sob a luz fraca, que tornava a cena quase bonita — os quatro ali, juntos.

— Que cheiro é esse? — perguntou Henri Embromador.

Cale largou a sacola de húmus no chão.

— Os cachorros não conseguem sentir seu cheiro se você espalhar isso pelo corpo e pelas roupas. Eu vou explicar o que aconteceu enquanto vocês fazem isso.

Em outros lugares do mundo, o que aconteceu em seguida talvez parecesse estranho. Riba, chocada diante daquilo, estava prestes a reclamar que precisava de privacidade, porém, os três meninos deram as costas para ela e uns para os outros. Ficar nu na presença de outro menino era uma ofensa que clamava aos céus por vingança, como gostava de dizer o falecido Lorde Disciplinador. Havia muitas ofensas que faziam os céus bradarem por represálias.

Os meninos adentraram a escuridão para se despir por conta de um hábito arraigado. Uma vez sozinha, não havia ninguém para ouvir seus protestos. Então, Riba apanhou um punhado do húmus de cheiro forte e penetrou, também, a escuridão.

— Preparados? — zombou a voz de Cale. — Então, vou começar.

Cinco horas depois, enquanto uma aurora encardida sangrava das trevas, Brunt despachou suas cinco equipes de busca secundárias, cada qual composta de cem homens com cachorros, da praça principal. Quando o último grupo saiu, outros quatro vultos encapuzados para se protegerem do frio se juntaram ao fim da coluna e atravessaram os portões com os demais, seguindo pelo caminho de escória de carvão até a planície de vegetação rasteira mais abaixo.

Ali, os quinhentos Redentores se dividiram em seus respectivos grupos e se encaminharam para todas as direções.

Os quatro continuaram atrás da coluna que seguia para o sul. Eles a acompanharam por quatro horas, enquanto o Preceptor entoava a marcha da vergonha:

— Sagrado Redentor!

— EXPURGE NOSSOS PECADOS! — veio a resposta grunhida de 104 vozes.

— Sagrado Redentor!

— CASTIGUE-NOS POR NOSSAS OFENSAS!

— Sagrado Redentor!

— FLAGELE-NOS POR NOSSA LUXÚRIA!

— Sagrado Redentor!

— MORTIFIQUE-NOS POR NOSSA...

E assim por diante, até uma curva fechada que contornava o primeiro outeiro das Terras Crestadas, quando 104 vozes se tornaram somente cem.

De cima das ameias, o Lorde da Guerra observava os quinhentos soldados emergirem da neblina rasteira e, cerca de 2 ou 3 quilômetros mais adiante, começarem a se dividir em cinco. Ficou ali até o último grupo desaparecer de vista e então deu meia-volta para ir tomar o café da manhã, que calhava de ser o seu predileto – uma tigela de tripa negra e um ovo bem cozido.

Os meninos teriam conseguido fazer uns 60 ou até 80 quilômetros antes do anoitecer, se Riba não estivesse ali para atrasá-los. Bonita, gorducha e mimada, em cinco anos ela mal havia se movido, andando somente da mesa de massagem para uma banheira quente e, de lá, outras quatro vezes por dia, para uma mesa de jantar cheia de folhas de uva recheadas, pés de porco com geleia de carne, bolos de especiarias e tudo o mais de engordativo que você possa imaginar. Consequentemente, ela era tão incapaz de andar 60 quilômetros quanto de voar 50. A princípio, Kleist e Cale ficaram irritados, mandando-a se mexer, porém, quando ficou claro que espezinhá-la, ameaçá-la e até mesmo implorar não faria a pobre garota dar mais um passo que fosse, eles se sentaram no chão. Em seguida, Henri Embromador conseguiu convencê-la a contar sobre seu dia a dia nos recônditos do Santuário.

Aquela não era apenas uma história maravilhosa de luxo e conforto; de mimo, cuidado e ternura. Ela era também incompreensível. A cada novo detalhe que Riba acrescentava sobre a maneira como ela e as outras garotas eram paparicadas e mimadas, os três acólitos se perguntavam, cada vez mais perplexos, por que os Redentores agiriam daquela forma com quem quer que fosse — quanto mais com criaturas que eram joguetes do diabo. E qual era o sentido de uma bondade tão inacreditável diante do procedimento abominável a que Lena, a amiga de Riba, fora submetida? — uma crueldade tão grotesca que nem mesmo os meninos teriam creditado aos Redentores. No entanto, ainda faltava muito tempo para qualquer um deles começar a juntar as peças da história terrível da qual os três acólitos, Riba e o Lorde da Guerra haviam passado a fazer parte — principalmente porque Cale havia colocado o objeto de cheiro doce que encontrara na bandeja de dissecação em um dos bolsos que raramente usava e se esquecido completamente dele.

Contudo, eles tinham problemas mais urgentes do que o destino da humanidade para resolver: como continuar vivos mesmo arrastando a bela, porém pesada, Riba. Conseguiram andar 16 quilômetros naquele dia, uma espécie de tributo à força de vontade de Riba, uma vez que o esforço mais extenuante que ela já havia feito na vida era levar um pedaço de frango frito à boca ou se virar na mesa de massagem para que passassem loções e unguentos deliciosos na sua pele perfeita. Obviamente, essa determinação por parte de Riba não foi muito apreciada pelos três meninos. Exausta, ela adormeceu no chão assim que eles pararam para a noite. Então, enquanto comiam a carne seca preparada por Kleist, os meninos discutiram o que fazer com ela.

— Vamos deixá-la aqui e fugir — disse Kleist.

— Ela vai morrer — disse Henri Embromador.

— A gente deixa água. E, convenhamos — prosseguiu Kleist, correndo os olhos pelo seu corpo superalimentado —, ela vai levar um bom tempo para morrer de inanição.

— Se continuarmos andando neste ritmo, ela vai morrer de qualquer jeito. E nós também. — Desta vez, foi Cale quem falou, não exatamente elaborando um argumento, mas apontando um simples fato.

Henri Embromador tentou bajulá-lo.

— Duvido, Cale. Você os enganou direitinho. Eles estão achando que estamos a quilômetros de distância. Devem até pensar que tivemos a ajuda de alguém para fugir com tanta facilidade.

— E quem seria maluco de nos ajudar contra os Redentores? — perguntou Kleist.

— Que diferença faz? Eles acham que nós fugimos. E fugimos mesmo. Ainda vão demorar muito para descobrir como a gente fez isso, se é que vão descobrir. Podemos ir devagar.

— Seria bem melhor não irmos — disse Cale.

— Neste ritmo, eles vão nos pegar — falou Kleist. — Vamos precisar de mais do que um truque e cocô de texugo para despistá-los.

— Nós passamos por tudo isso para salvá-la. Não podemos deixá-la morrer agora.

— Podemos sim — disse Kleist. — A coisa mais misericordiosa que podemos fazer é cortar a garganta dela enquanto ela está dormindo. Melhor para ela e para nós.

Cale soltou um suspiro curto, não muito arrependido.

— Henri tem razão. De que adianta deixá-la morrer agora?

— De que adianta? — exclamou um Kleist irritado. — Adianta o seguinte, seus idiotas: nós vamos fugir. Liberdade. Para sempre.

Os outros dois ficaram calados. Era verdade.

— Vamos votar — disse Henri Embromador.

— Não, nada de votar. Vamos usar nossa cabeça.

— Vamos votar — disse Cale.

— Para quê? Vocês já se decidiram. Vamos ficar com a garota.

Houve um silêncio emburrado.

— Tem outra coisa que deveríamos fazer — disse Cale por fim.

— O que foi agora? — resmungou Kleist. — Vamos catar penas de ganso o suficiente para fazer um colchão para a cadela gorda?

— Fale baixo — disse Henri Embromador. Cale ignorou Kleist.

— Temos que decidir quem vai ser o executor se formos capturados pelos Redentores.

Era uma ideia desagradável, porém, eles sabiam que Cale tinha razão. Nenhum dos três queria ser levado de volta para o Santuário vivo.

— Vamos tirar no palitinho — disse Henri Embromador.

— Não temos palitinhos — falou Kleist com desânimo.

— Então vamos usar pedras. — Henri Embromador foi procurá-las e, um minuto depois, estava de volta com três de tamanhos diferentes. Ele as mostrou para os demais, que concordaram com a cabeça. — Quem tirar a menor, perde.

Henri escondeu as pedras atrás das costas e então estendeu a mão esquerda para a frente, o punho cerrado diante do corpo. Por um instante, ninguém fez nada. Desconfiado como sempre, Kleist não conseguia escolher. Cale deu de ombros e estendeu a mão, com a palma virada para cima e os olhos fechados. Sem deixar Kleist ver, Henri Embromador largou a pedra e Cale fechou o punho em volta dela. Então, abriu os olhos. Em seguida, Henri estendeu as duas pedras restantes, uma em cada punho. Kleist ainda não se sentia seguro para tomar uma decisão, desconfiado que, de alguma maneira que ele não conseguia perceber, os dois estivessem passando-lhe a perna.

— Ande logo — disse Henri Embromador, com uma impaciência fora do comum. Com grande relutância, Kleist tocou a mão direita de Henri e fechou os olhos. Então, cada um ficou com uma pedra.

— Quando eu chegar a três. Um, dois, três.

Os três meninos abriram seus punhos. Cale estava segurando a menor pedra.

— Bem, pelo menos vocês já sabem que vai ser feito direito.

— Não precisava ter se preocupado, Cale — disse Kleist. — Eu não teria tido problema nenhum em apagar você.

Cale o encarou, mas ainda havia um vestígio de sorriso no seu rosto.

— O que vocês estão fazendo? — Riba tinha acordado e os observava. Kleist olhou na direção dela.

— Estávamos discutindo quem vamos comer primeiro depois que a comida acabar. — Ele a encarou sugestivamente, como se quisesse insinuar que a resposta era mais que óbvia.

— Não dê ouvidos a ele — falou Henri Embromador. — Estávamos só decidindo quem vai ficar de vigia primeiro.

— Quando vai ser minha vez? — perguntou Riba.

Todos os três acólitos ficaram surpresos com o tom desafiador, irritadiço até, de sua voz.

— Você precisa descansar o máximo que puder — disse Henri Embromador.

— Estou pronta para fazer a minha parte.

— Claro que está. Daqui a alguns dias, você vai estar mais acostumada. Por enquanto, precisamos que esteja o mais descansada possível. É melhor assim... e você sabe disso.

Isso era, obviamente, quase indiscutível.

— Quer comer um pouco? — perguntou Henri Embromador, estendendo um pedaço de carne de rato seca. Não parecia apetitoso, especialmente para uma menina criada à base de guloseimas, tortas de frango e molhos de carne deliciosos. Porém, ela estava faminta.

— O que é isso? — quis saber ela.

— Hã... carne — disse Henri Embromador, embromando.

Então, se aproximou dela e enfiou o pedaço de carne debaixo do seu nariz. Tinha exatamente o cheiro que se esperaria de um rato morto. Seu nariz delicado se enrugou em uma repulsa involuntária.

— Eca, não — disse ela, embora tenha se apressado a acrescentar: — Obrigada.

— Passar um pouquinho de fome não vai fazer mal nenhum a ela — murmurou Kleist baixinho, mas alto o bastante para a garota ouvir. Riba, no entanto, não se achava nada menos que perfeita. Era o que tinha ouvido a vida toda, de modo que, embora percebesse a hostilidade por trás do comentário de Kleist, ele não representava o menor insulto para ela.

— Eu fico de vigia primeiro — disse Cale, virando-se em seguida e andando até o topo de um montinho próximo dali.

Os outros dois meninos se deitaram e, em questão de minutos, estavam adormecidos. Riba, no entanto, não conseguia sossegar e começou a soluçar baixinho. Kleist e Henri Embromador estavam mortos para o mundo. Cale, por sua vez, no topo do montinho, conseguia ouvir o som do seu choro e ficou prestando bastante atenção nele, até que finalmente a garota também caiu no sono.

Na manhã seguinte, os meninos acordaram às cinco, como sempre, porém, não havia sentido em desmontar o acampamento, por assim dizer.

— Vamos deixá-la dormir — disse Cale. — Quanto mais descansada estiver, melhor.

— Sem ela, já estaríamos a mais de 120 quilômetros daqui, talvez quase 200 — murmurou Kleist. Uma faca se fincou com um baque no chão diante dos seus pés.

— Roubei de Picarbo. Corte a garganta dela, se preferir. Faça o que quiser, desde que pare de resmungar. — Seu tom era casual, não havia raiva alguma nele. Kleist encarou Cale, seus olhos frios e cheios de antipatia. Então, virou as costas. Henri Embromador ficou se perguntando se ele estava de fato pronto para matar a garota, ou talvez usar a faca contra Cale; ou se simplesmente gostava de ter um motivo para reclamar. Cale, de qualquer forma, era esperto o bastante para não insinuar nenhum tipo de vitória quando voltou a falar.

— Tenho uma ideia. Talvez possamos tirar algum proveito do problema que é esta garota.

Kleist se virou de volta, carrancudo. Porém, estava ouvindo.

— Se não podemos aumentar a distância que separa os grupos ao leste e ao oeste de nós, é melhor os seguirmos para não corrermos o risco de topar com eles por acidente.

Ele se agachou para apanhar a faca e começou a desenhar na areia.

— Se Henri e a garota forem para o sul em uma linha reta e não andarem mais que 20 quilômetros por dia, então Kleist e eu sempre saberemos mais ou menos onde vocês estão. Kleist vai para o oeste e eu para o leste, para encontrarmos as duas equipes de busca mais próximas. — Ele indicou a linha reta que havia desenhado para Henri e Riba. — Se acharmos que eles vão topar com as equipes de busca, que estarão andando em zigue-zague, então voltamos para levá-los em outra direção.

Kleist parecia pensativo, além de incrédulo.

— Vamos supor que você volte e leve os dois para algum outro lugar. Como eu vou te encontrar se você não vai estar no lugar marcado?

Cale deu de ombros.

— Você vai ter que decidir se prefere seguir nosso rastro ou escapar sozinho para Memphis. Espere por nós pelo tempo que achar justo.

Kleist deu uma fungada e desviou o olhar. Era o seu jeito de dizer que concordava.

— Está bom para você? — perguntou Cale, meneando a cabeça na direção de Henri.

— Está — respondeu ele. — Quero perguntar um monte de coisas para a garota.

Cinco minutos depois, após dividirem a comida e a água, Cale e Kleist já seguiam rumo ao leste e ao oeste, respectivamente. Passados outros cinco minutos, haviam desaparecido de vista.

Henri Embromador estava sentado, tomando seu café da manhã e olhando a garota dormir, analisando a pele branca e linda, os lábios vermelhos e os cílios longos, a sensação de paz sublime que ela emanava. Uma hora depois, quando ela acordou, o menino ainda a observava, fascinado. Riba levou um susto ao se deparar com Henri Embromador olhando-a fixamente, a menos de um metro de distância.

— Nunca lhe disseram que é falta de educação ficar encarando os outros?

— Não — respondeu Henri Embromador com sinceridade.

— Bem, pois fique sabendo que é.

Henri olhou para os próprios pés, constrangido.

— Desculpe — disse ela. — Não quis ser tão dura.

Ao ouvir essas palavras, Henri se esqueceu do constrangimento e caiu na gargalhada.

— Qual é a graça? — perguntou ela, irritada novamente.

— Para nós, duro é ser arrastado para a frente de quinhentas pessoas e pendurado na ponta de uma corda pelos Redentores.

— Como assim?

— Ir para a forca. Como o Redentor Enforcado.

— Quem é o Redentor Enforcado?

Essas palavras o calaram no ato. Henri a encarou como se ela tivesse perguntado o que era o sol, ou se os animais sabiam falar. Ficou algum tempo sem dizer nada, porém, a dúvida sobre o que aquilo poderia significar martelava sua cabeça.

— O Redentor Enforcado é o filho do Criador. Ele se sacrificou para lavar nossos pecados vis com seu sangue.

— Eca! — disse ela. — E para que isso?

A expressão assombrada de Henri fez com que ela se arrependesse imediatamente daquela reação.

— Desculpe, não quis ofendê-lo. É só que é uma ideia tão esquisita...

— O quê? — perguntou ele, ainda boquiaberto.

— Bem... que pecados são esses? O que você fez?

— Eu nasci em pecado. Todos nascem cheios de pecados repugnantes.

— Que ideia ridícula.

— É?

— Como um bebê pode ter feito alguma coisa de errado, quanto mais de terrível?

Os dois ficaram calados por um instante.

— E por que você iria querer lavar alguma coisa com sangue?

— É um símbolo — disse ele, na defensiva e se perguntando por quê.

— Não sou burra — respondeu ela. — Já entendi isso. Mas por quê? Por que usar sangue como um símbolo de algo assim?

Henri Embromador era, por natureza, uma pessoa que refletia bastante sobre tudo. No entanto, essas ideias faziam parte dele de tal forma e há tanto tempo que era como se ela tivesse lhe perguntado para que serviam seus braços ou qual era o sentido dos seus olhos.

— Onde estão os outros? — perguntou ela. Ainda processando o que tinha ouvido, Henri respondeu distraidamente.

— Ah, eles foram embora.

— Eles nos abandonaram? — disse ela, arregalando os olhos de temor.

— Só por alguns dias. Eles vão seguir as equipes de busca ao leste e ao oeste para garantir que a gente não acabe topando com elas.

— E como vão nos encontrar de volta?

— Eles são muito bons em seguir rastros — disse Henri de forma evasiva.

— Não entendo — disse ela. — Vocês não tinham dito que quase nunca saíam do Santuário?

— Hã... é melhor irmos andando. Eu explico no caminho.

O Redentor Bosco ergueu sua bengala e bateu duas vezes na porta.

Ela demorou quase trinta segundos para ser aberta, porém, ele não demonstrou sinal algum de impaciência, ou do que quer que fosse. Por fim, ela se abriu e um homem alto, outro Redentor, surgiu diante do Lorde da Guerra.

— O senhor tem hora marcada? — perguntou o homem alto.

— Não seja tolo — respondeu Bosco, lacônico e desdenhoso. — O Supremo Redentor solicitou minha presença. Estou aqui.

— O Supremo Redentor ordena, ele não solicita nenhum...

Bosco forçou sua entrada.

— Diga-lhe que eu estou aqui.

— Ele está descontente com o senhor. Nunca o vi tão irritado. — Bosco ignorou o homem alto, que foi em direção a uma porta interna, bateu e entrou. Logo em seguida, a porta se abriu novamente e o homem alto voltou, sorrindo, embora as perspectivas não fossem nada agradáveis.

— Ele está pronto para recebê-lo.

Bosco entrou em um aposento tão escuro que até mesmo seus olhos acostumados à penumbra tiveram dificuldade em enxergar. Havia algo mais, no entanto, do que as janelas pequenas com as persianas fechadas e a tapeçaria escura que recontava, de forma sombria, as histórias de martírios ancestrais e medonhos. O centro da escuridão parecia emanar da cama em um dos cantos. Havia um homem recostado nela, sustentado por no mínimo uma dúzia de almofadas desconfortáveis. Bosco teve que se aproximar bastante para poder divisar o rosto, sua pele tão pálida que chegava a ser descolorada, pendendo das faces e do pescoço em inúmeras dobras esquálidas. Os olhos eram lacrimosos e opacos, como se a mente tivesse se apagado há tempos. Porém, quando enxergaram Bosco, uma espécie de brilho lampejou neles, como o facho de um farol distante. Essa luz, no entanto, apontava diretamente para o rosto do Redentor Bosco e era repleta de ódio e grande astúcia.

— Você me fez esperar! — disse o Supremo Redentor, sua voz distante, porém clara.

— Vim o mais rápido possível, Sua Excelência. — Suas palavras foram recebidas com incredulidade, e ele não esperava que fosse diferente.

— Quando eu o convocar, Bosco, você deve largar tudo imediatamente, sem demora. — Ele riu. Era um som especialmente desagradável que apenas

Bosco, em todo o Santuário, não achava irritante. Soava como uma coisa morta, animada apenas por uma malícia e raiva intensas.

— Qual o motivo da minha convocação, Sua Excelência? — O Supremo Redentor o encarou por um instante.

— Aquele menino, Cale.

— Sim, Sua Excelência?

— Ele fez você de idiota.

— Por que diz isso, Sua Excelência?

— Você tinha planos para ele.

— O senhor sabe que sim, Sua Excelência.

— Ele deve ser trazido de volta.

— Nós dois não discordamos em nada, Sua Excelência.

— Trazido de volta e punido.

— É claro, Sua Excelência.

— E depois enforcado e esquartejado.

A princípio, Bosco não respondeu nada.

— Ele assassinou um Redentor. Deve ser transformado em um Ato de Fé.

Bosco pareceu refletir por um momento.

— Minhas investigações deixaram claro que os responsáveis foram os outros dois acólitos. É bem provável que tenham coagido Cale a fugir com eles. Estavam armados; ele não. Se isso for verdade, então Cale deve ser punido apenas para servir de exemplo. O esquartejamento, no entanto, me parece desnecessário. Já basta os outros dois, uma vez que a culpa é deles.

Ouviu-se uma risada de desprezo que mais parecia o som de alguém se engasgando.

— Rá! A piedade não combina com você, Bosco. É a sua vaidade quem está falando. Não interessa quem matou Picarbo, Cale ou esses outros dois. Por Deus, estou quase decidido a queimar o dormitório inteiro junto com eles.

O Supremo Redentor se permitiu ficar agitado demais, a ponto de engasgar na própria saliva. Ele gesticulou para uma caneca d'água sobre o criado-mudo. Bosco a entregou para ele, sem a menor pressa. O Supremo Redentor bebeu ruidosamente. Por fim, devolveu ao Lorde da Guerra a caneca suja de baba. Bosco devolveu-a ao criado-mudo com uma expressão discreta de nojo.

Aos poucos, a respiração chupada do Supremo Redentor começou a desacelerar e voltar ao normal. A atmosfera de malevolência, no entanto, havia apenas crescido.

— Conte-me sobre esse problema envolvendo Picarbo.

— Problema, Sua Excelência?

— Sim, *problema*, Bosco. O problema de terem encontrado o Lorde Disciplinador nos seus aposentos com uma vadia estripada!

— Ah — disse Bosco, pensativo. — Esse problema.

— Você acha que o fato de eu estar velho e doente significa que eu não saiba o que está acontecendo aqui? Bem, está muito enganado, e não é a primeira vez. Por mais doente que eu esteja, você ainda não consegue ser rápido o suficiente para me enganar, Bosco.

— Ninguém que tenha alguma inteligência subestimaria sua sabedoria e experiência, Sua Excelência, porém... — Ele soltou um suspiro de arrependimento. — Eu pretendia poupá-lo da natureza revoltante do que encontramos nos aposentos de Picarbo. Seria uma lástima que um reinado tão ilustre quanto o seu fosse ofuscado por um fato desses.

— Estou velho demais para esse tipo de abobrinha, Bosco. Quero saber o que ele estava fazendo com ela. Não era apenas sexo, era?

Mesmo Bosco, um homem ao qual nada parecia afetar, ficou perturbado ao ouvir aquele termo. Ninguém jamais se referia de forma tão direta ao ato sexual, que geralmente era mencionado através de eufemismos como "bestialidade" e "polução" — e, ainda assim, muito raramente.

— Talvez sua alma tenha se desvirtuado. O Mal nunca descansa, Sua Excelência. Ele talvez tenha passado a retirar prazer das punições justas que aplicava aos acólitos. Já aconteceu outras vezes, se não me engano.

O Supremo Redentor grunhiu.

— Como ele arranjou uma garota aqui?

— Até o momento, não fui capaz de descobrir. Porém, ele possuía muitas chaves. Somente o senhor e eu tínhamos permissão para fazer perguntas a um Lorde Disciplinador. Levará tempo.

— Ele não teria conseguido fazer isso sem ajuda. Talvez não seja uma questão apenas de bestialidade, mas também de heresia.

— Também pensei o mesmo, Sua Excelência. Vinte dos seus comparsas estão isolados na Casa do Desígnio Especial. Até o momento, os veteranos dizem não saber de nada, porém, os Redentores comuns admitiram terem expandido o cordão de isolamento ao redor do convento por ordem de Picarbo. Eles teriam bloqueado mais corredores para não levantar suspeitas. Afinal, o convento já é totalmente isolado dos Redentores. Ninguém jamais deveria ver os rostos das noivas. Picarbo disfarçou as idas e vindas deles passando a cozinha e a lavanderia dos Redentores superiores para dentro do cordão de isolamento. Tudo entra e sai através de um grande tímpano. Depois que Picarbo incluiu o Lorde dos Víveres e o Mestre da Lavanderia em sua pequena trama herege, retirar comida ou qualquer outra coisa lá de dentro deixou de ser problema.

— Mas estamos abrindo quilômetros e quilômetros dos corredores antigos. Molloy teria descoberto cedo ou tarde.

— Infelizmente, o Mestre das Reivindicações também era um deles.

— Meu Deus! Aquele falso beato insignificante do Molloy estava ajudando a transformar o Santuário em um prostíbulo? — O Supremo Redentor se recostou e ficou boquiaberto diante da terrível enormidade da questão. — Precisamos de um expurgo, precisamos de Atos de Fé daqui até o fim do ano... devemos estri...

— Sua Excelência — interrompeu Bosco —, ainda não há a menor certeza de que o propósito deste harém seja a polução. Desconfio que nem mesmo seja um harém, e sim mais um lugar de isolamento. Pelo que pude decifrar dos escritos de Picarbo, por mais loucos que fossem, ele estava à procura de alguma coisa, algo bem específico.

— E o que poderia encontrar nas tripas de uma cadela gorda?

— Ainda não sei dizer, Sua Excelência. Talvez seja necessário um expurgo, e de grandes proporções, porém, deveríamos esperar até eu chegar à verdade disso tudo antes de começarmos a acender as velas para Deus.

Acender velas para Deus não tinha nada a ver com cera ou pavios.

— Tome cuidado, Bosco. Você se acha melhor por saber das coisas, mas eu sei... — Ele apontou um dedo para Bosco e ergueu a voz. — EU SEI que o conhecimento é a raiz de todo o mal. Aquela desgraçada da Eva quis saber das coisas e foi isso que trouxe o pecado e a morte para todos nós.

Bosco se levantou e seguiu em direção à porta.

— Redentor Bosco!

O Lorde da Guerra se virou para encarar o velho sacerdote atrofiado.

— Assim que você trouxer Cale de volta para cá, ele será executado. Eu expedirei uma ordem para isso hoje mesmo. E esqueça isso de investigar a fundo a devassidão de Picarbo. Dê cabo de todas as pessoas envolvidas com ele. Não quero saber se podem ser inocentes. Não podemos nos arriscar a ter heresia por aqui. Queime-os e deixe que Deus separe o joio do trigo. Os puros terão uma melhor recompensa na vida eterna.

Um observador atento aos mínimos detalhes talvez tivesse visto o Lorde da Guerra piscar como se tivesse refletido sobre algo e tomado uma decisão. Poderia, no entanto, ter sido apenas uma ilusão criada pela falta de luz. Ele deu um passo à frente e se inclinou como se quisesse afofar os travesseiros em volta do Supremo Redentor. Mas, em vez disso, pegou um deles e o posicionou com cuidado e firmeza sobre o rosto minúsculo e velho. Tudo isso foi feito tão rápido, e com tão pouco alarde, que o Lorde Supremo Redentor só percebeu o horror do que estava acontecendo uma fração de segundo antes de o travesseiro tapar sua boca.

Dois minutos depois, Bosco saiu do quarto e viu o Redentor Alto se levantar imediatamente para ir ao encontro de seu mestre.

— Ele caiu no sono enquanto conversávamos. Não é algo que o Supremo Redentor costume fazer. Talvez o senhor devesse dar uma olhada nele.

Bosco não só havia assassinado o Supremo Redentor, como também havia mentido para ele. Não lhe revelara o verdadeiro tamanho da coleção de jovens do sexo feminino de Picarbo, ou suas suspeitas cada vez maiores em relação ao objetivo dos experimentos repulsivos do falecido Lorde Disciplinador. Precisaria de um tempo para refletir sobre o que fazer com as mulheres, porém, em breve elas seriam um ótimo pretexto para seu próximo passo no intuito de assumir total controle do Santuário, além de uma lição prática para Cale quando ele estivesse de volta.

No terceiro dia, Cale já havia alcançado os Redentores e os observado virar para o oeste, afastando-se de Henri Embromador e Riba. Porém, no dia seguinte, eles viraram para o leste, o que os aproximaria perigosamente dos dois. Foi enquanto os seguia, torcendo para tomarem a direção oposta novamente, que ele teve a única experiência realmente estranha da sua tocaia.

Ele estava acabando de contornar um dos outeiros das Terras Crestadas, que havia desabado, formando uma saliência dentada. Quando fez a curva, topou com um homem vindo na direção oposta. Cale ficou tão surpreso que quase perdeu o equilíbrio no chão de cascalho, enquanto o homem, que estava em uma parte mais íngreme, não conseguiu encontrar apoio e caiu de costas com um baque pesado.

Isso deu tempo a Cale de puxar a faca que havia roubado do Lorde Disciplinador e ir para cima do homem, deixando-o à sua mercê. O outro, no entanto, logo venceu a surpresa que aquela visão estranha lhe causara e começou a se levantar com um gemido. Cale brandiu a faca na sua direção, para deixar claro que ele deveria ficar onde estava.

— Então é assim? — disse o homem com uma cordialidade aborrecida. — Primeiro você me derruba no chão e depois quer cortar minha garganta. Não é muito amigável.

— É o que dizem a meu respeito. O que você está fazendo aqui?

O homem sorriu.

— O que todo mundo faz nas Terras Crestadas. Tentando sair.

— Não vou perguntar de novo.

— Não acho que isso seja da sua conta.

— Sou eu que estou com a faca, então eu decido o que é da minha conta ou não.

— Bem observado. Posso me levantar?

— Por enquanto pode ficar aí mesmo.

O homem parecia já ter visto algumas coisas estranhas na vida, porém, estava claramente intrigado com a presença de alguém tão jovem e tão seguro de si no meio das Terras Crestadas.

— Você está bem longe de casa, não está garoto?

— Não esquente comigo, vovô, você deveria estar mais preocupado em saber onde vai conseguir comprar uma bengala neste fim de mundo.

O homem riu.

— Você é um acólito dos Redentores, não é?

— O que você tem com isso?

— Nada, na verdade. É só que nas poucas ocasiões em que vi um acólito eles estavam em fileiras de duzentos e havia umas duas dúzias de Redentores vigiando-os com chicotes. Nunca tinha visto um sozinho.

— Bem — disse Cale —, tem uma primeira vez para tudo.

O homem sorriu.

— É, acho que sim. — Ele estendeu a mão. — IdrisPukke, atualmente a serviço de Gauleiter Hynkel.

Cale não apertou sua mão. IdrisPukke deu de ombros e a abaixou.

— Talvez você não seja tão jovem quanto parece. É melhor ter cuidado por aqui.

— Obrigado pelo conselho.

IdrisPukke riu mais uma vez.

— Você é duro de roer, não é menino?

— Sou — disse Cale com frieza. — E não me chame de menino.

— Como preferir. Do que devo chamá-lo?

— Não precisa me chamar de nada. — Cale meneou a cabeça para o leste. — Você vai por ali. Tente me seguir, IdrisPukke, e você vai ver como eu posso ser duro de roer. — Cale indicou com um gesto que ele podia se levantar. IdrisPukke obedeceu. Ficou olhando para Cale por alguns instantes, como se estivesse pensando bem no que deveria fazer. Então suspirou, deu meia-volta e partiu na direção que Cale havia indicado.

Durante as 12 horas seguintes, Cale ficou intensamente desconfiado daquele encontro com IdrisPukke. Seria ele um Redentor disfarçado, por exemplo? Pouco provável. Aquele homem emanava uma vivacidade muito grande para ser um deles. Um caçador de recompensas? Também parecia difícil. Os Redentores gostavam de manter esse tipo de coisa entre eles. Por outro lado, Cale tinha matado o Lorde Disciplinador, um pecado tão abominável que eles provavelmente estavam dispostos a fazer de tudo para apanhá-lo de volta. E foi por esses caminhos que sua mente vagou enquanto ele acompanhava o Lorde dos Redentores e torcia para seu grupo mudar de rumo. No dia seguinte, foi o que eles fizeram, voltando a pegar a direção oeste. Geralmente os caçadores continuavam no mesmo sentido por pelo menos 24 horas. Estava na hora de se reunir aos outros. Se ele conseguisse encontrá-los.

Doze horas depois, Cale estava na rota que eles haviam traçado para Henri e a garota, embora 15 quilômetros mais adiante, só por precaução. Então, começou a voltar pelo trajeto para se certificar de que não os perderia, mantendo-se o tempo todo o mais escondido possível, para que os Redentores que Kleist deveria estar vigiando não topassem com ele ou vice-versa. Levou apenas algumas horas para encontrar os três em um grande vale, cercados por cerca de vinte corpos mutilados, alguns cortados em pedacinhos. Os outros o viram a 100 metros de distância e esperaram, sem se mover, à medida que ele atravessava o amontoado de cadáveres. Ao chegar, cumprimentou os três com a cabeça.

— Os Redentores foram para o oeste — disse ele.

— Da última vez que vi os meus, eles tinham virado para o leste.

Então, fez-se um silêncio.

— Fazem alguma ideia de quem são? — perguntou Cale, meneando a cabeça em direção aos mortos.

— Não — disse Henri Embromador.

— Eu diria que já morreram há mais ou menos um dia — disse Kleist.

Riba estava quase com a mesma expressão chocada que ele vira em seu rosto quando a salvou de Picarbo — era uma expressão que dizia: isso não está acontecendo.

— Há quanto tempo vocês estão aqui? — perguntou baixinho Cale.

— Há uns vinte minutos. Encontramos Kleist no caminho umas duas horas atrás.

Cale assentiu.

— É melhor vasculharmos os corpos. Quem quer que tenha feito isso não deixou muito para trás, mas talvez ainda dê para salvar alguma coisa.

Os três meninos começaram a busca em meio aos restos mortais, encontrando uma moeda aqui, um cinto e um casaco rasgado acolá. Então, Henri Embromador bateu o olho em algo brilhante do lado de uma cabeça decepada.

Apressou-se a afastar a areia de cima do objeto, porém, era apenas um soco-inglês de latão. Ficou desapontado, mas pelo menos era útil.

— Socorro — gemeu a cabeça decepada.

Henri saltou para trás com um grito.

— Ela falou comigo, ela falou comigo!

— O quê? — disse Kleist, irritado.

— A cabeça. Ela falou.

— Socorro — gemeu a cabeça.

— Viu?! — exclamou Henri Embromador.

Cale se aproximou com cautela da cabeça com a faca em punho e cutucou sua têmpora. A cabeça gemeu, mas não abriu os olhos.

— Eles o enterraram até o pescoço — disse ele, depois de refletir por um instante. Foi então que os três meninos, habituados à crueldade humana, perceberam que não havia nada de sobrenatural envolvido. Todos olharam para o homem enterrado, pensando no que deveriam fazer.

— Devíamos desenterrá-lo — disse Henri Embromador.

— Não — falou Kleist. — Quem quer que tenha feito isso teve bastante trabalho. Não acho que aceitariam bem o fato de estragarmos o serviço deles. É melhor deixarmos pra lá.

— Socorro — sussurrou novamente o homem.

Henri Embromador olhou para Cale.

— E então? — perguntou.

Cale não disse nada, pensando bem no assunto.

— Não temos o dia inteiro, Cale — falou Kleist. A essa altura, Cale já estava com o olhar distante.

— Não, não temos. — O tom de voz de Cale era estranho, alarmante. Os outros dois ergueram os olhos, seguindo seu olhar sem vida. No topo do outeiro mais próximo, a cerca de 300 metros de distância, uma fileira de Redentores olhava para eles. Então, ela começou a se mover.

Os três meninos, todos pálidos, ficaram parados. Não havia para onde fugir. Riba foi a primeira a se mover, correndo para a frente para enxergar melhor a fileira de homens que marchava na direção deles.

— Não. Não. Não — dizia ela, sem parar.

Henri Embromador, branco como um lençol, olhou para Cale.

— Você tirou a pedra menor — falou ele.

Cale encarou o amigo, seus olhos inexpressivos. Depois de hesitar por um instante, apanhou sua faca e andou depressa em direção a Riba, que ainda olhava para a fileira de homens que se aproximava. Quando Cale fez menção de agarrar seus cabelos e expor-lhe o pescoço, Kleist gritou:

— Espere!

Neste momento, Riba se virou. Cale tinha baixado sua faca, porém, mesmo apavorada, ela pôde ver que algo de estranho estava acontecendo.

— Eles não são Redentores — disse Kleist. — Seja lá quem forem. Melhor esperar para ver o que acontece.

Enquanto eles observavam, mais homens atravessavam o topo da colina. Esses, no entanto, estavam montados a cavalo e conduziam outros trinta atrás de si. Ao alcançarem os que estavam a pé, eles também pararam e, em menos de um minuto, os quatro se viram cercados por algo em torno de cinquenta cavaleiros mal-encarados. Metade deles desmontou de seus cavalos e começou a examinar o que restava dos cadáveres. Os demais, com as espadas em punho, ficaram apenas olhando para os quatro.

Um dos cavaleiros que vasculhava os corpos exclamou:

— Capitão, é a missão diplomática de Arnhemland. Este é o filho do Lorde Pardee.

O capitão, um homem grande com um cavalo imenso de vinte palmos de altura, fez o animal andar e desmontou. Ele foi até Cale e, sem titubear, deu-lhe um soco tão forte na cara que fez o menino desabar no chão.

— Antes de executá-lo, quero saber quem ordenou isto.

Atordoado e dolorido, Cale não respondeu. O capitão estava prestes a acrescentar um chute de encorajamento quando Henri Embromador se manifestou.

— Não tivemos nada a ver com isso, senhor. Acabamos de encontrá-los. Por acaso parece que teríamos condição de fazer uma coisa dessas? — Henri achou melhor contar a verdade. — Temos apenas uma faca conosco. Como conseguiríamos?

O capitão olhou para ele e então de volta para Cale. Em seguida, desferiu um chute forte contra a sua barriga.

— Está certo. Não vamos cortar suas gargantas por assassinato. Vamos cortá-las por roubo.

Ele olhou para a pequena pilha de objetos que os meninos haviam recolhido dentre as coisas que os assassinos deixaram passar — uma mochila, um prato, algumas facas de cozinha e frutas secas, além do soco-inglês de latão. Henri via que aquilo não parecia nada bom.

— Um deles ainda está vivo. Estávamos prestes a desenterrá-lo. — Henri apontou para o homem, que àquela altura estava inconsciente e parecia, mais do que nunca, uma cabeça decepada na areia.

Os soldados se apressaram a cercá-lo e começaram a cavar a areia e o cascalho.

— É o chanceler Vipond — falou um deles.

O capitão gesticulou para eles pararem e se ajoelhou, apanhando um cantil. Com cuidado, derramou um pouco d'água na boca do homem inconsciente. Ele tossiu, cuspindo tudo de volta.

Àquela altura, um dos soldados havia trazido duas pás e, cinco minutos depois, haviam libertado o homem da areia, estendendo-o no chão. Ficaram um bom tempo auscultando seu coração e conferindo se ele não estava ferido.

— Nós íamos salvá-lo — disse Henri, enquanto Cale olhava com malevolência para o capitão de sua posição encurvada na areia.

— Isso é o que você diz. A única coisa que sei ao certo é que vocês são um bando de ladrões. Não vejo motivos para não vender a garota e matar os três.

— Não seja impulsivo, meu querido capitão Bramley — disse a voz de um homem, vinda de trás de um soldado montado a cavalo. Obviamente não se tratava de um deles, pois não usava uniforme e estava com as mãos atadas a uma corda presa à sela do animal à sua frente.

— Feche a matraca, IdrisPukke — disse o capitão.

Porém, estava na cara que IdrisPukke não era o tipo de homem que obedecia a ordens.

— Seja sensato uma vez na vida, meu querido capitão. O senhor sabe que o chanceler Vipond e eu nos conhecemos há muito, muito tempo. Posso dizer que ele não ficaria nada satisfeito se o senhor matasse três jovens que tentaram salvá-lo. O que acha?

Pela primeira vez, o capitão pareceu indeciso. IdrisPukke abandonou o tom de zombaria.

— Ele gostaria de ter a chance de decidir por conta própria. Isso com certeza.

O capitão baixou os olhos para o homem inconsciente, que estava sendo colocado numa maca, com um cobertor enrolado debaixo da cabeça. Então, voltou a encarar IdrisPukke.

— Mais uma palavra sua e eu juro por Deus que arrancarei suas tripas aqui mesmo. Entendido?

IdrisPukke deu de ombros, porém, pensou Henri Embromador, teve o bom-senso de não dizer nada.

— Grady! Fog! — disse o capitão, chamando dois soldados. — Fiquem de olho neste verme. E, se ele der o menor sinal de que vai tentar escapar, arranquem-lhe a cabeça.

10

O capitão Bramley apenas amarrou as mãos dos três meninos e os deixou andar e, de vez em quando, correr atrás dos cavalos. No entanto, como punição para IdrisPukke, ele o manteve amarrado a uma sela e, em resposta aos seus pedidos debochados para que o deixassem ir nos braços de um cavaleiro como a garota, deu-lhe vários chutes pelo incômodo.

O grupo acampou cerca de meia hora antes do anoitecer. Riba foi deixada solta com os cavaleiros, que foram alertados com rispidez por Bramley para não tocá-la. Aqueles eram homens duros, que tinham visto e feito muitas coisas — em grande parte, desagradáveis demais para serem contadas —, porém, o alerta era praticamente desnecessário para a maioria. Por mais que alguns fossem adorar fazer maldades com a bela jovenzinha, a maioria parecia hipnotizada por ela, à medida que a garota conversava e brincava com eles, flertando com naturalidade e arregalando os olhos de espanto diante do estoque interminável de histórias que os soldados contavam com prazer. Embora lançasse olhares de simpatia para os meninos, Riba havia sido ordenada a se manter longe deles sob pena de ser amarrada caso lhes dirigisse a palavra.

Em vez dela, tinham IdrisPukke como companhia. Os quatro estavam acorrentados ao eixo da roda de uma carruagem que se juntara à cavalaria logo depois de eles serem capturados. Os meninos tinham ganhado comida, mas não IdrisPukke, que recebera um chute em vez de carne enlatada e pão de bicarbonato. Eles estavam famintos e comeram depressa, como cachorros.

— Que tal dividir um pouco comigo?

— E por que deveríamos fazer isso? — disse Kleist com a boca cheia.

— Bem, porque eu intercedi a favor de vocês quando aquele desgraçado do Bramley queria espalhar suas tripas sobre as famintas areias das Terras Crestadas.

Kleist terminou rapidamente seu último bocado.

— Sinto muito. Mas obrigado por hoje à tarde.

Os outros dois foram mais generosos, embora Cale só tivesse oferecido seu pão de bicarbonato porque queria fazer perguntas a IdrisPukke.

Ao contrário dos meninos, o homem comeu devagar o pão e o pouco de carne que Henri Embromador deixara para ele.

— Você sabe alguma coisa sobre aquela matança? — perguntou Cale.

— Eu? — disse IdrisPukke. — Estava para lhes perguntar a mesma coisa. — Ele deu outra mordida no pão. — Vocês iam ajudar Vipond?

Houve uma pausa enquanto Henri e Cale se entreolharam.

— Estávamos pensando no assunto — respondeu Cale.

— Muito sensato. Sempre pense com cuidado antes de fazer um favor a alguém. É um bom conselho. Em relação ao seu amigo — acrescentou ele, indicando Kleist com a cabeça —, eu bem gostaria de tê-lo seguido.

— Teria ficado sem jantar, se fosse o caso.

IdrisPukke riu baixinho.

— Não me parece uma troca muito boa: dois pedaços de pão por três vidas. Eu diria que vocês ainda me devem uma.

— Não podemos fazer nada por você — disse Henri Embromador.

— Talvez não. Mas no futuro pode ser que eu precise cobrar o favor. Espero que sejam homens honrados.

Cale riu.

— E você é um homem honrado?

— Você não estaria rindo agora se eu não fosse.

Henri Embromador achou melhor mudar de assunto.

— O que acha que eles farão com a gente?

IdrisPukke deu de ombros.

— Vocês serão levados para Memphis. Se Vipond sobreviver, ficarão bem. — Ele sorriu. — Desde que não se contradigam.

— E se ele morrer? — perguntou Henri Embromador.

— Aí depende. Podem levá-los a julgamento ou simplesmente jogar vocês no limbo.

— E o que é isso?

— Um lugar onde os outros se esquecem de você.

— Nós não fizemos nada — disse Cale.

— Disso eu sei. — Ele riu novamente. — Mas não contem para eles.

— Quem você acha que matou aqueles homens?

IdrisPukke pensou no assunto.

— As Terras Crestadas estão cheias de maus elementos, mas poucos pensariam em se meter com uma expedição armada dos Materazzi.

— Quem são esses?

— Meu Deus, eles não ensinam nada para vocês naquele lugar?

Os três o encararam inexpressivamente.

— Certo. Bem, os Materazzi dominam tudo entre Memphis e as Terras Crestadas ao norte e a Grande Enseada ao sul, da qual, pelo jeito, vocês também nunca ouviram falar.

— Como é Memphis?

— Maravilhosa. O maior espetáculo da Terra. Não há nada que não se possa conseguir em Memphis, nada que não se possa comprar ou roubar, nenhum crime que não tenha sido cometido, nenhuma comida que não tenha sido provada, nenhuma prática que não tenha sido... — ele se deteve — ... praticada. Vocês vão ter muito o que aproveitar, isso se não acabarem mortos ou esquecidos. E, é claro, desde que tenham dinheiro.

— Não temos — disse Cale.

— Então precisam arranjar. Se você não tem dinheiro em Memphis, é um inútil. E, se for inútil em Memphis, logo alguém encontra uma utilidade para você.

— Do que você está...

— Chega de perguntas. Estou todo dolorido e cansado. Conversamos mais pela manhã. — Ele deu uma piscadinha. — Se eu ainda estiver por aqui. — E, com essas palavras, IdrisPukke virou de lado e, cinco minutos depois, estava roncando.

Os meninos acharam que ele estava brincando, como parecia, curiosamente, sempre estar. No entanto, quando acordaram na manhã seguinte, IdrisPukke tinha sumido.

O capitão Bramley ficou furioso e deu uma bela surra nos três meninos, o que, embora tivesse feito com que eles se sentissem consideravelmente pior, não parecia ter melhorado seu ânimo. Riba se aproximou correndo e implorou para ele parar.

— Por que eles o ajudariam a fugir se fosse para continuarem aqui? — observou ela desesperadamente. — Isso não é justo!

Os meninos, já habituados a injustiças, ficaram com as bocas estoicamente fechadas e tentaram manter suas partes mais frágeis longe da ponta da bota do capitão Bramley. Para sorte deles, o capitão era um amador perto dos habilidosos sádicos aos quais estavam acostumados. A ideia de que a punição deveria ser equivalente à gravidade do crime era-lhes tão estranha quanto um cachorro de cinco pernas; ou quanto ao fato de que a promessa feita pelo Redentor Enforcado — e constantemente repetida pelos padres — de que qualquer pessoa que ferisse uma criança seria fervida em banha de porco por toda a eternidade, deveria ser interpretada literalmente — ou sequer tivesse algum sentido. Quando os meninos chegavam, eles ouviam várias histórias e parábolas sobre a bondade do Sagrado Redentor e sobre como ele se preocupava especialmente com os jovens, sempre aconselhando a todos ao seu redor a cuidar deles e garantir que fossem felizes. A princípio, o fato de muitas vezes eles apanharem sem motivo antes desses sermões sobre o amor e a bondade — e geralmente depois também — era motivo de indignação. Com o passar dos anos, no entanto, as contradições deixavam de existir e as palavras de conforto e alegria entravam por um ouvido e saíam pelo outro. Não passavam de palavras.

Tendo descontado sua explosão de raiva inicial nos meninos, Bramley se voltou para o sargento e o cabo da sua tropa, que aguardavam, sem muita paciência, sua vez.

— Você! — gritou ele para o sargento. — Seu saco gordo de bosta. E você! — disse o capitão, olhando para o cabo, que era um homem muito menor. — Seu *saquinho* raquítico de bosta. Reúnam dez dos seus melhores homens e encontrem aquele desgraçado do IdrisPukke. E se voltarem sem ele, e vivos, tragam sua própria comida, porque, quando eu terminar com vocês dois, vão precisar.

E, com essas palavras, ele saiu pisando firme em direção à sua tenda.

— Continuem interrogando os prisioneiros — gritou ele por sobre o ombro.

O sargento deu um suspiro forte de desdém e irritação resignada.

— Você ouviu o que o homem disse, cabo.

O cabo se aproximou dos três meninos, que àquela altura estavam recostados contra a roda da carroça, os joelhos erguidos para se protegerem.

— Vocês sabem alguma coisa sobre a fuga do prisioneiro?

— Não! — gritou de volta um Kleist furioso, porém amedrontado.

— O prisioneiro diz que não — relatou o cabo com tranquilidade.

— Pergunte se ele tem certeza, cabo.

— Você tem certeza?

— Sim, tenho — disse Kleist. — Por que, em nome de Deus, ele nos diria para onde estava indo?

— Faz sentido, sargento.

— É — falou o sargento, desanimado. — Faz, sim. — E, depois de uma pausa: — Reúna o Sétimo Pelotão e acorde Scout Calhoun. Partiremos em dez minutos.

Depois disso, os soldados ao redor deles se dispersaram e os meninos e Riba foram deixados em paz como se nada tivesse acontecido. Ela se ajoelhou ao lado dos três e os olhou com uma piedade de cortar o coração – um sentimento do qual, diga-se de passagem, eles não gostavam muito. Em primeiro lugar, estavam mais preocupados com seus próprios ferimentos e, além disso, não eram capazes de compreender que ela pudesse se solidarizar com seu sofrimento. Com exceção, talvez, de Henri Embromador, que, durante a semana em que eles passaram juntos nas Terras Crestadas, havia se despido até a cintura para tomar banho quando os dois se depararam com um dos poucos rios da região. Ele a havia pegado olhando disfarçadamente para as suas costas e para as inúmeras cicatrizes, sulcos e vergões que as cobriam. Embora nunca tivesse se deparado com a compaixão feminina antes, ele era — de uma maneira confusa, verdade seja dita — sensível ao seu estranho poder.

Então, o próprio acampamento começou a se mover. Os prisioneiros foram alimentados com mingau de aveia e então colocados para andar. Antes de ser levada embora, Riba sussurrou empolgada que em dois dias eles estariam em Memphis. Os três foram incapazes de compartilhar do seu entusiasmo, por não saberem ao certo como seriam recebidos.

— Aquele velho — disse Kleist para Riba —, o que a gente estava prestes a salvar. Ele morreu?

— Acho que não.

— Tente ser útil para alguma coisa e descubra — falou Kleist.

Seus olhos se arregalaram diante daquela bronca e começaram a ficar marejados.

— Deixe-a em paz — disse Henri Embromador.

— Por quê? — retrucou Kleist. — Eles vão nos enforcar se ele bater as botas. Então não entendo como ela pode ficar cavalgando para Memphis em cima do seu rabo gordo sem descobrir o que precisamos saber.

As lágrimas foram instantaneamente substituídas por indignação.

— Por que você fica me chamando de gorda? Eu sou exatamente como deveria ser.

— Chega de discussão — disse Cale, irritado. — Kleist, deixe-a em paz. Você, descubra o que aconteceu com o velho.

Riba encarou Cale, chocada e com raiva, mas ficou quieta.

— Marchem ou morram! Marchem ou morram! — exclamava o cabo, embora a ameaça já não fizesse sentido, pois era gritada todas as vezes que eles desmontavam o acampamento e retomavam o caminho. A carroça a qual os meninos estavam amarrados balançou e seguiu em frente, fazendo com que eles deixassem Riba para trás, encarando-os furiosa. Mais tarde naquele dia, no entanto, ela veio andar ao lado dos três, ainda obviamente contrariada, e disse como se não tivesse importância alguma:

— Ele ainda está vivo.

Cem metros adiante, as Terras Crestadas chegaram subitamente ao fim. Eles deixaram para trás areia, poeira, pedras e colinas dilapidadas para adentrarem uma planície verde e fértil, já salpicada de fazendas, casas e cabanas de trabalhadores. As pessoas saíam detrás de cercas vivas e carroças abarrotadas para observá-los. Porém, não olhavam por muito tempo — a visão de bagagem militar e prisioneiros era o suficiente para deixá-los curiosos, mas, depois de ficarem olhando embasbacados por uns vinte segundos, todos menos as crianças voltavam aos seus afazeres.

Pelo resto daquele dia e durante todo o seguinte, o número de casas e pessoas foi ficando maior. Primeiro vilarejos, depois cidades e então os subúrbios da própria cidade de Memphis. Contudo, ainda precisaram andar mais duas horas para ver sua grande fortaleza. Ela era imensa, e não só maior do que o desprezível Santuário, que já era enorme: mesmo de tão longe, era possível ver os minaretes dourados, as catedrais e os palácios apontando com elegância para o céu. No Santuário, tudo era igual; aquele lugar desafiava a imaginação, com sua beleza e variedade sem fim.

Eles haviam parado por conta de um engarrafamento e um dos cabos, ao vê-los olharem impressionados para a cidade, se aproximou com seu cavalo.

— Aquelas muralhas são as maiores do mundo. Elas têm no mínimo 15 metros de espessura e para dar meia volta nelas você teria que andar 8 quilômetros. — Os meninos olharam para ele.

— São 16 quilômetros de muros, então — disse Kleist.

O cabo ficou de cara no chão e esporeou o cavalo, seguindo em frente.

11

Os últimos 2 quilômetros que os separavam dos grandes portões de Memphis consistiam exclusivamente de mercados de todo o tipo. Os sons, cheiros e as cores deixaram os meninos de olhos arregalados e embevecidos. Qualquer viajante teria considerado aquela uma experiência a ser lembrada até o Fim dos Tempos — porém, para os três meninos, cuja alimentação básica se resumia a algo chamado pé de defunto e, de vez em quando, carne de rato, aquele lugar era o próprio paraíso; mas um paraíso inimaginavelmente suntuoso e estranho. Cada fungada trazia consigo o aroma de cominho e alecrim, que se confundia com o cheiro de suor de um pastor vendendo bodes e de uma dona de casa borrifada com óleo de tangerina, misturando-se ainda ao perfume de rosas e a um leve odor de urina. De toda parte vinham gritos e exclamações; grasnidos de papagaios; o miado do prato favorito dos gourmets — gato cozido à Memphis —; arrulhos de pombas à venda para sacrifícios; e latidos de cães criados nas colinas ao redor da cidade para serem assados durante as festas. Porcos guinchavam, vacas mugiam e, de repente, ouviu-se um berro quando um lúcio prestes a ser estripado escapou agitando as nadadeiras das mãos de um peixeiro, debatendo-se rumo à liberdade de um esgoto. Enquanto o peixeiro se esgoelava por conta do trágico prejuízo, a multidão ria debochadamente.

E eles seguiram adiante, ao som dos gritos incompreensíveis dos comerciantes. "Widdee, Widdee, Wee!", exclamou um homem que parecia estar vendendo rabos de vaca rosa-shocking em um esquife, esfolados e da cor de algodão-doce. "Etchy-Gudda-Munda", gritou outro, ao exibir seus vegetais, estendendo a mão com toda a empáfia de um mágico que tivesse acabado de fazê-los aparecer do nada. "Dá só uma zoiada nos meus legume! Tumates madurim. Bacaxis diliciosos. Compra minhas erva, minhas verdura maraviosa."

Algumas barracas ocupavam setores de quase 2 mil metros quadrados — e, em um canto, um velho seminu estendia um pedaço de pano esfarrapado, tentando vender os dois ovos que havia dentro dele e saltando de um pé para o outro.

Olhando boquiaberto para a sua esquerda, Henri Embromador viu uma fileira de meninos por volta dos 9 anos de idade, presos por correntes em volta dos seus pescoços. Eles eram conduzidos rumo a um portão, vigiados por homens enormes com jaquetas de couro que os mandavam entrar meneando a cabeça. Os meninos pareciam despreocupados, porém, o que mais espantou

Henri foi o fato de seus lábios estarem pintados de vermelho e, suas pálpebras, empoadas de um azul clarinho.

Henri Embromador chamou um dos soldados ao seu lado. Ele apontou com a cabeça os meninos e a estrutura que se erguia depois do portão, pintada de cores berrantes e ainda mais cheia de gente do que o mercado.

— O que está acontecendo ali?

O soldado olhou para os meninos e seu rosto se empalideceu de repulsa.

— Aquela ali é Kitty Town. Nunca entre naquele lugar. — Ele se calou por um instante e olhou com tristeza para Henri Embromador. — Não se tiver alguma escolha.

— Por que Kitty Town?

— Porque essa parte da cidade é controlada por Kitty das Lebres. E, para você parar de fazer perguntas, ele não é mulher nem é uma lebre. Fique longe dali.

Quando eles passaram pelos guardas e adentraram a cidade de Memphis propriamente dita, a mudança foi imediata: trocaram o tumulto, o barulho e os cheiros do mercado pelo frio claustrofóbico do túnel. Depois de 30 metros sob a muralha, numa escuridão quase total, saíram para a luz novamente. As construções, algumas antigas, outras novas, se erguiam em praças com jardins e fontes, em cujo centro as pessoas se sentavam para ler ou se reuniam em grupo para bater papo enquanto as crianças brincavam. Somente a presença dos meninos sujos, cansados e grosseiros perturbava a imagem de um mundo dominado pela elegância e pelo bom gosto. Quase ninguém olhava para eles: mais do que ignorados, era como se fossem invisíveis. Exceto pelas crianças menores, com seus cachinhos e cabelos loiros, que arregalavam os olhos em sua direção por trás das finas grades de ferro.

Então, ouviu-se uma comoção vinda de uma das estradas acima deles e vinte oficiais da cavalaria de elite, com seus uniformes vermelhos e dourados, surgiram ruidosamente na praça, escoltando uma carruagem enfeitada. Eles seguiram às pressas em direção à caravana e pararam em volta da carroça coberta na qual Lorde Vipond estava inconsciente. As duas portas largas da carruagem foram abertas e três homens de aparência importante dispararam até a carroça, sumindo dentro dela. Todos os demais ficaram cinco minutos parados, esperando sob a brisa gelada e as sombras das árvores que ladeavam a praça.

Uma garotinha de uns 5 anos de idade andou — sem que sua mãe, distraída pelo bate-papo, notasse — até a grade mais próxima dos três acólitos.

— Ei, menino.

Cale olhou para a garotinha com toda a hostilidade considerável que ele era capaz de reunir.

— É, menino, você mesmo.

— O que foi? — disse Cale.

— Você tem cara de porco.

— Cai fora.

— De onde você vem, menino?

Ele a encarou novamente.

— Do inferno, pra te pegar à noite e comer você viva.

Ela refletiu sobre aquilo por um instante.

— Você parece um menino comum, pra mim. Um menino comum e sujo.

— As aparências enganam — disse Cale. Àquela altura, Kleist já havia se interessado pela conversa.

— O negócio é o seguinte — falou ele para a garotinha. — Daqui a três noites, nós vamos invadir o seu quarto, mas sem fazer barulho nenhum, para sua mãe não ouvir. E então, vamos colocar uma mordaça na sua boca e provavelmente comer você lá mesmo. Só vão sobrar os ossos.

Ela já não parecia ter tanta certeza de que eles eram meninos comuns. Porém, não era uma garotinha tão fácil de assustar assim.

— Meu pai vai impedir e matar vocês bem mortos.

— Não vai, não. Porque nós vamos comê-lo também. Provavelmente antes, então você já sabe o que esperar.

Cale soltou uma risada ao ouvir isso e balançou a cabeça diante do prazer que Kleist estava tirando da conversa.

— Não dê corda para essa pirralha — disse ele, sorrindo. — Ela tem a maior cara de traíra.

— Eu *não sou* uma traíra! — exclamou a garotinha, indignada.

— Você nem sabe o que é isso — disse Kleist.

— Sei, sim.

— Cale a boca! — sussurrou Cale.

A mãe da garotinha finalmente deu falta dela e veio apressada em sua direção.

— Venha cá, Jemima.

— Só estou conversando com os meninos sujos.

— Quieta, sua atrevida! Você não deve falar desse jeito sobre essas pobres criaturas. Perdão — disse ela para os dois meninos. — Peça desculpa agora mesmo, Jemima.

— Não vou pedir.

A mãe começou a arrastá-la dali.

— Então vai ficar sem sobremesa.

— E quanto à gente? — gritou Kleist. — Vai ter sobremesa pra gente?

Então, um movimento começou mais adiante e seis soldados de elite baixaram o chanceler Vipond da carroça, enquanto os três homens observavam com uma expressão preocupada. Ele foi carregado até a carruagem e suspendido com cuidado até o interior dela. Um minuto depois, o veículo já havia deixado a praça e a caravana o acompanhava lentamente.

Três horas mais tarde, eles estavam dentro da prisão mais afastada da fortaleza, onde foram levados até as masmorras, despidos, revistados e levaram três baldes de água gelada, que tinha um cheiro desagradável de produtos químicos desconhecidos. Então, receberam suas roupas de volta e foram polvilhados com um pó branco, que dava coceira, e trancados em uma cela. Uma vez lá dentro, ficaram trinta minutos em silêncio, até que Kleist suspirou e disse:

— Quem teve essa ideia? Ah, sim. Foi Cale. Tinha esquecido.

— A diferença entre aqui e o Santuário — respondeu Cale, como se mal estivesse interessado no assunto — é que aqui nós não sabemos o que vai acontecer. Se estivéssemos lá, saberíamos, e com certeza teria muitos gritos envolvidos. — Isso era quase indiscutível e, poucos minutos depois, estavam todos adormecidos.

Lorde Vipond passou três dias se aproximando cada vez mais da morte. Muitos foram os bálsamos e medicamentos administrados, as ervas aromáticas queimadas dia e noite e as infusões disso e daquilo aplicadas em suas feridas. Todos esses tratamentos foram inúteis ou até claramente nocivos, e somente o vigor e a boa saúde natural de Vipond foram capazes de reerguê-lo, apesar dos esforços dos melhores médicos que Memphis tinha a oferecer. Quando seus herdeiros já haviam sido informados para se prepararem para o pior (ou, do ponto de vista deles, o melhor), Vipond despertou e exigiu roucamente que as janelas fossem abertas, as ervas perniciosas retiradas e seu corpo lavado com água fervida.

Poucos dias depois, não mais privado de ar fresco e com suas defesas naturais aptas a fazerem seu trabalho, ele já se encontrava sentado na cama, dando seu relato dos acontecimentos que o levaram a ser enterrado na areia pedregosa das Terras Crestadas.

— Estávamos a cerca de quatro dias de Memphis quando fomos atingidos por uma tempestade de areia, embora houvesse mais cascalho nela do que areia propriamente dita. Foi isso que dispersou a caravana e, antes que pudéssemos nos reagrupar, os Gurriers nos atacaram. Eles mataram todos no ato, mas, por algum motivo, decidiram me deixar da maneira que me encontraram.

Seu interlocutor era o capitão Albin, chefe do serviço secreto dos Materazzi — um homem alto com os olhos azuis de uma jovem bonita. Esse traço arrebatador contrastava com o restante da sua aparência, que era irretocável (ele parecia ter acabado de ser passado a ferro) e fria.

— O senhor tem certeza de que foram somente os Gurriers? — perguntou Albin.

— Não sou especialista em bandidos, capitão, mas foi isso que Pardee me disse antes de morrer. O senhor tem algum motivo para discordar?

— Algumas coisas estranhas.

— Como por exemplo?

— A maneira como as colunas foram atacadas me pareceu muito organizada, muito inteligente para os Gurriers. Eles são oportunistas e carniceiros, e raramente se juntam em número suficiente para derrotar soldados tão bons quanto os que protegiam o senhor, por mais que tenham sido dispersados pela tempestade.

— Compreendo — disse Vipond.

— Além disso, há o fato de eles terem deixado o senhor vivo. Por quê?

— Fui deixado à beira da morte.

— É verdade. Mas por que correr esse risco, por menor que fosse? — Albin foi até a janela e olhou para o pátio lá embaixo.

— O senhor foi encontrado com um pedaço de papel enfiado na boca.

Vipond olhou para ele e recordou a sensação desagradável de lhe separarem os lábios à força e de ter que lutar para respirar antes de perder a consciência.

— Desculpe-me, Lorde Vipond, isso não deve ser fácil para o senhor. Prefere que eu volte amanhã?

— Não, está tudo bem. O que dizia o papel?

— Era a mensagem que o senhor estava trazendo de Gauleiter Hynkel para o marechal Materazzi, prometendo que haveria paz no nosso tempo.

— Onde está ela?

— Com o conde Materazzi.

— Não faz diferença.

— Ah — disse Albin, pensativo. — O senhor acha? Na verdade, *faz* diferença, sim.

— E por quê?

— Deixá-lo vivo com uma mensagem relativamente importante enfiada na boca dá a impressão de que alguém está querendo dizer alguma coisa.

— Como o quê?

— Alguma coisa obscura. Deliberadamente obscura, talvez. Sem dúvida não parece coisa dos Gurriers. O interesse deles está em estuprar e roubar, não em mensagens políticas, claras ou cifradas.

— Se era uma mensagem, não deveria ter sido mais explícita?

— Não necessariamente. Hynkel gosta de se ver como uma espécie de brincalhão. Ele sem dúvida acharia divertido simular um ataque como esse contra um enviado dos Materazzi e, ao mesmo tempo, nos causar inquietação, sabendo que pensaríamos haver mais coisas por trás dele. — Albin abriu um sorriso autodepreciativo. — Porém, o senhor o encontrou mais recentemente: talvez discorde da minha opinião.

— Nem um pouco. Ele foi um anfitrião simpático, mas que ostentava demais seu brilhantismo. Como muitos homens inteligentes, ele pensa que todos os outros são idiotas.

— Ele certamente não pensa outra coisa do nosso embaixador.

Houve um pequeno silêncio e Albin se perguntou se não teria ido longe demais. Vipond o examinou com atenção.

— Você parece saber bastante — disse ele com cautela, mas instigando-o a prosseguir.

— Bastante? Quem me dera. Mas sei alguma coisa. Dentro de alguns dias, talvez receba notícias que esclareçam a questão de uma forma ou de outra.

— Eu ficaria muito grato se o senhor me mantivesse informado. Também tenho recursos que podem ser úteis.

— Naturalmente, meu amo.

Albin ficou satisfeito com o que parecia ser um acordo. A questão não era se poderia confiar em Vipond, pois o mais provável era que não pudesse. A corte de Memphis era um ninho de cobras e ninguém que não tivesse presas afiadas cheias de veneno poderia ter ocupado uma posição tão importante quanto a dele. Não fazia sentido esperar o contrário. Ainda assim, Albin achava ter feito progressos no sentido de um pacto; pacto este que consistia no seguinte: ele podia contar que Vipond só o trairia se tivesse muito a ganhar ao fazê-lo.

— Gostaria de discutir mais um ou dois assuntos com o senhor, meu amo. Mas é claro que, se o senhor estiver muito cansado, posso voltar amanhã.

— De forma alguma. Por favor...

— Há a questão estranha dos quatro jovens que Bramley encontrou ao seu redor quando o senhor estava... — Ele se deteve.

— Enterrado até o pescoço?

— Bem, sim.

— Eu pensei que tivesse sido um sonho — disse o chanceler Vipond. — Três meninos e uma menina.

— Exato.

— O que eles estavam fazendo?

— Bem, achávamos que o senhor talvez pudesse responder a essa pergunta. Bramley quer executar os meninos e vender a garota.

— Ora, mas por quê?

— Ele acha que os jovens faziam parte do bando Gurrier que atacou o senhor.

— Eles nos atacaram no mínimo 24 horas antes de eu ser encontrado. Pelo amor de Deus, o que eles estariam fazendo ali se tivessem algo a ver com os Gurriers?

— Mesmo assim, Bramley quer executá-los. Segundo ele, precisamos deixar bem claro o que espera qualquer um que atacar um enviado dos Materazzi.

— Ele é um carniceiro desgraçado este seu Bramley.

— Oh, ele não é nada meu... Deus me livre.

— O que aquelas crianças têm a dizer em sua própria defesa?

— Que tinham acabado de chegar e estavam prestes a desenterrá-lo.

— E o senhor não acredita nelas?

— Não havia sinais de escavação. — Albin fez uma pausa. — E eu não diria que eles são exatamente crianças. Os três meninos têm 13 ou 14 anos, mas são criaturas de aparência endurecida. A garota, entretanto, parece ter sido conservada em sabonete líquido. E o que eles estavam fazendo no meio das Terras Crestadas?

— O que eles têm a dizer em defesa própria? — repetiu Vipond.

— Eles falaram que são ciganos.

Vipond gargalhou.

— Já não existe um só cigano nesta parte do mundo desde que os Redentores os exterminaram sessenta anos atrás.

Ele pareceu refletir por um instante.

— Eu conversarei com eles pessoalmente daqui a alguns dias, quando estiver me sentindo melhor. Passe-me aquela caneca d'água, por gentileza.

Albin apanhou a caneca d'água sobre o criado-mudo e a entregou para Vipond, que, àquela altura, estava bastante pálido.

— Vou deixá-lo sozinho, chanceler.

— O senhor não disse que eram duas coisas?

Albin se deteve.

— Sim. Antes de Bramley encontrar o senhor, ele capturou IdrisPukke, que estava escondido a cerca de 6 quilômetros do local.

— Excelente — disse Vipond, seus olhos se iluminando de interesse. — Falarei com ele amanhã.

— Infelizmente, ele escapou.

Vipond engasgou de irritação, ficando quase um minuto calado.

— Eu quero IdrisPukke. Se um dia você puser as mãos nele, traga-o para mim e não conte a ninguém.

Albin assentiu.

— Naturalmente. — Quando saiu do quarto de Vipond, era um homem satisfeito.

Aquele era o sexto dia em que eles estavam presos nas masmorras sob a cidade de Memphis, porém, apesar da incerteza, os três meninos estavam de bom humor. Além de comerem três boas refeições diárias — o que, nos parâmetros de uma pessoa normal, significa que comiam três pratos repugnantes por dia —, podiam dormir o quanto quisessem, e chegavam a fazê-lo por 18 horas seguidas, como se estivessem compensando pelas privações de uma vida inteira. Às quatro da tarde, o carcereiro destrancou a porta da cela e fez entrar Albin, que já os havia interrogado antes, acompanhado de um homem claramente muito respeitado de 50 e tantos anos.

— Boa tarde — disse Lorde Vipond.

Henri Embromador e Kleist o examinaram com atenção de suas camas. Cale estava sentado com os joelhos colados ao peito e o capuz sobre o rosto.

— Levantem-se quando Lorde Vipond entrar no recinto — falou Albin com a voz tranquila. Henri Embromador e Kleist se levantaram devagar. Cale não se mexeu.

— Você, levante-se e tire seu capuz, ou chamarei os guardas para fazer isso no seu lugar. — Albin continuava falando em um tom baixo, amigável e casual.

Depois de esperar um momento, Cale saltou de pé como se estivesse acordando de um sono revigorante e jogou seu capuz para trás. Em seguida, ficou encarando o chão como se houvesse algo extremamente interessante nele.

— E então? — disse Vipond. — Estão me reconhecendo?

— Sim — disse Kleist. — O senhor é o homem que nós tentamos salvar nas Terras Crestadas.

— Exatamente — disse Vipond. — O que vocês estavam fazendo lá?

— Somos ciganos — disse Kleist. — Nós nos perdemos.

— Que tipo de ciganos?

— Ah, dos mais comuns — disse Kleist, sorrindo.

— O capitão Bramley acha que vocês estavam tentando me roubar.

Kleist deu um suspiro.

— Ele é um homem cruel, esse capitão Bramley; um homem muito cruel. Tudo o que estávamos fazendo era tentar salvar uma pessoa importante como o senhor e ele nos acorrenta como criminosos e nos joga aqui. Isso é que é gratidão.

Havia uma gaiatice estranha e alarmante na maneira em que Kleist confrontava o grande homem à sua frente, como se além de não esperar que ele acreditasse em suas palavras, pouco se importasse com isso. Vipond havia testemunhado esse tipo de insolência vir apenas de mais uma fonte: dos homens que acompanhara à forca e sabiam que nada poderia salvá-los.

— Nós estávamos prestes a ajudar o senhor — disse Henri Embromador que, obviamente, do seu ponto de vista, estava dizendo a verdade.

Vipond olhou para Cale.

— Qual o seu nome?

Cale não respondeu.

— Venha comigo. — Vipond andou até a porta. O carcereiro a abriu imediatamente. O chanceler se virou para Cale. — Venha, menino. Você é surdo além de insolente? — Cale olhou para Henri Embromador, que assentiu, como se o instigasse a concordar. Cale continuou parado por um instante e então se encaminhou lentamente para a porta da cela.

— Siga-nos, por gentileza, capitão Albin. — Vipond foi embora acompanhado por Cale e com Albin seguindo-os de longe, seu dedo soltando o fecho que prendia a espada curta na bainha. Kleist foi até as barras enquanto a cela era fechada.

— E quanto a mim? Também quero passear.

Então, os dois meninos ouviram a porta externa ser destrancada e Cale sumiu de vista.

— Tem certeza — perguntou Henri Embromador — de que você bate bem da cabeça?

Cale se viu em um pátio agradável com um gramado elegante no centro. Eles começaram a andar ao longo da passarela que ladeava os muros, com Cale seguindo na mesma passada que o chanceler Vipond.

— Sempre acreditei no princípio — disse Vipond, depois de eles caminharem cerca de um minuto em silêncio — de que você jamais deve contar ao seu melhor amigo algo que não esteja preparado para contar ao seu pior inimigo. Porém, este é um momento, no que diz respeito a você, em que a honestidade é sem dúvida a melhor opção. De modo que não quero ouvir nenhuma conversa fiada sobre ciganos, ou qualquer outro tipo de enrolação. Quero a verdade sobre quem vocês são e o que estavam fazendo nas Terras Crestadas.

— O senhor quer dizer a verdade como eu a contaria para o meu melhor amigo.

— Posso não ser o seu melhor amigo, meu jovem, mas sou sua melhor esperança. Diga-me a verdade e eu talvez faça vistas grossas ao fato de que, embora a garota e o desmiolado quisessem me salvar, você e o outro pivete pretendiam me deixar onde eu estava.

Cale olhou para ele.

— Já que estamos sendo sinceros, se estivesse na nossa pele, o senhor não estaria pensando em onde está se metendo?

— Sem dúvida. Agora desembuche. E, se achar que você está mentindo, irei entregá-lo para Bramley num piscar de olhos, sem maiores explicações.

Cale ficou calado por alguns segundos, então deu um suspiro, como se tivesse tomado uma decisão.

— Nós três somos acólitos dos Redentores do Grande Santuário em Shotover.

— Ah, a verdade — disse Vipond, sorrindo. — Ela soa bem, você não acha? E a garota?

— Estávamos procurando comida nas catacumbas, os túneis e corredores que os Redentores bloquearam. Topamos com ela em um lugar de que nunca tínhamos ouvido falar antes. Havia outras como ela.

— Mulheres no Santuário? Que coisa mais estranha! Ou talvez não.

— Fomos vistos com a garota e não tivemos escolha. Nos vimos obrigados a dar no pé.

— Um risco muito grande.

— Não haveria risco nenhum se tivéssemos ficado.

— Concordo. — Ele ficou cerca de um minuto pensando sobre o que ouviu enquanto os dois caminhavam lado a lado, no mesmo ritmo lento, em volta do pátio. — E por que as Terras Crestadas?

— Era o melhor lugar para se esconder. Não dá para ver muito longe com todos aqueles outeiros e montes acidentando o terreno.

— Os Redentores caçam com cachorros. Já vi um deles: feios como a morte, mas grandes farejadores.

— Eu descobri uma maneira de despistá-los. — Cale explicou como, omitindo os detalhes da sua fuga em dois tempos. O fato de terem fugido podia ser verdade, porém, independentemente do que dizia Vipond, os acontecimentos que os levaram a fugir não *soavam* verdadeiros. E, além disso, os três haviam concordado em simplificar a história, depois da tentativa idiota de Kleist de afirmar que eles eram ciganos. Estava claro que tudo o que os Redentores tinham lhes contado sobre esse povo era uma mentira: não houvera nenhum ataque traiçoeiro contra o Santuário sessenta anos atrás, seguido de uma expedição punitiva, porém comedida, para ensinar os ciganos a se comportarem no futuro. Eles devem ter sido massacrados até a última criança.

— O senhor vai nos entregar para a equipe de busca dos Redentores?

— Não.

— E por que não?

Vipond riu.

— Boa pergunta. Porém, não há motivo para tanto. Não temos nem mesmo relações diplomáticas. Negociamos com eles somente através dos Duena.

— Quem são os Duena?

— Você sabe o que é um mercenário?

— Alguém que mata por dinheiro.

— Os Duena são mercenários pagos para negociar, em vez de matar. Lidamos tão pouco com os Redentores que é mais fácil pagar a terceiros para fazê-lo em nosso lugar. Parece-me que chegou a hora de uma mudança. Temos sido negligentes em nos manter ignorantes. Você pode ser muito útil. A guerra nos Vales Ocidentais os manteve ocupados por uma centena de anos. Talvez eles estejam planejando fazer algo aqui; ou talvez em outra parte. Já está na hora de nos informarmos melhor. — Ele sorriu para o menino. — Então, talvez você possa confiar em mim, porque pode ser útil para nós.

— Sim — disse Cale, pensativo. — Talvez.

Àquela altura, eles já haviam retornado à porta externa das masmorras. Com o punho cerrado, Vipond bateu forte nela e alguém a abriu imediatamente. Então, voltou-se para Cale.

— Daqui a alguns dias você será transferido para um lugar mais confortável. Até lá, será tratado melhor: comida decente e exercícios.

Cale assentiu e atravessou a porta, que se fechou rapidamente às suas costas.

Vipond deu meia-volta à medida que Albin se aproximava por trás dele.

— Que criatura instigante, meu caro Albin; diferente de qualquer outra criança que eu tenha conhecido. Se algum Redentor vier procurá-los, eles não devem saber e devem ser mantidos por perto. Os meninos ficarão em prisão domiciliar.

E, com essas palavras, Vipond se afastou, falando por sobre o ombro:

— Traga-me a garota amanhã, às onze horas.

12

— Então, Riba — disse Vipond, tão afável quanto um professor gentil —, até aqueles três jovens frustrarem essa tentativa de um Redentor atacá-la, durante a qual ele foi nocauteado, você ignorava completamente a existência de homens no Santuário?

— Sim, senhor.

— E, ainda assim, viveu ali desde os 7 anos de idade, sendo tratada, pelo que me disse, como uma princesinha? Isso é muito estranho, você não acha?

— Era a isso que eu estava acostumada, senhor. Tínhamos quase tudo o que queríamos e a única norma rígida, que resultaria em uma punição terrível se fosse quebrada, era não deixarmos a área em que vivíamos. O espaço era muito amplo e os muros impossíveis de serem escalados. E nós éramos muito felizes.

— As mulheres responsáveis por vocês lhes explicavam por que estavam sendo tratadas com tanto carinho e tamanha generosidade?

Riba suspirou pela morte de um sonho que conservava há tempos.

— Elas diziam que, quando fizéssemos 14 anos, seríamos levadas para nos tornarmos noivas em um lugar ainda mais maravilhoso do que o Santuário, onde seríamos felizes para sempre. Mas só se ficássemos o mais perfeitas possível.

— Perfeitas? Em que sentido? — perguntou Vipond, já um pouco alarmado.

— Nossa pele deveria ser impecável, nossos cabelos brilhosos e assentados, nossos olhos deveriam ser grandes e cheios de vida, nossas bochechas rosadas, nossos seios redondos e volumosos, nossas nádegas grandes e macias, e não deveríamos permitir que um só pelo crescesse entre nossas pernas, debaixo de nossos braços ou em qualquer outro lugar. Deveríamos ser sempre atenciosas, charmosas e sempre ter cheiro de flores. Jamais deveríamos sentir raiva, dar broncas ou criticarmos quem quer que fosse, mas sim sermos gentis, carinhosas e sempre dispostas a dar beijos e afagos.

Tanto Albin quanto Vipond eram homens consideravelmente experientes que tinham visto e ouvido muitas coisas estranhas, porém, quando Riba terminou seu relato, nenhum dos dois conseguia pensar em nada para dizer. Foi Albin quem finalmente se manifestou.

— Voltando ao ataque do Redentor. Você nunca o havia visto antes?

— Não, nem outro homem nenhum.

— Como — perguntou Vipond — vocês praticavam seus... afagos? Se não havia homens.

— Umas nas outras, senhor. — Isso espantou ainda mais os dois homens. — Nós nos revezávamos e fingíamos estar cansadas e mal-humoradas, gritando bastante e batendo portas. Daí, uma das outras nos acalmava e nos cobria de gentilezas até ficarmos felizes. — Riba olhou para eles e percebeu que, de alguma maneira, sua resposta não surtiu efeito. — E tínhamos também os bonecos.

— Os bonecos?

— Sim, os bonecos de homens. Nós os vestíamos, massageávamos e os tratávamos como reis.

— Entendo — disse Vipond.

— Eu e Lena... — Ela se interrompeu por um instante. — Lena era a menina que o Redentor matou. Diziam para a gente que tínhamos sido escolhidas e seríamos levadas para nos casarmos e viveríamos felizes para sempre. Mas então fomos trazidas para o quarto daquele homem por uma de nossas Tias... era assim que chamávamos as mulheres que nos criaram e diziam que iríamos nos casar. Aí ele chegou e matou Lena.

— Suas Tias, elas sabiam o que iria acontecer com vocês?

— Por que elas fariam isso, depois de serem tão gentis com a gente? Elas devem ter sido enganadas.

— Não lhe parece uma estranha coincidência — disse Albin, na dúvida se não estariam sendo enrolados, embora ela precisasse ser, pensou ele, uma exímia mentirosa se fosse o caso — que você tenha cruzado com este Redentor e Cale em um espaço de 24 horas e que o menino tenha chegado no momento exato para salvá-la?

— Sim. Eu pensei nisso, mesmo na hora. Que estranho encontrar quatro homens ao mesmo tempo depois de todos esses anos. Um tão cruel e os outros arriscando a própria vida por mim, por alguém que eles nem conheciam. Esse tipo de coisa é normal?

— Não — disse Vipond. — Não é normal. Obrigado, Riba. Isso é tudo por enquanto. — Ele tocou a sineta à sua frente. A porta se abriu e uma jovem entrou. Ela possuía o ar de orgulho indiferente de qualquer membro de 16 anos da aristocracia, como se já tivesse visto tudo e nada lhe despertasse o interesse. No entanto, seus olhos se arregalaram quando ela se deparou com Riba, com seus cabelos dourados e curvas volumosas e rechonchudas. Paradas uma do lado da outra, elas pareciam criaturas de espécies apenas remotamente semelhantes.

— Riba, esta é mademoiselle Jane Weld, minha sobrinha. Ela cuidará de você pelos próximos dias.

Mademoiselle Jane, ainda chocada, assentiu de leve. Riba limitou-se a abrir um sorriso nervoso.

— Albin. O senhor poderia esperar lá fora com Riba por um instante enquanto eu converso com mademoiselle Jane?

Albin conduziu Riba para fora e fechou a porta. Vipond encarou a sobrinha espantada.

— Feche a boca Jane, pode bater um vento e deixar você assim para sempre.

A boca de mademoiselle Jane se fechou com um estalo quase audível, porém, ela a abriu de volta quase imediatamente.

— Que raio de criatura era aquela?

— Sente-se e ouça e pelo menos uma vez na vida faça o que eu mando!

Contrariada, mademoiselle Jane obedeceu.

— Você ficará amiga de Riba e fará com que ela lhe conte tudo o que já contou para mim e todo o resto. Escreva o que ela disser e entregue para mim, sem omitir o menor detalhe, por mais trivial ou estranho que seja... — Ele encarou a jovem. — E eles serão estranhos. Depois de ouvir sua história, você verá se é possível treiná-la para manter tudo o que ela lhe disse em segredo e fingir que veio das Ilhas do Sul ou coisa parecida. Ela já é bem educada o suficiente, mas nós vamos ensiná-la nossas maneiras. Talvez, se ela se sair bem, possa se tornar uma criada particular ou até uma dama de companhia.

— O senhor espera que eu treine uma criada? — falou mademoiselle Jane, indignada.

— Eu espero que você faça qualquer coisa que eu mandar. Agora saia.

13

O Redentor Stape Roy, o Farejador da equipe de busca sul, chegou montado em seu cavalo a Memphis, após deixar seus cem homens e cães em uma cidade a 50 quilômetros de distância, com a mente mais inquieta do que nunca. Essa inquietação não era nada desprezível, uma vez que Stape tinha passado por experiências infernais e causado um bom número delas, também. No entanto, ao se aproximar de Kitty Town, ele sentia estar chegando ao lugar mais semelhante ao próprio inferno que poderia ser encontrado na Terra. Quando se acercou da entrada iluminada com luzes vulgares daquele subúrbio apavorante de Memphis, ele se deteve, desmontou do cavalo e o conduziu pela mão pelos poucos metros restantes. Embora fosse tarde, turistas e nativos ainda passavam aos borbotões pelos guardas, que ignoravam a maioria e revistavam alguns.

— Você não pode entrar aqui com ele — falou um dos guardas, gesticulando para o cavalo. — Está armado?

Até os dentes, pensou Stape.

— Não quero entrar. Tenho uma carta para Kitty das Lebres — disse ele.

— Nunca ouvi falar. Agora caia fora!

Lentamente, observado com atenção pelos guardas, Stape enfiou a mão em seus alforjes e retirou duas carteiras, uma bem maior do que a outra. Então, estendeu a menor.

— Essa é para vocês dividirem. A outra é para Kitty das Lebres.

— Passe-as para cá. Eu providenciarei que ele as receba. — Os guardas, cinco deles, imensos e escolhidos a dedo por sua falta de simpatia, começaram a se mover para cercar Stape. — Volte amanhã, ou, melhor ainda, depois de amanhã.

— Ficarei com o dinheiro até lá.

— Não. É melhor não — disse o guarda. — Ele ficará mais seguro com a gente.

Ele veio para cima de Stape o mais rápido possível para um homem de quase 130 quilos, estendendo a mão para pegar o dinheiro. Stape parecia ter desistido, seus ombros encurvados em sinal de completa derrota. Então, quando o guarda empurrou seu peito, o Redentor simplesmente enlaçou as mãos dele com as suas e as puxou para baixo. Ouviu-se um estalo não muito alto e um grito de agonia enquanto o homem caía de joelhos. Os outros, surpreendidos pela maneira repentina como tudo aconteceu, dispararam para a frente. Porém, assim que começaram a se mover, viram que Stape estava segurando a ponta de uma espada curta contra o pescoço do guarda. O grito deste para que eles recuassem foi praticamente desnecessário.

— Agora tragam alguma autoridade para cá, e sem demora. Não pretendo ficar neste antro mais do que o necessário.

Vinte minutos depois, Stape estava sentado em uma antessala e, embora aquele fosse um dos ambientes mais agradáveis em que já havia entrado — com seus lambris de madeira de cedro e sândalo, o lugar transpirava uma simplicidade requintada, com um cheiro tão sutil e relaxante que ele cogitou cortar um pedaço do revestimento para levá-lo consigo —, ele continuava apreensivo. Não por causa da luta nos portões de Kitty Town, mas pelo que havia visto depois que lhe permitiram entrar. O homem que supervisionara os massacres de Odessa e da Floresta da Polônia, célebres mesmo entre o rol de crueldades que caracterizava as guerras nos Vales Ocidentais, ficou abalado por conta das coisas que testemunhara nos últimos minutos. Uma porta se abriu na extremidade oposta da antessala e um velho deu um passo à frente, anunciando polidamente:

— Kitty das Lebres irá recebê-lo agora.

No instante em que a porta se abriu, um aroma curioso flutuou na sua direção. Ele era apenas ligeiramente desagradável e até doce, embora sua doçura arrepiasse os pelos da nuca de Stape. Ele certamente nunca tinha sentido aquele cheiro na vida, mas, ainda assim, algo o alertava, prevenindo-o, deixando-o inquieto apesar de toda a sua coragem. Já profundamente perturbado pelas cenas que testemunhara em Kitty Town, ele andou até a porta que o velho fechou às suas costas, permanecendo na antessala.

O quarto era escuro, mas iluminado de forma cuidadosa, para que o chão fosse bem visível. Acima da cintura, não se enxergava nada além das formas mais opacas. Havia alguém sentado em uma mesa no centro do aposento, porém, era como se a pessoa fosse feita de sombras.

— Por favor, fique à vontade, Redentor.

Aquela voz. Era diferente de qualquer coisa que ele já tivesse ouvido. Não havia crueldade alguma nela, nenhum sibilar de malícia e tampouco ameaça ou intimidação, todos os tons de voz aos quais estava familiarizado. Ela era como o arrulhar de uma pomba, uma nota sussurrada de incrível tristeza, um lamento cavernoso. Era, de longe, a coisa mais terrível que ele havia escutado na vida. O som parecia ressoar no seu estômago como a nota mais grave jamais ouvida do órgão da grande catedral de Kiev. Ele sentiu que iria passar mal.

— O senhor não parece bem, Redentor — arrulhou a voz. — Gostaria de um pouco d'água?

— Não. Obrigado.

A voz de Kitty das Lebres suspirou, como se ele estivesse preocupadíssimo. Para Stape, era como ser beijado por algo inimaginavelmente sórdido.

— Aos negócios, então.

O Redentor precisou de toda a sua força de vontade para responder — força de vontade esta confirmada várias vezes ao queimar apóstatas e massacrar indiscriminadamente os inocentes.

Respirar fundo não adiantou nada. Havia apenas mais daquele cheiro adocicado horroroso à sua volta.

— É verdade — disse Kitty das Lebres — que os quatro jovens que o senhor está procurando estão presos em Memphis.

— O senhor pode chegar até eles?

— Ah, Redentor, ninguém é inalcançável. O senhor os quer vivos?

— O senhor pode fazer isso? — O pobre Stape estava a um passo de desmaiar.

— Prefiro não fazê-lo, Redentor. Não é do meu proveito, entende?

Então, ele fez um som que poderia ter sido uma risadinha, ou não. A porta se abriu e o velho que o havia convidado a entrar disse:

— Tenha a gentileza de me acompanhar, Redentor, e eu fecharei nosso negócio.

Dez minutos depois e ainda passando mal, o Redentor Roy Stape se recuperava da sua pavorosa entrevista com Kitty das Lebres.

— Sente-se melhor, Redentor? — perguntou o velho. Stape olhou para ele.

— Que tipo...

— Não faça perguntas que possam ser consideradas ofensivas — interrompeu o velho. — Não é sensato ser afrontoso quanto a esse tipo de coisa neste lugar. — O velho respirou fundo. — A situação é a seguinte. Você quer que nós tiremos essas quatro pessoas da cidade velha. Isso é possível, mas não o faremos porque seria contrário aos nossos interesses mais preciosos.

— Então eu estou de saída para informar meu mestre. Ele insiste em receber más notícias imediatamente.

— Não seja precipitado, Redentor — disse o velho. — Mais presteza, menos pressa. Nós ficaremos de olho neles. Em algum momento, terão que deixar a cidade. O senhor será informado. E então, como um gesto de boa vontade, nós os devolveremos aos seus cuidados sem um arranhão. Isso é uma promessa.

— Quanto tempo?

— O tempo que for necessário, Redentor. Cumpriremos nossa palavra, porém, deixe-me esclarecer uma coisa. Se o senhor tentar de alguma forma capturá-los sozinho, Kitty das Lebres interpretará isso como um ataque contra os seus interesses.

Ouviu-se uma batida na porta.

— Entre.

Ela se abriu e dois guardas entraram.

— Estes homens o escoltarão até os portões de Kitty Town. O seu cavalo foi alimentado e dado de beber como um gesto de nossas boas intenções. Adeus.

Quando o Redentor Stape saiu do edifício, o ar de Kitty Town o atingiu como um soco na cara. Quanto barulho! Quanta gente! Sentia-se como um cego cuja primeira visão fosse os arco-íris do inferno, um surdo que recuperasse a audição para ouvir os sons do fim do mundo. Havia *bawlers* cheios de penduricalhos e *mawlers* com seus *ya-yas* à mostra; benjamins de galochas gritando: "Do amarelo, quem vai querer, quem vai querer." Burtons com seus trombadinhas nus, traficantes procurando encrenca, titias com seus mancebos cobertos de ruge e oferecendo dois pelo preço de um. Huguenotes vendendo seus artigos exóticos para quem desse o maior lance e meninos alucinados com línguas compridas caçando pombos em grupos de dois.

Fulminado de horror e paralisado de espanto, o Redentor Stape soltou um grito repentino de total aversão e repulsa. Então, para a surpresa dos dois guardas que o escoltavam, ele passou sebo nas canelas, botando sua alma calcinada para correr até os portões de Kitty Town e disparando noite adentro.

A 50 quilômetros do último vilarejo sob a proteção da cidade de Memphis, IdrisPukke estava sentado em uma vala sob a chuva. Não havia nada seco que pudesse usar para acender um fogo e, mesmo que houvesse, seria muito perigoso fazê-lo. Tudo o que comera nas últimas 24 horas tinha sido meia batata, e pegajosa de tão podre ainda por cima. Como um homem que havia comandado três exércitos, sido os ouvidos de reis e imperadores e desonrado quase uma geração inteira de filhas de nababos e sátrapas havia chegado a esse ponto? Boa pergunta, mas IdrisPukke sabia a resposta. Algumas pessoas podem até abusar da sorte de vez em quando, mas IdrisPukke abusava dela diariamente. Ele tinha colhido sem plantar; tomado o braço quando lhe ofereceram a mão; ganhado seis fortunas e perdido sete. Suas nove vidas já haviam sido gastas há muito tempo. Sua genialidade como soldado no campo de batalha, no entanto, era inegável; sua sagacidade, habilidade com as armas e bom-senso na política admirados em todo o mundo conhecido — o que quer dizer que, em cada parte dele, havia uma sentença de morte à sua espera, isso sem incluir os lugares em que coisas como julgamentos e sentenças eram consideradas formalidades enfadonhas. Em suma, IdrisPukke não podia fugir para nenhum país sem correr o risco de ser cozido em água fervente, estripado, queimado vivo ou enforcado e, não raro, as quatro coisas diversas vezes seguidas. O maior mercenário que o mundo já havia visto estava reduzido a se esconder de um dentre as dezenas de caçadores de recompensas e soldados no seu encalço em uma vala, molhado, cansado e sofrendo uma indigestão terrível depois de sua última refeição bolorenta.

Duas vezes no último mês ele tinha sido capturado e conseguira escapar quase imediatamente. No entanto, o verdadeiro problema era que não havia para *onde* escapar. Tudo o que IdrisPukke precisava fazer era fechar os olhos para ouvir os erros do passado voltando para assombrá-lo.

De repente, ouviu-se um estalo.

Antes que pudesse pensar, IdrisPukke estava de joelhos e catando cavaco pela vala o mais rápido possível.

— Tochas. Luzes. Ele nos viu!

Tochas se acenderam por todo o lado, iluminando o breu do campo. Porém, o que os ajudava serviu de ajuda também para IdrisPukke, que pôde ver um bosque a 50 metros de distância. Ele continuou correndo aos trancos e barrancos, tão rápido quanto um cachorro, mas escorregando e derrapando na lama.

— Ali!

Ele tinha sido avistado. Enquanto corria, conseguia ver a luz das tochas se juntarem na sua direção. Aconteceria a qualquer momento: a flecha ou a espada e a morte lenta. Ofegante e assustado, ele continuava correndo. Ainda estava livre e em movimento. Precisava chegar até as árvores. Subiu a encosta aos escorregões e, logo que passou pela sua beirada, o barulho de um golpe.

Ele ficou parado por um instante. O mundo tinha sido congelado em uma explosão de luz e dor. Então, um segundo golpe e ele estava caindo para trás. Antes mesmo de atingir o fundo da vala, levando outra pancada terrível na cabeça, ele já estava inconsciente.

Quando despertou, um gorila imenso e peludo segurava firme seus dois pés com uma das mãos e jogava sua cabeça despreocupadamente contra um muro de tijolos, como uma dona de casa batendo um tapete entediada. Então, o gorila parou, erguendo-o até os dois ficarem cara a cara e fitando-o dentro dos olhos. IdrisPukke sabia que era um gorila porque tinha visto um em um circo em Arnhemland. Este era muito maior — seu hálito quente e úmido, cheirando a carne podre de um mês atrás, enquanto filetes grossos de ranho verde escorriam do seu nariz.

— Então você ainda está vivo — disse o gorila. Só então, e com certo alívio, IdrisPukke percebeu que ainda estava inconsciente e sonhando. Em seguida, o gorila voltou a esmurrar preguiçosamente sua cabeça contra o muro de tijolos.

Quando forçou seus olhos a se abrirem, a cena ao seu redor se dissolveu, tornando-se uma carroça de fazendeiro à qual ele estava amarrado pelas mãos e pelos pés. Sua cabeça batia contra a lateral de madeira a cada solavanco, enquanto a carroça seguia pelo terreno sulcado.

Ele respirou fundo para manter a consciência e afastou sua cabeça para o meio da carroça. Era verdade, pensou ele: é bom parar de bater com a cabeça contra a parede. Em seguida, a dor voltou guinchando e IdrisPukke parou de se sentir grato. Ele gemeu.

— Então você está acordado, hein?

Era um soldado, e não um caçador de recompensas, o que pelo menos indicava que ele tinha caído nas mãos de pessoas que talvez quisessem cumprir algumas formalidades antes de infligir qualquer castigo desagradável. Isso significava uma chance de escapar. O soldado lhe deu um golpe rápido na barriga com o cabo da sua lança curta.

— Eu lhe fiz uma pergunta civilizada e quero uma resposta civilizada.

— Sim, estou acordado — grunhiu IdrisPukke. — Para onde estão me levando?

— Feche a matraca. Eles me disseram para não falar contigo, sob hipótese alguma, mas não entendo por quê. Você não me parece grande coisa. — E, depois de lhe dar outro golpe na barriga com o cabo da lança, o soldado se recostou e não voltou a falar mais.

14

— O que o senhor quer que eu faça com eles? — perguntou Albin.

Vipond ergueu os olhos de sua mesa e pensou sobre o assunto.

— Eles me interessam. Mas acho que está na hora de pressioná-los um pouco mais. Quero que supervisione o interrogatório sobre os Redentores. Precisamos ter uma ideia melhor do Santuário e saber se o que os Redentores estão tramando tem alguma importância para nós. Enquanto isso, coloque os meninos como aprendizes no Mond.

— Solomon Solomon não vai gostar disso.

— Meu Deus do céu — espantou-se Vipond. — Ninguém mais quer obedecer ordens? Se ele não gostar, vai ter que engolir.

— Os soldados do Mond são arrogantes, chanceler, não vai ser fácil para os três.

— Sei disso. Mas quero que você fique de olho neles. Preciso saber como reagirão ao tratamento que irão receber lá. Não os culpo por mentirem para mim, eu faria o mesmo no lugar deles, mas quero desvendar esse mistério.

E foi assim que, dois dias depois, Cale, Kleist e Henri Embromador se viram no Pátio do Campo da Excelência, juntamente com outros 47 aprendizes, observando o mesmo número de jovens aristocratas do clã Materazzi se aquecer diante de Solomon Solomon, mestre das artes marciais do Mond. Ele era um homem grande, com a cabeça raspada e olhos tão frios quanto o vento que vem do leste em um dia gélido de janeiro.

Naquele dia, o céu estava azul e o vento, quente. Os novos aprendizes ficaram parados ali, admirando os rapazes de 14 e 15 anos, que alongavam e relaxavam os músculos no campo de treinamento. No geral, a aparência deles era uniforme: altos, espantosamente flexíveis, loiros e esbeltos. Confiança e segurança cintilavam no ar a sua volta, à medida que eles estiravam seus braços e pernas longos em contorções inacreditáveis, ou faziam flexões com apenas uma das mãos como se alguma espécie de motor mágico impulsionasse seus braços flexíveis. Quarenta e sete dos aprendizes os observavam boquiabertos, filhos de mercadores ricos que haviam pagado a Solomon Solomon um bom dinheiro para que meros comerciantes tivessem a oportunidade de estar em contato diário com os Materazzi. A recente substituição de três deles por aqueles pivetes das Terras Crestadas havia custado a Solomon Solomon mais de mil dólares anuais. Era por isso que seu coração gélido estava muito mais frio que o normal.

Cada aprendiz portava um brasão diferente e, embora Cale não fizesse ideia do que os brasões significassem, notou, ao observar os Materazzi que se aqueciam mais adiante, que todos traziam um distintivo no peito, sendo que alguns eram iguais aos brasões que adornavam as costas de determinados aprendizes. Cale demorou um pouco para encontrar o dono do distintivo que combinava com o seu próprio brasão. Ele era como os outros, porém muito melhor: mais alto, mais loiro, mais gracioso, mais forte. Movia-se a uma velocidade extraordinária enquanto brigava de mentira com vários oponentes, contendo seus golpes, mas ainda assim deixando todos na lona sempre que queria. Cale dedicou alguns segundos a olhar para trás e examinar a vasta coleção de armas reservadas para cada aprendiz do Mond: meia dúzia de espadas diferentes, lanças curtas, médias e longas, e machados, além de diversos outros tipos de armas que ele nunca tinha visto na vida.

— Você! VOCÊ! FIQUE ONDE ESTÁ! — Era Solomon Solomon, e estava olhando para Cale. Ele desceu do palanque grosseiro, repleto de bonecos de treinamento, de onde supervisionava o aquecimento e marchou diretamente para Cale, sem desgrudar os olhos dele por um só instante até estar bem na sua frente. No campo, o aquecimento foi interrompido enquanto os jovens Materazzi esperavam para ver o que iria acontecer. Assim que alcançou Cale, Solomon deu-lhe uma bofetada forte no lado da cabeça. Alguns dos membros do Mond riram com uma espécie de compaixão desalmada, do mesmo jeito que você riria ao ver um atleta levar um tombo feio em uma corrida ou um boxeador fraco levar um soco que o deixaria inconsciente por horas a fio.

Embora Cale tivesse cambaleado, ele não caiu conforme Solomon Solomon esperava. E, enquanto voltava para a fila, tampouco protestou ou encarou Solomon Solomon com raiva — Cale estava bastante acostumado a gestos arbitrários de violência e ao mau gênio incompreensível dos que estavam em posição de autoridade para cometer qualquer um dos dois erros.

— Você sabe o que fez?

— Não, senhor — respondeu Cale.

— Não, senhor? E ainda tem a audácia de me dizer que não sabe? — Isso foi dito com toda a fúria contida de um sovina que havia perdido mil dólares anuais sem nenhuma explicação razoável. Ele bateu novamente em Cale. Ao receber o terceiro golpe, Cale compreendeu seu erro. No Santuário, cair depois de apanhar faria apenas você apanhar de novo; ali, estava claro que era o contrário. Então, ele caiu no chão, conforme rezava o figurino. — Da próxima vez

— gritou Solomon Solomon —, olhe apenas para a frente, observe seu mestre e não desgrude os olhos dele. ENTENDIDO?

— Sim, senhor.

Com essas palavras, Solomon Solomon se virou, marchando de volta para o seu pódio. Cale se levantou devagar, sua cabeça tilintando. Todos os demais aprendizes olhavam aterrorizados para a frente — com exceção de Henri Embromador e Kleist, que o faziam por saber que era preciso. Uma pessoa, no entanto, o encarava: o mais alto e gracioso dos Materazzi, dono do brasão ao qual Cale estava submetido. Os rapazes ao seu redor estavam rindo, mas o Materazzi loiro, não. Ele estava quase vermelho vivo de raiva.

Nem mesmo a surra que tinha dado em Cale melhorou o humor de Solomon Solomon; perder tanto dinheiro havia sido um golpe duro contra o seu coração.

— Dirijam-se aos seus aprendizes. Espadas curtas.

Os integrantes do Mond seguiram em direção à fileira de aprendizes e pararam diante dela. O Materazzi alto olhou para Cale e falou baixinho:

— Se você se exibir daquele jeito outra vez, eu vou fazer você desejar nunca ter nascido. Entendido?

— Sim, entendido — respondeu Cale.

— Meu nome é Conn Materazzi. A partir de agora, você vai me chamar de mestre.

— Sim, mestre, entendido.

— Me dê a espada curta.

Cale virou para trás. Havia três espadas penduradas em uma barra de madeira com lâminas do mesmo comprimento, mas de formatos diferentes, de retas a curvadas. Para Cale, uma espada era uma espada. Ele escolheu uma.

— Não, aquela. — O que foi seguido por um chute na bunda. — A outra. — Cale estendeu a mão para apanhar a espada ao lado. Levou outro chute. Uma explosão de risadas veio de seus colegas e de alguns dos aprendizes. — A *outra* — disse Conn Materazzi. Cale a apanhou, entregando-a para o rapaz sorridente. — Ótimo, agora me agradeça por aquele chute instrutivo. — Fez-se um silêncio diante dessas palavras, a expectativa silenciosa de que talvez o aprendiz fosse idiota o bastante para protestar ou, melhor ainda, reagir.

— Agradeça — repetiu Conn.

— Obrigado, mestre — falou Cale, em um tom quase cordial, para o alívio de Henri Embromador e até mesmo de Kleist.

— Excelente — disse Conn, olhando para os seus colegas. — Falta de tutano, gosto disso em um servo. — As risadas lisonjeiras foram interrompidas por outra ordem vociferada por Solomon Solomon. Durante as duas horas seguintes, Cale observou, com a cabeça dolorida, o Mond cumprir sua rotina de treinamento. Quando ela terminou, os Materazzi deixaram o campo às risadas para tomar banho e comer. Então, vários homens mais velhos, os treinadores, apareceram para ensinar os aprendizes a usar e cuidar das armas empilhadas atrás deles.

Mais tarde, os três se sentaram para conversar, Henri Embromador e Kleist surpreendentemente mais aborrecidos do que Cale.

— Meu Deus — falou Kleist —, e eu achando que tínhamos finalmente dado um pouco de sorte de parar aqui. — Ele olhou contrariado para Cale. — Você tem um grande talento para irritar as pessoas, Cale. Precisou só de... Quanto?... Vinte minutos para arranjar briga com os dois maiores brutamontes do grupo numa coisa que parecia a maior moleza.

Cale refletiu sobre aquilo, mas não disse nada.

— Você quer fugir hoje à noite? — perguntou Henri Embromador.

— Não — respondeu Cale, ainda pensativo. — Preciso de tempo para roubar o máximo que puder.

— Esperar não me parece uma boa ideia. Pense no que pode acontecer.

— Vai dar tudo certo. Além do mais, não há motivo para vocês dois fugirem. Kleist tem razão, vocês deram sorte.

— Rá! — disse Henri. — Assim que você sumir, eles vão partir para cima da gente de qualquer maneira.

— Pode ser que sim, pode ser que não. Talvez Kleist esteja certo, tem alguma coisa em mim que irrita as pessoas.

— Eu vou com você — disse Henri Embromador.

— Não.

— Estou dizendo que vou.

Fez-se um longo silêncio, finalmente quebrado por Kleist.

— Bem, eu não vou ficar aqui sozinho — disse ele, indo embora de cara amarrada.

— Talvez — disse Cale —, pudéssemos ir embora antes de ele voltar.

— É melhor a gente se manter junto.

— Imagino que sim, mas por que ele tem que reclamar tanto?

— É o jeito dele. Ele não é má pessoa.

— É mesmo? — perguntou Cale, como se estivesse apenas ligeiramente interessado.

— Quando você quer partir?

— Daqui a uma semana. Tem um monte de coisa que vale a pena roubar aqui. Precisamos nos abastecer.

— É perigoso demais.

— Vai dar tudo certo.

— Discordo.

— Bem, a cabeça e o rabo são meus, então sou eu que decido.

Henri Embromador deu de ombros.

— Então tá. — Ele mudou de assunto. — O que você acha dos soldados desse tal de Mond? Bem convencidos, não é?

— Mas fazem bonito, também.

— Bem — disse Henri Embromador, sorrindo —, bonitos podem até ser.

— Você acha que Riba vai ficar bem?

— Por que não ficaria? — Era óbvio que Henri Embromador estava genuinamente preocupado. — A questão é a seguinte — prosseguiu ele —, ela não é como nós dois. Não aguentaria uma surra, nem nada. Não foi criada para isso.

— Ela vai ficar bem. Vipond cuidou bem de nós, não cuidou? O que Kleist disse é verdade. Se não fosse por mim, vocês estariam sendo tratados a pão de ló aqui. — Na verdade, ele não sabia o que era pão de ló, mas tinha ouvido a expressão algumas vezes e gostava dela. — Riba sabe se dar bem com as pessoas. Não vai acontecer nada com ela.

— Por que você não consegue se dar bem com as pessoas, então?

— Não sei.

— Apenas tente ficar fora do caminho delas e, se não conseguir, pare de dar a impressão que quer cortar suas gargantas e dá-las de comer para os cachorros.

Porém, no dia seguinte, a esperança de Henri Embromador de que as coisas iriam melhorar em relação a Solomon Solomon e Conn Materazzi não se cumpriu. Solomon Solomon arranjou outra desculpa para continuar a surra cruel do dia anterior, mas desta vez no meio do campo, para que todos pudessem ver bem e se sentirem incentivados a também procurar uma razão para fazer o mesmo. Conn Materazzi, no entanto, mais sutil do que seu mestre das artes marciais, e sem querer dar a impressão de que estava tão somente imitando-o, continuou a chutar Cale por qualquer motivo, embora mal colocasse força nos pés. O jovem tinha um talento para a humilhação, tratando Cale como se ele fosse um fardo divertido com o qual ele estava condenado a lidar da melhor forma possível. Com suas pernas longas e flexíveis, e tendo praticado a vida inteira, ele podia atingi-lo na panturrilha, no traseiro ou lhe dar um chute de raspão na orelha, como se usar as mãos em alguém como Cale fosse levá-lo a sério demais. Depois de quatro dias disso, foi o efeito de Conn em Cale que começou a preocupar Henri Embromador; mais até do que os maus-tratos aos quais Solomon Solomon o submetia. Cale estava habituado a uma brutalidade mais extrema do que qualquer coisa que Solomon Solomon poderia oferecer. Contudo, ser motivo de gozação, passar ridículo, era algo que eles não conheciam. Henri começou a temer que Cale se sentisse impelido a revidar.

— Ele me parece mais tranquilo do que nunca — disse Kleist, enquanto Henri Embromador se preocupava do seu lado.

— Tão tranquilo quanto uma casa mal-assombrada até o demônio que mora nela acordar. — Os dois riram dessa frase tantas vezes repetida pelos Redentores.

— Só mais dois dias.

— Vamos convencê-lo a fugir amanhã.

— Está certo.

Conn Materazzi continuou fazendo o papel de mestre tolerante de um tolo patético com cada vez mais malícia — e recebendo uma grande admiração de seus amigos por isso. No intervalo entre as surras administradas por Solomon Solomon, ele despenteava o cabelo de Cale por conta de algum suposto erro, como se ele fosse um velho animal de estimação sem controle da própria bexiga, mas do qual era impossível não sentir pena. Ele levava incontáveis tapinhas na nuca e golpes de leve na bunda com a parte chata da espada de Conn. E, durante todo esse tempo, Cale foi ficando cada vez mais calado. E Conn percebia isso — que, enquanto as surras não pareciam surtir efeito algum, por mais que Cale se esforçasse para disfarçar, as gozações estavam penetrando aos poucos em sua alma dura como pedra. Conn Materazzi poderia ser um monstro, mas não era idiota.

Os Materazzi eram famosos por duas coisas: a primeira, sua habilidade suprema nas artes marciais, que era acompanhada por uma imensa coragem; a segunda, a extraordinária beleza de suas mulheres, rivalizada apenas pela extraordinária frieza delas. Na verdade, dizia-se que só era possível compreender a disposição dos Materazzi a morrer no campo de batalha depois de ser apresentado a uma de suas esposas. Os Materazzi eram máquinas de guerra terríveis tanto em termos individuais quanto coletivos. No entanto, se você um dia conhecesse uma de suas mulheres, certamente se depararia com uma condescendência, um orgulho e um desdém sem precedentes. Mas também ficaria perplexo diante da beleza delas — e, como os Materazzi do sexo masculino, disposto a suportar quase tudo por um sorriso ou pelo obséquio de um beijo. Embora os Materazzi controlassem com mão de ferro quase um terço do mundo conhecido através do seu poderio militar, econômico e político, os conquistados sempre poderiam se consolar com a ideia de que, por maior que fosse sua hegemonia, os Materazzi sempre seriam escravos de suas mulheres.

Enquanto as surras e gozações continuavam para Cale, todos os três ex-acólitos passavam o maior tempo possível roubando. Isso não era especialmente difícil ou perigoso — os Materazzi tinham uma atitude em relação às suas posses que, para os meninos, era bizarra. Eles pareciam querer jogar as coisas fora logo depois de comprá-las. A princípio, os meninos roubaram objetos que imaginavam ser úteis: um canivete, um amolador, dinheiro largado em cima da cama de seus mestres, geralmente em quantias absurdamente grandes. Então, descobriram que era mais fácil perguntar se eles queriam que tal coisa fosse consertada ou colocada em outro lugar, pois muitas vezes recebiam ordens para simplesmente jogá-las fora. Em quatro dias, eles haviam roubado ou "ganhado" mais coisas do que poderiam, ou até mesmo sabiam como, usar: facas; espadas; um arco de caça com um defeitinho que Kleist arrumou com facilidade; uma pequena chaleira; tigelas; colheres; cordas; barbantes; comidas em conserva das cozinhas; e uma bela quantidade de dinheiro, que seria ainda maior quando eles limpassem os quartos de seus mestres logo antes de fugirem. Todas essas coisas eram escondidas com cuidado em uma série de fendas e rachaduras, porém, a chance de serem descobertas era mínima, pois ninguém dava falta delas. A noção de que você poderia viver a vida que pediu a Deus naquele lugar só com as coisas que os outros não queriam mais deixou Kleist e Henri Embromador morrendo de tristeza por terem que partir. Contudo, Henri via que, a cada provocação debochada de Conn Materazzi, a cada gozação humilhante, Cale ficava mais e mais calado. Ele torcia a orelha de Cale e puxava seu nariz como se ele fosse um garotinho travesso.

Na tarde do quinto dia, Cale estava procurando algo útil para roubar em uma parte da fortaleza na qual, como aprendiz, estava proibido de entrar. "Proibido" em Memphis não significava o mesmo que "proibido" no Santuário — lá, uma infração poderia significar, digamos, quarenta chibatadas com um cinto de couro com tachinhas de metal que poderiam, facilmente, fazê-lo sangrar até a morte. Em Memphis, significava fazer algo que você não devia sob pena de sofrer uma punição ligeiramente desagradável, ou algo do qual você poderia se safar na base da conversa sem o menor problema. Neste caso, se fosse pego, Cale poderia se desculpar dizendo que estava perdido.

Ele estava passando pela parte mais velha da grande fortaleza, que era, na verdade, a parte mais velha de Memphis. Quase todo aquele muro, com seus aposentos internos atualmente usados como depósito, havia sido demolido e substituído por casas elegantes, com aquelas janelas imensas de que os Materazzi tanto gostavam. No entanto, aquela parte antiga de Memphis era escura, a única iluminação vinda dos corredores localizados nas extremidades dos muros, geralmente separados por 20 metros de distância. Ela havia sido feita para sitiar os inimigos, não para passeios. À medida que Cale subia cautelosamente um lance de degraus de pedra escura, sem nenhuma balaustrada ou corrimão que o protegesse de despencar mais de 10 metros até as lajotas lá embaixo, ele escutou alguém descendo às pressas em sua direção. Não conseguia enxergar a pessoa por conta de uma curva na escadaria, porém, fosse quem fosse, estava carregando uma lanterna. Ele recuou para dentro de um vão e torceu para ser ignorado por quem passasse. Os passos rápidos e a luz fraca se aproximaram e, em seguida, entraram no seu campo de visão. Ele espremeu as costas contra a parede e a garota não o viu ao passar correndo. Contudo, a luz era fraca naquele lugar imenso e os degraus assimétricos. Ela fizera a curva rápido demais e, já desequilibrada, prendeu seu salto em uma lajota irregular. Vacilou por um instante até recuperar o equilíbrio, pairando sobre a queda de 10 metros até o chão de pedra dura. Então, a menina soltou um gritinho à medida que a lamparina caía pela beirada e estava prestes a ir junto quando Cale a agarrou pelo braço, puxando-a de volta.

Ela soltou um grito de pavor diante daquela surpreendente aparição.

— Meu Deus!

— Está tudo bem — disse Cale. — Você ia cair.

— Oh! — disse ela, olhando para baixo em direção à lamparina, quebrada, mas com o óleo que se espalhara ainda em chamas. — Oh — repetiu ela. — Você me assustou.

Cale riu.

— Você tem sorte de estar viva para ainda *ficar* assustada.

— Eu teria me virado sozinha.

— Não, não teria.

Ela baixou os olhos para a queda pronunciada e então voltou a encarar Cale na penumbra. Ele era diferente de qualquer menino ou homem que já tivesse visto, com sua altura mediana e cabelos muito negros, mas era a expressão nos seus olhos — envelhecida, sombria e algo mais que não conseguia identificar — que lhe era estranha.

De repente, sentiu medo.

— Tenho que ir — disse ela. — Obrigada. — E então, começou a descer rapidamente as escadas.

— Cuidado — disse Cale, tão baixinho que não havia a menor chance de ela ter ouvido.

E, então, a menina desapareceu.

Cale se sentia como se tivesse sido atingido por um raio. A garota com a qual havia topado era capaz de mexer até mesmo com a cabeça mais experiente e sábia do mundo e, quando o assunto era mulheres, a dele estava muito longe de ser qualquer uma dessas coisas. Ela era Arbell Materazzi, filha do marechal Materazzi, doge de Memphis. No entanto, ninguém, com exceção de seu pai, chamava Arbell pelo sobrenome. Para todos os demais, ela era sempre Arbell Pescoço de Cisne, considerada por unanimidade a mulher mais bonita de Memphis e, provavelmente, de todo o seu vasto império. Como descrever sua beleza? Pense em uma mulher com corpo de cisne.

Como esta história teria sido diferente se Cale não a tivesse encontrado dentro da grande muralha naquela tarde, ou se tivesse lhe faltado a destreza naquele lugar escuro e escorregadio para puxá-la de volta, ao que ela teria, sem dúvida, quebrado seu pescoço maravilhosamente longo e elegante nas lajotas lá embaixo.

Horas depois, um Cale apaixonado contou aos seus dois companheiros, um perplexo e o outro ressentido, que havia mudado de ideia quanto a fugir de Memphis. Obviamente, não explicou o verdadeiro motivo, dizendo-lhes que já havia passado a vida inteira levando surras piores do que as aplicadas por Solomon Solomon e que decidira simplesmente ignorar as tolices de Conn Materazzi. Por que deveria se preocupar com as gozações idiotas de um pirralho mimado quando eles tinham tantos bons motivos para ficar ali? Por mais intrigados que estivessem, Henri Embromador e Kleist não tinham motivo para duvidar dele. Ainda assim, Henri duvidou.

— Você acreditou nele? — perguntou mais tarde, quando se viu sozinho com Kleist.

— Por que eu deveria me preocupar com isso? Por mim tudo bem se ele quiser ficar, só não gosto de vê-lo agindo como Deus Todo-Poderoso o tempo todo.

Durante os próximos dias, Henri Embromador observou as surras e as gozações continuarem. Como sempre, eram as humilhações que mais o preocupavam. Conn Materazzi poderia ser um pirralho mimado, porém, também era um lutador de artes marciais de habilidade inigualável. Somente os mais velhos e experientes soldados do clã Materazzi conseguiam derrotá-lo nas lutas dolorosamente realistas que aconteciam todas as sextas-feiras e duravam o dia inteiro. E mesmo essas derrotas contra soldados mortais e implacáveis se tornavam cada vez mais raras com o passar das semanas. Basta dizer que ele era um Materazzi de renome, e por um bom motivo. Não foi surpresa alguma que ele tivesse recebido, na última semana do seu treinamento formal, um prêmio raramente concedido a um soldado que entrasse para o exército dos Materazzi: a Forza, ou Espada de Danzig, popularmente conhecida como A Lâmina. Feita por Martin Bacon, o grande ferreiro, cem anos atrás, era uma arma forjada com um aço de força e flexibilidade únicas, um segredo lamentavelmente perdido quando Bacon se matou por uma jovem aristocrata Materazzi que não o amava. Peter Materazzi, então doge de Memphis, para quem ele forjara a espada, ficou inconsolável ao saber da sua morte e passou o resto da vida se recusando a crer que um homem do gênio de Bacon tivesse se matado por um motivo desses. "Uma garota!", exclamou ele, incrédulo. "Eu teria lhe dado minha esposa se ele tivesse me pedido." Dada a reputação de frieza das mulheres do clã Materazzi, até hoje não se sabe se essa oferta teria sido cumprida.

Seja como for, ficar responsável por A Lâmina era uma honra extraordinária para Conn; honra esta que não era conferida há mais de vinte anos.

A cerimônia de entrega e o desfile que se seguiu foram tão esplêndidos quanto se possa imaginar: vastas multidões, chapéus agitados no ar, vivas, música, pompa e circunstância e tudo o mais. O Mond estava alinhado em frente aos seus predecessores, quase 5 mil cabeças ao todo. Estes não deveriam ser confundidos com meros soldados — tratava-se de uma elite blindada, a mais bem treinada e equipada do mundo, composta apenas de membros do alto escalão e de berço aristocrático.

E, no centro disso tudo, Conn Materazzi: com seus 16 anos e 1,82 metro de altura, loiro, musculoso, esguio e belo — aquele que era observado por todos os observadores, o centro das atenções, o queridinho das multidões, o orgulho dos Materazzi. Como ele estava cheio de si ao aceitar os vivas e aplausos no momento em que A Lâmina lhe foi entregue. Quando a ergueu bem alto sobre a cabeça, o alarido foi tão grande que parecia o fim do mundo.

Henri Embromador aplaudiu para não chamar atenção para si. Kleist expressou seu desagrado com entusiasmo, exagerando nos aplausos e comemorando escandalosamente, como se Conn fosse seu irmão gêmeo. Porém, apesar de uma cotovelada de Kleist e de um pedido sussurrado de Henri Embromador, Cale ficou observando impassível, uma reação que não passou despercebida pelo seu mestre, por mais que ele se sentisse como se tivesse sido atingido por um raio divino.

Uma vez que já contava com uma opinião bastante lisonjeira de si mesmo — que era reforçada pelo seu séquito de entusiastas bajuladores —, o senso de superioridade de Conn alcançou proporções vertiginosas. Mesmo duas horas depois, com a multidão já dispersada e de volta à reclusão da grande fortaleza, seu cérebro ainda zumbia como uma colmeia de abelhas em polvorosa. Ainda assim, quando os elogios e a adoração dos seus amigos e da nata da sociedade dos Materazzi começaram a minguar, ele retornou o bastante ao mundo real para se lembrar do insulto calculado que Cale lhe ofertara, recusando-se até mesmo a aplaudir seu triunfo. Esse gesto espetacular de insubordinação não deveria ser tolerado, de modo que ele mandou um de seus servos convocar seu aprendiz imediatamente.

O servo demorou um pouco para encontrá-lo, principalmente porque, ao chegar ao dormitório dos aprendizes, ele teve a infelicidade de perguntar a Henri Embromador onde Cale estava. Já havia algum tempo que seu talento para evasivas não era requisitado, porém, quando Henri se viu diante de uma pergunta direta, sua natureza esquiva voltou à tona.

— Cale? — disse ele, como se nem mesmo soubesse o que aquilo significava.

— O novo aprendiz do Lorde Conn Materazzi.

— Lorde quem?

— Ele tem cabelo preto. É mais ou menos deste tamanho. — O servo, percebendo que estava lidando com um idiota, ergueu a mão a mais ou menos 1,70 metro de altura. — Está sempre com cara de coitado.

— Ah, você quer dizer Kleist. Ele está lá embaixo, na cozinha.

Talvez, pensou o servo, ele *estivesse* procurando por Kleist. Achava que Conn Materazzi tinha falado Cale, mas bem que podia ter sido Kleist. Porém, levando-se em conta o humor de seu mestre, a ideia de voltar para perguntar não lhe agradava muito. Infelizmente, no entanto, Cale entrou no dormitório na esperança de conseguir tirar um cochilo e o plano de Henri Embromador de fazer o servo andar metade do caminho até o Santuário em sua busca não deu em nada.

— É aquele ali — falou o servo para Henri Embromador.

— Aquele não é o Kleist — respondeu Henri Embromador, triunfante. — Aquele é o Cale.

Quando Cale chegou ao jardim de verão, a multidão em volta de Conn havia rareado e desaparecido. Entretanto, uma última visita, e de longe a mais importante aos olhos do jovem Materazzi, finalmente chegara: Arbell Pescoço de Cisne. Criada para tratar os homens com um desdém quebrado apenas pela condescendência, Arbell tinha certa dificuldade em fingir ter algum tipo de interesse pessoal em Conn que fosse além, na melhor das hipóteses, da indiferença. Na verdade, ela não era mais indiferente à sua beleza e sucesso do que a maioria das outras jovens seria, por mais bela e parecida com um cisne que fosse. Se o contemplado tivesse sido qualquer outro que não Conn, ela teria instintivamente aparecido na metade da cerimônia, lhe dado os parabéns sem o menor entusiasmo e desaparecido. No entanto, não lhe era tão fácil quanto de costume permanecer indiferente. Nem mesmo o exemplar mais frio da elite feminina dos Materazzi conseguiria se manter impassível diante do belo e jovem guerreiro, do clamor das multidões e do poder glorioso e raro da cerimônia. Arbell Pescoço de Cisne era, na verdade, consideravelmente menos desdenhosa do que parecia e, para sua enorme confusão, chegou a tremer no momento em que Conn ergueu A Lâmina para o público, que rugiu sua aprovação para aquele jovem magnífico. Consequentemente, seu talento para transparecer um completo desdém pelos jovens do sexo masculino — por mais magníficos que fossem — a havia abandonado e sua indecisão a levado a chegar muito atrasada e até a ruborizar (mas não a ponto de Conn perceber) ao cumprimentá-lo por sua grande conquista. Conn reservava certo grau de deferência apenas para duas pessoas: seu tio e a filha dele. Ele reverenciava Arbell tanto por sua beleza estonteante quanto por seu aparente desprezo total por ele. Apesar de aquele ser um dia em que sua já presunçosa juventude havia sido dotada de ainda mais poder e majestade, Conn ainda foi tomado pela confusão ao vê-la chegar, e só teria notado seu desconforto se ela tivesse se atirado nos seus braços e o coberto de beijos. Ele escutou suas felicitações em um estado de constrangimento tão grande que mal conseguia compreender o que ela dizia, quanto mais perceber seu tom de voz inseguro. Foi somente depois de ambos trocarem mesuras e Arbell Pescoço de Cisne já ter se virado para ir embora que Cale chegou.

Normalmente, Arbell não daria mais atenção a um aprendiz do que a uma mariposa comum. Porém, estando já um pouco abalada, ela foi atirada em uma confusão ainda mais profunda ao encontrar repentinamente o menino estranho que, poucos dias antes, a havia salvado de cair das escadas na velha muralha. Em meio a tanta tensão, o rosto de Arbell se congelou em uma expressão totalmente vazia.

Somente os maiores e mais experientes amantes da história — o lendário Nathan Jog, talvez, ou o famoso Nicholas Panick — teriam enxergado a jovem em polvorosa que se escondia por trás de uma expressão como aquela. O pobre Cale, obviamente, estava muito aquém de qualquer um desses grandes amantes e viu apenas o que temia ver. Para ele, sua expressão transmitia apenas uma afronta gélida: ele salvara sua vida e se apaixonara, e ela nem ao menos o reconheceu. Mesmo em seu estado de profunda confusão, Arbell Pescoço de Cisne saiu daquele encontro inesperado com elegância suficiente. Ela simplesmente deu meia-volta e começou a cruzar os cerca de 100 metros que a separavam do portão do outro lado do jardim. Àquela altura, havia apenas sete pessoas no jardim além dessas três: quatro dos amigos mais íntimos de Conn Materazzi e três guardas entediados, vestindo armaduras cerimoniais completas e carregando três vezes mais armas do que levariam para uma batalha de verdade. E havia também um espião: Henri Embromador, preocupado com o amigo, tinha subido até o telhado que dava vista para o jardim e observava a cena de trás de uma chaminé.

Então, Conn Materazzi se voltou para o seu aprendiz. No entanto, o que quer que pretendesse fazer foi ofuscado por um de seus amigos que, embriagado, achou que divertiria a todos copiando o hábito de Conn de tratar Cale como se ele fosse um miolo mole. Ele estendeu a mão e deu-lhe dois tapinhas de leve no rosto. Os demais, com exceção de Conn, começaram a rir tão alto que Arbell Pescoço de Cisne olhou para trás e viu um terceiro tapa de brincadeira. Ela ficou horrorizada com o que viu, porém, Cale enxergava apenas mais provas do seu desdém em sua expressão.

Foi no quarto tapa que, não seria exagero dizer, o próprio mundo mudou. Aparentemente sem nenhum grande esforço, Cale apanhou o pulso do rapaz com a mão esquerda e seu antebraço com a direita e então os torceu. Ouviu-se um estalo alto e um grito de agonia. Cale continuou fazendo seu movimento aparentemente lento e, agarrando o adolescente aos gritos pelo ombro, o atirou para cima de um Conn surpreso, derrubando-o no chão. Cale deu um passo para trás, encaixou o punho direito na mão esquerda e acertou o rosto do Materazzi mais próximo com o ombro. Antes mesmo de cair no chão, o rapaz já estava inconsciente. Então, os dois que restavam se recuperaram do espanto e sacaram suas adagas cerimoniais antes de darem um passo para trás, assumindo posição de combate. Não só pareciam formidáveis, como o eram. Cale continuou se movendo na direção deles, porém, se agachou no caminho, apanhando um punhado de cal e cascalho, que atirou na cara dos dois oponentes. Eles rodopiaram para trás em agonia, enquanto Cale encaixava um soco brutal no rim do mais próximo e outro no esterno do segundo. Em seguida, apanhou as duas adagas e se virou para encarar Conn, que já havia se desembaraçado do amigo ainda aos berros. Tudo isso não levou mais que quatro segundos. Então, um longo silenciou recaiu enquanto Conn e Cale se encaravam. Conn Materazzi trazia uma expressão contida, porém furiosa, no rosto; o de Cale estava totalmente inexpressivo.

Àquela altura, três soldados tinham vindo correndo do claustro onde estavam tentando se refrescar em suas armaduras completas.

— Deixe-nos cuidar dele, senhor — disse o chefe dos guardas.

— Fiquem onde estão — falou o Materazzi com calma. — Se derem um passo para apanhá-lo, juro por Deus que passarão o resto da vida limpando bosta de cavalo. Vocês são obrigados a me obedecer.

Isso era bem verdade. O chefe dos guardas recuou, mas fez sinal para os outros buscarem reforços. *Espero*, pensou ele, *que esse babaca convencido leve uma bela surra*. No entanto, sabia que isso não ia acontecer. Conn Materazzi era um soldado de habilidade inigualável, já um mestre aos 16 anos de idade. Ele poderia ser um babaca, mas, quanto a isso, tinha-se que dar o braço a torcer.

Conn desembainhou A Lâmina. Com a exceção da cerimônia daquele dia específico, a espada era valiosa demais para não permanecer à mostra na segurança do grande salão. Certamente era valiosa demais para ser usada em uma luta. Porém, Conn sabia poder argumentar que não teve escolha, de modo que, pela primeira vez em quarenta anos, A Lâmina foi desembainhada com a intenção de matar alguém.

— Pare! — exclamou Arbell Pescoço de Cisne.

Conn a ignorou. Em um assunto como aquele, nem mesmo ela teria voz. Cale não deu sinal de sequer ter ouvido. No alto do telhado, Henri Embromador sabia não haver nada que pudesse fazer.

Então, começou.

Conn brandiu A Lâmina para a frente a uma velocidade enorme, desferindo outro golpe e, logo em seguida, um terceiro à medida que Cale recuava lentamente, bloqueando cada investida com as duas adagas ornamentais que logo estavam dentadas como um serrote velho. Conn se movia, desviava e bloqueava com grande rapidez e elegância, ao mesmo tempo espadachim e dançarino. Cale continuava recuando, bloqueando por pouco cada golpe, à medida que Conn estocava e investia contra sua cabeça, coração, pernas e qualquer outra brecha que encontrasse. E tudo isso se dava em silêncio, exceto pela música estranha do choque da quase melodiosa A Lâmina contra as adagas e da resposta surda destas.

Conn Materazzi continuava avançando, enquanto Cale se defendia ao bloquear um golpe alto aqui, outro baixo acolá, sempre se movendo para trás. Por fim, Conn o encurralou contra a parede e já não havia mais como recuar. Com seu oponente sem saída, Conn se afastou um passo, impossibilitando Cale de se mover para ambos os lados.

— Você luta como um cachorro de rua — disse ele para Cale. A expressão de Cale, no entanto, vazia e sem emoção, não mudou. Era como se não tivesse ouvido.

Conn se deslocou de um lado para outro e deu alguns passos elegantes, sinalizando aos que observavam que estava se preparando para matar. Seu coração se avolumou no peito, chocado pelo êxtase de compreender que jamais seria o mesmo novamente.

Nesse momento, outros vinte soldados, alguns arqueiros inclusive, já haviam vindo até o jardim e sido organizados pelo chefe da guarda em um semicírculo a poucos metros da luta. Ele conseguia ver, assim como todos os demais, como aquilo iria acabar. Apesar das ordens de Conn, o chefe da guarda sabia muito bem que haveria problemas se ele se ferisse de alguma forma. Ele sentiu uma pena sincera do menino encurralado contra a parede enquanto Conn erguia sua espada para o golpe de misericórdia. Porém, Conn manteve a espada suspensa no ar, esperando — à procura do medo nos olhos de Cale. Contudo, sua expressão não mudou em nenhum instante, continuando vazia e distante, como se já não houvesse alma dentro dele.

Ande logo com isso, seu merdinha, pensou o sargento.

Então, Conn desferiu o golpe. É impossível precisar a rapidez com que A Lâmina cortou o ar — um relâmpago seria vagaroso em comparação. Cale não bloqueou o ataque desta vez — simplesmente se moveu, de forma quase imperceptível, para um lado. A espada errou o alvo, mas apenas pela distância de uma asa de mosquito. Em seguida, outro golpe em falso. E, por fim, uma estocada da qual Cale se desviou, embora tivesse sido rápida como o bote de uma cobra.

Então, pela primeira vez, Cale desferiu um golpe. Conn o evitou, mas por pouco. Uma sucessão de ataques começou a empurrá-lo para trás, até os dois estarem de volta ao local onde a luta havia começado. Conn respirava pesado, o medo crescente fazendo-o arfar cada vez mais forte — seu corpo desacostumado ao terror e à presença da morte rebelando-se contra sua imensa habilidade e os anos de treinamento, seus nervos desgastados e suas entranhas dissolvidas.

Então, Cale se deteve.

Ele se afastou e, fora do raio de ataque, olhou Conn dos pés à cabeça. Após um intervalo de um ou dois segundos, um Conn desesperado desferiu outro golpe, A Lâmina sibilando enquanto cortava o ar. Cale, no entanto, se moveu antes mesmo de o golpe começar, bloqueando A Lâmina com uma adaga e enterrando a outra bem fundo no ombro de seu oponente.

Com um grito de dor e surpresa, Conn largou a espada à medida que Cale girava seu corpo e o segurava pelo pescoço com o antebraço, apontando a adaga restante contra a barriga do adversário.

— Fique quieto — sussurrou ele baixinho no ouvido de Conn, dirigindo-se em voz alta aos soldados que se aproximavam para impedi-lo: — Parados, ou eu rasgo esse escrotinho no meio. — Então, deu uma pancada forte na barriga de Conn para mostrar que estava falando sério. O chefe da guarda, já aterrorizado, ordenou que seus homens parassem.

Durante todo esse tempo, Cale apertava Conn com cada vez mais força pelo pescoço, para ele não poder respirar. Novamente, sussurrou no seu ouvido.

— Antes de partir, mestre, leve isso com você: lutar não é uma arte.

Depois de ouvir essas palavras, Conn perdeu a consciência, pendendo frouxo do braço de Cale, que já aliviava a pressão em volta do seu pescoço.

— Ele ainda está vivo, sargento, mas não vai continuar se você bancar o corajoso. Vou apanhar a espada, então comporte-se.

Sustentando o peso considerável de Conn, Cale se abaixou devagar e estendeu a mão para apanhar A Lâmina. Depois de pegá-la, levantou-se de volta sem desgrudar os olhos dos soldados. Mais deles chegavam pelos portões externos, até somarem quase uma centena.

— Para onde você vai, filho? — perguntou o sargento.

— Sabe de uma coisa — respondeu Cale —, ainda não tinha pensado nisso.

Foi então que Henri Embromador gritou de cima do telhado.

— Se você prometer que não vai feri-lo, ele libertará Conn.

Surpreendidos, os soldados reagiram a essa primeira tentativa de negociação com três flechas na direção de Henri, que se abaixou, sumindo de vista.

— Parem! — gritou o sargento. — O próximo que se mover sem ordens minhas vai levar cinquenta chibatadas e passar um ano limpando as latrinas!

Ele se voltou para Cale.

— Que tal, filho? Liberte-o e ninguém irá feri-lo.

— E depois?

— Não posso dizer. Farei o possível. Contarei a eles que aqueles meninos estavam perturbando você. Agora, se eles vão ouvir... Que escolha você tem?

— Cale! Faça o que ele diz — gritou Henri Embromador de cima do telhado, desta vez tomando o cuidado de mostrar apenas a cabeça por sobre a beirada.

Cale aguardou um instante, embora estivesse perfeitamente claro o que ele deveria fazer. Afastando A Lâmina do pescoço de Conn, ele olhou ao seu redor, procurando um lugar para colocá-la. Teve sorte. À distância de dois passos para trás, que ele deu com extrema cautela, havia um pedaço antigo do muro, logo abaixo da altura do seu joelho, onde duas pedras fundamentais enormes se encontravam. Ele enfiou A Lâmina entre as duas pedras a uma profundidade de 25 centímetros.

— O que você está fazendo, menino? — falou o sargento.

Em seguida, Cale largou Conn Materazzi inconsciente no chão, voltou-se para a espada e a empurrou com toda a sua força para o lado, forçando-a contra as pedras grandes. A Lâmina, talvez a maior espada em toda a história do mundo, entortou e se partiu com o som de um sino tocando — BLÉM!

Os soldados arquejaram de espanto como se fossem uma só pessoa: Cale olhou para o sargento, largando calmamente a metade quebrada de A Lâmina que ainda estava em suas mãos. O sargento andou em sua direção, apanhando uma algema de um dos soldados ao seu lado.

— Vire-se, menino.

Cale obedeceu. Enquanto o algemava, o sargento falou baixinho no ouvido de Cale:

— Essa foi a última idiotice que você fez na vida, filho.

Um dos médicos da guarda — havia um entre cada sessenta homens do exército dos Materazzi — estava examinando Conn, que jazia inconsciente. Ele assentiu para o sargento e foi examinar os demais. Ao mesmo tempo, Arbell Pescoço de Cisne invadia o círculo que rodeava Cale e se ajoelhava ao lado de Conn, tomando seu pulso. Satisfeita, ela se levantou para encarar Cale, que já se encontrava preso entre dois soldados. Ele devolveu o olhar, inexpressivo e calmo.

— Imagino que você não vá me esquecer uma segunda vez — disse ele. E, com essas palavras, foi arrastado dali pelos soldados. Foi então que a sorte de Cale mudou. Henri Embromador não estava sozinho no telhado. Tão curioso quanto ele, embora menos preocupado com o que podia acontecer com Cale, Kleist o seguira. Logo no começo da briga, Henri lhe dissera para tentar trazer Albin para lá.

Kleist o encontrou no único lugar em que sabia onde procurá-lo. Num piscar de olhos, Albin já estava fora de seu gabinete e chamando seus homens para acompanhá-lo. E, assim, ele chegou no instante em que os quatro soldados arrastavam Cale do jardim em direção à cadeia da cidade, um lugar onde ele teria sorte se sobrevivesse até o dia seguinte.

— Nós cuidaremos disso a partir daqui — disse Albin, acompanhado de dez dos seus homens, uniformizados com seus coletes pretos e chapéus de feltro da mesma cor.

— O sargento nos disse para levá-lo para a cadeia — falou o soldado mais veterano de todos.

— Eu sou o capitão Albin, da Divisão de Assuntos Internos, e responsável pela segurança da Cidadela, de modo que é melhor entregá-lo para mim, ou então...

A presença imponente de Albin, assim como os dez oficiais com cara de poucos amigos que o acompanhavam, conhecidos pelo apelido nada carinhoso de "buldogues", acovardara os soldados, cuja entrada raramente era permitida na Cidadela e que ficavam imediatamente desconfortáveis quando contestados em um ambiente tão estranho. Ainda assim, o soldado veterano fez uma segunda tentativa.

— Preciso perguntar ao sargento.

— Pergunte a quem quiser, mas ele é nosso prisioneiro e está vindo conosco agora mesmo. — Com essas palavras, Albin mandou seus homens avançarem com um gesto da cabeça, ao que os soldados em desvantagem deixaram Cale ser apanhado com hesitação. O soldado veterano assentiu para um dos outros, que atravessou de volta o jardim para buscar ajuda. Porém, àquela altura os buldogues já haviam apanhado Cale e, erguendo-o do chão, começado a seguir caminho pelo labirinto de becos que serpeavam por toda a Cidadela. Quando o reforço chegou, eles já haviam desaparecido.

Dez minutos depois, Cale estava em uma das celas particulares de Vipond e um carcereiro trabalhava nas algemas que prendiam suas mãos. Em vinte minutos, ele estava livre e parado no meio do cubículo mal iluminado, enquanto a porta era fechada às suas costas. Havia outra cela ao lado da sua, separada em parte por um muro e em parte por barras. Cale se sentou e começou a refletir sobre o que tinha feito. Não eram pensamentos felizes, porém, poucos minutos depois, eles foram interrompidos por uma voz vinda da cela à direita.

— Tem um cigarro?

15

— A gente só se encontra em circunstâncias desagradáveis — disse IdrisPukke. —Talvez devêssemos mudar de vida.

— Fale por você, vovô. — Cale se sentou no catre de madeira e fingiu ignorar seu companheiro de prisão. Era o cúmulo do acaso, reencontrar IdrisPukke.

— Que coincidência isso — disse o outro.

— Pode-se dizer que sim.

— E não é? — Fez-se um silêncio. — O que o traz aqui?

Cale pensou antes de responder.

— Eu entrei numa briga.

— Entrar numa briga não o faria acabar na prisão particular de Vipond. Com quem você estava brigando?

Novamente, Cale pensou sobre a sua resposta. Mas, que diferença fazia?

— Conn Materazzi.

IdrisPukke gargalhou, porém, o fascínio e a admiração estavam claros naquela risada, de modo que, por mais que tentasse, Cale mal conseguiu resistir à bajulação.

— Meu Deus, o Pentelhinhos Dourados em pessoa. Pelo que ouvi falar, você tem sorte de estar vivo.

— A sorte é toda dele. Deve estar acordando agora, e com uma bela dor de cabeça.

— Você é cheio de surpresas, não é? — Ele ficou calado por um instante. — Ainda assim... nada disso explica sua presença aqui. O que essa história tem a ver com Vipond?

— Talvez seja por causa da espada.

— Que espada?

— A espada de Conn Materazzi.

— Por que a espada dele teria alguma coisa a ver com isso?

— A espada não era exatamente *dele*.

— Como assim?

— Na verdade, é a do marechal Materazzi. A que eles chamam de A Lâmina. — Desta vez, o silêncio foi muito mais profundo.

— Depois que larguei Conn no chão, eu enfiei a espada no meio de duas pedras e quebrei.

O silêncio que vinha de IdrisPukke era grave e frio.

— Um ato de vandalismo particularmente estúpido. Aquela espada era uma obra de arte.

— Não tive muito tempo para admirá-la enquanto Conn tentava me cortar em dois com ela.

— Mas a briga já tinha acabado, você mesmo disse.

A verdade era que Cale vinha se arrependendo do seu gesto impulsivo desde o instante em que quebrara a espada.

— Quer meu conselho?

— Não.

— Vou dá-lo de qualquer maneira. Se você for matar alguém, então mate. Se for deixar a pessoa viver, deixe-a viver. Mas não faça disso um bicho de sete cabeças.

Cale deu as costas para IdrisPukke e se deitou.

— Enquanto estiver dormindo, sonhe no seguinte: tudo o que você fez, especialmente ter quebrado a espada, significa que deveria estar nas mãos do doge. Nada disso explica sua presença aqui.

Meia hora depois, um Cale insone foi perturbado pelo som da porta da sua cela sendo destrancada. Ele se sentou e viu Albin e Vipond entrando. Vipond o encarou cheio de ódio.

— Boa-noite, Lorde Vipond — falou alegremente IdrisPukke.

— Cale a boca, IdrisPukke — respondeu Vipond, ainda encarando Cale. — Agora me diga exatamente o que aconteceu. Eu quero toda a verdade, ou juro por Deus que o entrego para o doge neste minuto. E, quando terminar, me conte exatamente quem é você e como pode ter conseguido derrotar Conn Materazzi e seus amigos com tanta facilidade. Estou falando sério: a verdade, ou eu lavo minhas mãos quanto a você mais rápido do que um aspargo leva para cozinhar.

Cale obviamente não sabia o que era um aspargo. A única dificuldade seria decidir o quanto teria que contar a Vipond para persuadi-lo de que ele estava sendo totalmente sincero.

— Eu perdi a cabeça. É isso que as pessoas fazem o tempo todo, não é?

— Por que você quebrou a espada?

Cale pareceu constrangido.

— Foi idiotice minha... aconteceu no calor de uma briga. Eu sinto muito, e vou dizer isso ao doge.

Albin riu.

— Ah, se você sente muito, então tudo bem.

— Onde você aprendeu a lutar tão bem? — perguntou Vipond.

— No Santuário. Minha vida inteira, 12 horas por dia, seis dias por semana.

— Você está me dizendo que Henri e Kleist conseguem lutar daquele jeito?

Aquilo era embaraçoso para Cale.

— Não. Quero dizer, eles são treinados para lutar, mas Kleist é um... um especialista.

— Em quê?

— Em lanças e no arco e flecha.

— E Henri?

— Logística, cartografia, espionagem. — Isso era verdade, mas não toda ela.

— Então nenhum dos dois poderia ter feito o que você fez hoje.

— Não. Já lhe disse.

— Existem outros com a mesma habilidade que você no Santuário?

— Não.

— O que faz de você tão especial? — perguntou Vipond.

Cale ficou um instante calado para dar a impressão de que estava relutante em responder.

— Quando eu tinha 9 anos de idade, já era bom de luta, mas não como agora.

— Então o que aconteceu?

— Eu estava treinando combate com um garoto muito mais velho. Valia tudo, armas de verdade, mas com as pontas e os gumes cegos. Eu me saí melhor do que ele, que acabou no chão... mas banquei o convencido e ele conseguiu me derrubar também. Então ele me bateu no lado da cabeça com uma pedra. E foi isso. Os Redentores o arrancaram de cima de mim, e só por isso ele não arrancou meus miolos na base da pedrada. Acordei dali a duas semanas e, outras duas depois, eu estava de volta ao normal, com a exceção de um amassado no crânio. — Ele ergueu a mão e apontou com um dedo o lado direito da cabeça, em direção à nuca. Então se deteve novamente, como se relutasse em prosseguir.

— Mas você não era mais como antes?

— Não. A princípio, não conseguia mais lutar tão bem. Meu timing estava todo errado, mas, depois de um tempo, me acostumei ao que quer que tenha acontecido quando ele abriu meu crânio.

— Ao que você se acostumou? — perguntou Albin.

— Sempre que você dá um golpe, significa que já decidiu onde vai atingir seu adversário. E sempre se entrega de algum jeito: o lugar para onde você está olhando, o movimento do seu corpo, a maneira como se dobra para não perder o equilíbrio ao atacar. Tudo isso revela ao adversário onde você pretende atingi-lo e, se ele interpretar mal esses sinais, vai levar o golpe; mas, se os interpretar corretamente, consegue bloqueá-lo e evitar ser atingido.

— Qualquer lutador, qualquer esportista, sabe disso — disse Albin. — Um bom soldado, ou um bom jogador de bola, consegue disfarçar um golpe ou um lançamento.

— Eles não conseguiriam disfarçar de mim, independentemente do que fizessem. Pelo menos não agora. Eu consigo antecipar qualquer movimento que uma pessoa pretenda fazer.

— Você pode nos mostrar? — perguntou Vipond. — Sem machucar ninguém, quero dizer.

— Peça que o capitão Albin coloque sua mão atrás das costas.

Albin pareceu desconfortável diante daquilo, o que não passou despercebido a IdrisPukke, que até então observava calado.

— Eu não confiaria nele se fosse você, meu querido capitão.

— Cale a boca, IdrisPukke. — Albin cravou os olhos em Cale, colocando lentamente as mãos atrás das costas.

— Tudo o que o senhor precisa fazer é decidir qual mão apontar para mim o mais rápido que puder. Pode fazer tudo o que quiser para me enganar: fingir que vai atacar, mexer o corpo, tentar me levar a escolher o lado errado. O senhor deci...

Antes de Cale terminar a frase, Albin atirou a mão esquerda na sua direção, apenas para ver o menino apanhá-la na sua mão direita, tão delicadamente quanto se fosse uma bola atirada por um bebê desajeitado. Por mais que ele se esforçasse, o mesmo aconteceu outras seis vezes.

— Minha vez — falou Cale quando um Albin irritado, mas também impressionadíssimo, desistiu. Cale colocou a mão atrás das costas e eles repetiram o processo ao contrário. O menino atirou o braço para a frente seis vezes, e seis vezes Albin escolheu o lado errado.

— Consigo ver o que vai fazer — disse Cale — no instante em que você começa a se movimentar. Isso se dá apenas uma fração de segundo antes de eu ser atingido, mas é sempre o suficiente. Ninguém consegue ver o que estou prestes a fazer, por mais ágeis e experientes que sejam.

— E é só por isso? — perguntou Albin. — Porque você levou uma pancada na cabeça?

— Não — respondeu Cale, irritado sem saber ao certo por quê. — Fui treinado minha vida inteira para fazer uma coisa só. Poderia ter derrotado

Conn Materazzi de qualquer forma, por melhor que ele seja, mas não com tanta facilidade e não outros quatro ao mesmo tempo. Então não, capitão, não é só por isso.

— Como os Redentores reagiram quando perceberam o que tinha acontecido?

Cale soltou um grunhido, uma espécie de risada que não indicava divertimento algum.

— Não *os* Redentores, mas um Redentor: Bosco, o Lorde da Guerra, responsável por todo o treinamento nas marciais.

— Marciais? Como as nossas artes marciais?

Cale riu, achando graça de verdade desta vez.

— Não existe arte nenhuma no que nós fazemos. Pergunte a Conn Materazzi e seus amigos.

Vipond ignorou o gracejo.

— Esse Bosco, o que ele fez quando descobriu o resultado da sua lesão?

— Ele passou meses me testando, mas desta vez contra meninos muito mais velhos e fortes. Chegou a trazer cinco veteranos, que haviam lutado nas guerras dos Vales Ocidentais e estavam sentenciados à morte, segundo ele. — Cale se deteve.

— E o que aconteceu?

— Ele me colocou para lutar com eles quatro dias seguidos. "Mate ou morra", era o que ele dizia para nós dois. Então, depois do quarto dia, ele parou.

— Por quê?

— Já havia visto o bastante para não ter mais dúvidas quanto a mim. Uma quinta vez seria um risco desnecessário. — Ele abriu um sorriso nada amigável. — Afinal de contas, uma luta é sempre imprevisível, não é mesmo? Sempre tem uma chance... um golpe de sorte.

— E depois?

— Depois ele tentou me reproduzir.

— Como assim?

— Ele passou dias medindo a lesão na minha cabeça e comparando-a a alguns crânios que havia apanhado nos cemitérios. Daí fez um modelo de argila. Então, ficou seis meses tentando repetir o ocorrido.

— Não estou entendendo. Como?

— Ele escolheu 12 acólitos da mesma idade e altura do que eu e os amarrou, acertando a cabeça deles com um cinzel feito sob medida, no formato da minha lesão. Pegou um martelo e os golpeou no mesmo ponto do crânio. Às vezes com mais força, depois mais de leve e, então, mais de leve ainda.

Ninguém falou nada por um instante.

— O que aconteceu? — perguntou Vipond baixinho.

— O que aconteceu foi que metade deles morreu quase na hora e o resto... bem, eles não eram os mesmos depois. Daí ninguém mais os viu novamente.

— Foram levados para algum outro lugar?

— Pode-se dizer que sim.

— E então?

— Bosco começou a me treinar pessoalmente. Nunca tinha feito isso antes. Às vezes, me fazia treinar dez horas seguidas por dia, procurando alguma fraqueza, tirando meu couro quando eu errava e depois me corrigindo. Então, ele desapareceu por seis meses e, quando voltou, trouxe sete Redentores que disse serem os melhores no que faziam.

— Que era?

— Matar pessoas, basicamente. Pessoas com armaduras, sem armaduras, com espadas, com bastões, desarmadas. Como organizar chacinas... — Cale fez uma pausa.

— De prisioneiros?

— Não só de prisioneiros, de qualquer tipo de gente. Dois deles eram como se fossem generais. Um se encarregava da parte tática: batalhas, retiradas, grandes manobras militares. O outro cuidava das atividades de guerrilha: pequenos grupos combatendo em território inimigo, assassinatos, como aterrorizar os nativos para que eles ajudem você, e não o inimigo.

— E para que servia tudo isso?

— Bem, eu nunca fui idiota a ponto de perguntar.

— Tinha a ver com as guerras dos Redentores no Ocidente?

— Já lhe disse, eu não perguntei.

— Você deve ter formado uma opinião.

— Formado uma opinião? Sim. De que tinha algo a ver com as guerras no Ocidente.

Vipond lançou um olhar demorado e firme para Cale, que o devolveu com insolência. Então, o chanceler pareceu se decidir quanto a algo. Ele se voltou para Albin.

— Traga os outros dois para a minha casa o mais rápido possível.

Albin fez sinal para o carcereiro e eles foram embora.

Cale se sentou em sua cama e IdrisPukke se aproximou das barras.

— Vida interessante a sua — falou ele para Cale. — Você deveria escrever um livro.

16

Assim que Lorde Vipond terminou de falar com Henri Embromador e Kleist, ele foi até o *palazzo* do marechal Materazzi, o doge de Memphis.

O doge tinha muitos conselheiros, pois era um homem que adorava se consultar e discutir os assuntos de forma minuciosa e demorada. O fato de ele raramente aceitar conselhos era apenas uma daquelas peculiaridades que muitas vezes afligem os que herdam posições de imenso poder. A única exceção a esta regra de falar sem ouvir era reservada ao Lorde Vipond, ele próprio extremamente poderoso graças à sua rede de espiões e informantes e a um talento quase incontestável para estar certo. Conforme dizia a rima popular:

O chanceler Vipond não está plantando nem colhendo
E o que ele não sabe não vale a pena ficar sabendo.

Não é nenhuma grande rima, mas também não deixa de estar correta. O marechal Materazzi era um homem consideravelmente implacável, que chegou ao reinado do maior império que o mundo já conheceu. Manter o controle incontestável sobre ele durante vinte anos exigiu grande habilidade militar, talento para a política e uma inteligência notável. No entanto, embora tenha tido Vipond como conselheiro durante quase todo esse tempo, o doge jamais conseguiu entender como o chanceler se tornou quase tão poderoso quanto ele. Um dia, após cerca de três anos de reinado, ele se deu conta, para o seu horror, de que Vipond se tornara indispensável. A princípio, isso o deixou profundamente hostil ao chanceler — aquela era uma situação intolerável, que o deixava exposto a um assassinato, ou, pior ainda, ao risco de se tornar uma espécie de marionete. Contudo, Vipond deixara claro ao marechal que sempre seria seu servo fiel, desde que ele não interferisse no seu papel de chanceler e parasse de ser um pé no saco. Desde então, a relação entre os dois tem sido não exatamente tensa, mas, como dizem os camponeses dos arredores de Memphis, mais azeda.

Conduzido à presença do Materazzi, Vipond assentiu com a cabeça e foi convidado a sentar.

— Como vai, Vipond?

— Muito bem, meu amo. E o senhor?

— Ah, bem.

Fez-se um silêncio desconfortável; ou melhor, desconfortável para o marechal, pois Vipond simplesmente continuou sentado com um sorriso benevolente nos lábios.

— Fui informado que você se reuniu com os embaixadores da Noruega hoje — falou o marechal.

— Exatamente.

Os noruegueses, uma das raças da fronteira conquistadas pelos Materazzi mais de 15 anos atrás, haviam aproveitado com gosto as vantagens oferecidas pela ocupação — estradas, *palazzos* com aquecimento central e artigos de importação luxuosos —, sem, no entanto, abandonar seu apetite voraz por batalhas. Já fazia cinco anos que o marechal, atualmente cansado de guerra, sentindo-se cada vez mais irritado pelos custos de manutenção do seu vasto império, havia decidido que ele não deveria mais se expandir. Os noruegueses, no entanto, apesar de sua comovente lealdade aos conquistadores, estavam constantemente criando problemas e tentando expandir seu próprio território para o norte sempre que possível, apesar das repetidas ordens para que não o fizessem. Desonestos até dizer chega, os noruegueses provocavam seus vizinhos e, geralmente, utilizavam todos os truques disponíveis para afirmar que haviam sido atacados e, portanto, não tinham outra escolha senão invadir os agressores para se protegerem. Conforme Vipond sabia muito bem, esses ataques eram realizados por soldados noruegueses disfarçados de tropas do país vizinho, já que gostavam mesmo era de uma boa pilhagem.

— Os que eles tinham a dizer em defesa própria?

— Ah — respondeu Vipond —, o de sempre: que eram vítimas, vítimas pacíficas que estavam apenas se defendendo e defendendo o império do qual são os mais fiéis súditos.

— E qual foi a sua resposta?

— Eu disse que não nasci ontem e que, se eles não mandassem suas tropas de volta para o quartel, nós consideraríamos a hipótese de lhes oferecer a independência.

— E como reagiram a isso?

— Os seis enviados ficaram brancos de horror e prometeram que o exército se retiraria até o fim da semana.

Materazzi observou Vipond atentamente.

— Talvez devêssemos lhes oferecer a independência de qualquer maneira, e a vários outros, também. O custo de governar e policiar essas províncias é exorbitante. Mais do que recolhemos de impostos, não estou certo?

— Basicamente... mas então o senhor teria, ou que reduzir nosso exército e ter um bando de soldados de pavio curto zanzando por aí à procura de confusão, ou mantê-lo às próprias custas.

Materazzi resmungou.

— Entre a cruz e a espada.

— Temo que sim, meu amo. Porém, obviamente, se o senhor quiser que eu faça uma estimativa oficial...

— Para onde você levou o menino que quebrou minha espada?

Essas mudanças de assunto repentinas eram uma velha tática do marechal para abalar qualquer um que estivesse lhe causando aborrecimento.

— Sou responsável pela segurança dentro da cidade.

— Você é responsável por assuntos relacionados à sedição, não é um policial. Isso não tem nada a ver com você. Ele quebrou minha espada, que é inestimável, e feriu gravemente meu sobrinho e os filhos de quatro membros da corte. Essas pessoas querem o sangue dele e, digo isto sem esperar nada em troca, eu também.

Vipond o encarou pensativo.

— Talvez seja possível consertar A Lâmina.

— Você não sabe nada sobre o assunto. Não finja que sabe.

— De fato não sei, mas conheço um homem que sabe. O comissário Walter Gurney retornou de sua embaixada em Riben.

— Por que ele não se reportou a mim?

— Ele não está bem. Provavelmente não verá o próximo ano, eu diria.

— O que isso tem a ver com a minha espada?

— O relatório de Gurney continha uma longa seção sobre a extraordinária habilidade dos ferreiros de Riben. Ele diz nunca ter visto um trabalho parecido. Tivemos uma breve conversa, e ele me confidenciou que, se A Lâmina puder ser consertada, talvez os forjadores de Riben sejam as pessoas certas para tanto. — Ele fez uma pausa. — Isso se daria, obviamente, sob minha garantia pessoal de que ela estaria segura e às minhas próprias custas.

— Por quê? — perguntou Materazzi. — O que esse menino significa para você para valer todo esse trabalho e custo?

— Em sua irritação perfeitamente compreensível diante do que aconteceu a um bem valioso e dos ferimentos sofridos pelo seu sobrinho, o senhor, se me permite a franqueza, ignorou o fato de que um menino de 14 anos conseguiu dar uma sova em cinco dos mais promissores soldados dos Materazzi, entre eles, o que supostamente é o melhor de sua geração. Isso não o preocupa?

— Mais um motivo para nos livrarmos dele.

— O senhor não está interessado em como ele adquiriu esse talento extraordinário?

— Como, então?

— Esse jovem, que se chama Cale, foi treinado pelos Redentores, no Santuário.

— Eles nunca nos deram problema algum.

— Não no passado, porém, esse menino me contou que, nos últimos sete anos, houve uma grande mudança no dia a dia e nos treinamentos no Santuário. Eles estão treinando mais soldados e com mais brutalidade.

— Você tem medo que eles nos ataquem? Seria muita tolice se fizessem isso.

— Em primeiro lugar, é meu dever ter medo desse tipo de coisa. Em segundo, quantos reis e imperadores pensaram o mesmo a respeito do senhor trinta anos atrás?

Materazzi suspirou, irritado e desconfortável: por mais que tivesse sido um terror sagrado sedento por sangue enquanto erguia seu grande império, a verdade era que, em dez anos de paz, ele havia perdido seu apetite pela guerra. O soldado implacável, que já fora sinônimo de conquista voraz, se tornara um homem nos estertores da meia-idade que desejava uma vida tranquila, na qual jamais precisaria estar congelando de frio numa semana, morrendo de sede na outra, ou temendo — conforme admitira certa vez, embriagado, para Vipond — acabar estripado pelo facão de um camponês manco que tivesse acertado um golpe de sorte. Jamais admitira para ninguém, mas sua verdadeira aversão pela guerra começou depois de um inverno em que ele passara fome nos campos de gelo de Stetl, onde se viu reduzido a comer os restos mortais do seu estimado sargento-mor.

— Então, qual é o seu plano? Tenho certeza de que você tem um. E é melhor que ele inclua alguma maneira de tirar meu irmão do meu cangote a respeito de Conn.

Vipond colocou uma carta na mesa. Era de Conn Materazzi. O marechal a abriu e começou a ler. Ao terminar, devolveu a carta à mesa.

— Conn Materazzi possui muitas qualidades admiráveis. Eu não sabia que a capacidade de ser superior fosse uma delas.

— A sua facilidade em julgar as pessoas, marechal, é uma lição para todos nós. Não seria uma questão de vaidade? Tive uma conversa com Conn e ressaltei que punir Cale por derrotá-lo o deixaria exposto ao ridículo. Ele concordou.

— Você não pode deixar esse seu garoto à solta pelas ruas de Memphis. Os pais da cidade não irão tolerar uma coisa dessas, e eu tampouco. As pessoas não podem achar que fiz vistas grossas a esse assunto, Vipond.

— É claro que não. Mas todos sabem que ele está sob a minha custódia. Se ele escapar, as críticas serão direcionadas a mim.

— Você quer deixá-lo escapar.

— De forma alguma. O menino possui habilidades inigualáveis. Além disso, ele e seus amigos são a única fonte real de informações que temos sobre os Redentores e suas intenções. Precisamos saber muito mais. Isso já está sendo providenciado, mas preciso que eles confirmem as informações que recebo. Esses garotos são valiosos demais; mais importantes do que qualquer espada ou do que os galos nas cabeças de um bando de valentões mimados que receberam exatamente o que mereciam.

— Por Deus, você está me desacatando?

— Se eu lhe desagradei de alguma forma, meu amo, irei renunciar imediatamente.

O marechal soltou um arquejo sonoro de irritação.

— Pronto! Lá vai você novamente. Não se pode dizer "bu!" sem que você faça uma tempestade em copo d'água. A idade está lhe deixando cada vez mais suscetível, Vipond.

— Perdão, marechal — disse Vipond com um ar de falso arrependimento. — Meus ferimentos talvez tenham me deixado mais genioso do que eu gostaria.

— Exatamente! Meu caro Vipond, você precisa se cuidar. Foi uma provação terrível, terrível. Eu já tomei demais do seu tempo, um egoísmo imperdoável da minha parte. Você precisa descansar.

Vipond se levantou, aceitando com um gesto da cabeça a preocupação do marechal, e então se pôs a sair. Porém, quando ele estava chegando à porta, Materazzi falou em um tom agradável:

— Então, providencie o conserto da espada às suas custas e cuide deste outro assunto.

17

Dois dias depois, IdrisPukke e Cale avançavam lentamente pela avenida Sete, uma das estradas de pedra largas que partiam de Memphis e que, dia e noite, estavam repletas de mercadorias que entravam e saíam daquele que era o maior de todos os centros comerciais. Após várias horas de silêncio, Cale fez uma pergunta.

— Você foi mandado para a cadeia para me espionar?

— Fui — respondeu IdrisPukke.

— Não, não foi.

— Por que pergunta, então?

— Queria ver se podia confiar em você.

— Bem, não pode.

— O chanceler Vipond confia?

— Nem um pouco.

— Então por que ele me obrigou a ficar com você como condição para manter meus amigos em segurança?

— Você deveria ter perguntado para ele.

— Eu perguntei.

— E o que ele disse?

— "A curiosidade matou o gato."

— Então, pronto.

Cale ficou calado por um instante.

— O que ele fez para garantir que você ficaria comigo?

— Ele me pagou.

Isso não era exatamente mentira, porém, o que ligava IdrisPukke a Cale era muito mais do que dinheiro. Para que o dinheiro tenha alguma utilidade, você precisa ter onde gastá-lo. E não havia nenhum lugar para o qual valesse a pena ir que também não tivesse uma sentença de morte à sua espera. Vipond havia simplesmente colocado a realidade do futuro de IdrisPukke na mesa — o que quer dizer que não havia futuro algum para ele — e então lhe oferecido uma saída possível. Primeiro, um lugar relativamente confortável para se esconder por alguns meses e então, se ele cumprisse suas ordens, a possibilidade de uma série de perdões temporários que poderia ao menos livrá-lo de ser executado por qualquer governo oficial sob o comando dos Materazzi.

— E quanto às pessoas que querem me matar extraoficialmente? — perguntou ele a Vipond.

— Isso é problema seu. Mas se você se aproximar do menino e descobrir algo de útil, além de mantê-lo longe de problemas, talvez eu possa ajudá-lo.

— Não é grande coisa, meu amo.

— Para um homem na sua posição, que, na verdade, não é posição nenhuma, eu acho uma oferta muito generosa — respondeu Vipond, despachando-o com um gesto. — Se você tiver outra melhor, sugiro que a aceite.

— O que — disse Cale após outra hora de silêncio — nós vamos fazer nesse tal lugar para onde estamos indo?

— Ficar longe de problemas. Esclarecer algumas coisas para você.

— Tipo?

— Espere até a gente chegar lá.

— Você sabia — perguntou Cale — que nós estamos sendo seguidos?

— O brutamontes feioso de paletó verde?

— Sim — falou um Cale desapontado.

— Está bem na cara, você não acha?

Cale se virou para olhar, como se a obviedade do homem que os seguia também fosse clara para ele. IdrisPukke riu.

— Quem quer que esteja por trás disso espera que a gente pegue o sr. Simpatia lá atrás e o largue em uma vala qualquer. O verdadeiro perseguidor está a uns duzentos metros de distância.

— Como ele é?

— Essa é sua primeira lição. Veja se consegue identificá-lo antes de eu lidar com ele.

— Você quer dizer matá-lo?

IdrisPukke encarou Cale.

— Que matadorzinho sanguinário você é. Vipond deixou claro que deveríamos nos tornar invisíveis, e não acho que deixar um rastro de cadáveres se enquadre nisso.

— Então o que você vai fazer.

— Observe e aprenda, filhote.

Ao longo das estradas que conduziam a Memphis havia pequenas guaritas separadas por 8 quilômetros de distância umas das outras e ocupadas por no máximo meia dúzia de soldados. Foi numa delas que IdrisPukke, observado por um Cale que se divertia, entrou numa discussão com um cabo.

— Pelo amor de Deus, homem, esta é uma autorização assinada pelo próprio chanceler Vipond.

O cabo falou em tom de desculpa, mas com firmeza:

— Sinto muito, senhor. Tem cara de oficial, mas eu nunca vi uma dessas antes. É um comandante em chefe quem geralmente assina esse tipo de autorização. Sei como elas são e conheço a assinatura. Tente ver o meu lado. Vou mandar chamarem o tenente Webster.

— Quanto isso vai demorar? — disse um IdrisPukke exasperado.

— Só amanhã, provavelmente.

IdrisPukke resmungou, frustrado, e então foi até a janela. Cerca de um minuto depois, ele fez sinal para Cale se aproximar.

— Espere lá fora — sussurrou ele.

— Achei que era para eu observar e aprender.

— Não discuta comigo, cacete, só faça o que eu mandei. Vá para os fundos e não deixe ninguém ver você.

Sorrindo, Cale obedeceu. Nos fundos da guarita, havia quatro soldados sentados contra uma parede, fumando e com cara de entediados. Cinco minutos depois, IdrisPukke apareceu e fez com a cabeça para Cale se juntar a ele, enquanto conduzia os cavalos por um beco afastado da rua principal.

— E então — perguntou Cale —, o que está rolando?

— Ele vai prendê-los e mantê-los na cadeia por uns dois dias.

— O que o fez mudar de ideia?

— O que você acha?

— Não sei, é por isso que estou perguntando.

— Eu o subornei. Quinze dólares para ele e cinco para cada um de seus homens.

Cale ficou genuinamente chocado com isso. Por mais odiosos, cruéis e bitolados que fossem os Redentores, a hipótese de negligenciarem seus deveres por dinheiro era inconcebível.

— Nós tínhamos uma autorização — disse ele, indignado. — Por que precisaríamos suborná-los?

— Não tem necessidade de ficar puto dentro das calças — falou IdrisPukke com irritação. — Considere isso parte da sua educação, um novo fato para assimilar no sentido de saber como as pessoas são de verdade. Não fique pensando que — prosseguiu ele, de cara amarrada —, só porque os Redentores o tratavam como um cachorro, você já sabe tudo sobre como a raça humana não passa de um bando de desgraçados podres e corruptos.

E, com essa observação mal-humorada, ele seguiu adiante e ficou o resto do dia calado.

Talvez seja fácil dizer por que IdrisPukke ficou tão incomodado, embora estivesse acostumado a coisas muito piores do que ser extorquido por um milico cínico como o cabo. Quantos de nós precisamos necessariamente de um grande desastre para ter um chilique? Perder uma chave, pisar em uma pedra pontuda ou ser contestado em um assunto sem importância já basta para deixar até mesmo o homem mais razoável furioso, se ele estiver no clima. A questão era toda essa e, por mais que Cale tivesse seus limites para compreender a natureza humana no que dizia respeito a qualquer um que não fosse um fanático cruel, ele teve o bom-senso de deixar IdrisPukke quieto no seu canto até ele se acalmar.

Não obstante, se IdrisPukke tivesse percebido quem estava por trás do fato de eles estarem sendo seguidos, teria todo o direito de se sentir furioso — e amedrontado também, pois saberia que Kitty das Lebres não teria permitido que seus espiões fossem descobertos com tanta facilidade. Os dois homens que IdrisPukke havia identificado estariam em uma cela dentro de uma hora, porém, eles eram apenas iscas, enviados justamente para serem apanhados. Enquanto Cale e IdrisPukke voltavam para a estrada principal e, um dia depois, saíam dela para seguir em direção à Floresta Branca, outros dois pares de olhos os seguiam e, desta vez, eram muito mais astuciosos.

À medida que eles subiam pela montanha, o sol brilhava e o ar lhes parecia tão cristalino quanto água potável. IdrisPukke havia esquecido a rabugice do dia anterior e retomado seus modos mais expansivos, contando para Cale sobre a sua vida, suas aventuras e suas opiniões — que ele tinha de sobra. Você talvez esteja imaginando que Cale, capaz como ele era de uma ira implacável e uma violência terrível, tenha ficado irritado com o fato de seu companheiro se colocar na posição de mentor, reservando-lhe o papel de discípulo. No entanto, você deve levar em conta que Cale ainda era jovem, apesar de todas as suas qualidades duras, e a extensão e a natureza da experiência de IdrisPukke, seus altos e baixos, seus amores e seus adversários, teriam fascinado até mesmo o mais saturado dos ouvintes. Um dos maiores talentos de IdrisPukke era a maneira como ele fazia graça de si mesmo e assumia a responsabilidade pela maioria de suas derrocadas. Um adulto que ria de si mesmo era algo mais do que inusitado para Cale: era quase incompreensível. Rir para os Redentores era uma coisa pecaminosa — uma estultice inspirada pelo próprio diabo.

Não que IdrisPukke tivesse, de forma alguma, uma visão alegre do mundo, no entanto, seu pessimismo era expressado através de uma alegria sagaz e uma disposição a se incluir no seu próprio cinismo espirituoso; disposição esta que Cale achava estranhamente reconfortante, além de divertida. Cale não era propenso a dar ouvidos a qualquer um que tivesse uma opinião favorável sobre os seres humanos — esse tipo de temperamento jamais combinaria com sua experiência diária. Contudo, ele descobriu que ouvir alguém que ria da crueldade e da estupidez humana tornava sua raiva mais fácil de suportar, chegando até a apaziguá-la.

— São poucas as maneiras — proclamaria IdrisPukke do nada — de deixar as pessoas de bom humor que não envolvam contar para elas alguma desgraça terrível que tenha acometido você recentemente.

Ou então:

— A vida é uma viagem para gente como eu e você: uma viagem na qual nós nunca sabemos para onde estamos indo. Você vê um novo destino no caminho, depois outro melhor e assim por diante, até o local a que pretendia chegar inicialmente cair no esquecimento. Somos como alquimistas que começam buscando por ouro e, durante o processo, descobrem novos remédios, uma maneira lógica de ordenar as coisas e fogos de artifício: a única coisa que nunca descobrem é ouro!

Cale riu.

— Por que eu deveria escutar uma só palavra que você diz? Quando te vi pela primeira vez, você caiu diante dos meus pés e, nas outras duas vezes, estava preso.

Uma expressão de ligeiro desdém atravessou o rosto de IdrisPukke, como se aquela fosse uma objeção conhecida que mal merecia uma resposta.

— Então aprenda com meus erros, Mestre Acabei de Sair das Fraldas. E aprenda também com o fato de que, embora eu tenha andado pelos corredores do poder durante quarenta anos, ainda estou vivo. O que é bem mais do que se pode falar sobre a maioria das pessoas que andaram por eles comigo. E eu me atrevo a dizer que, se você não demonstrar um bom-senso muito maior do que demonstrou até agora, vai acabar indo pelo mesmo caminho.

— Tenho me saído bem até aqui.

— Ah, é?

— É.

— Você tem dado sorte, filhote, e muita. E pouco me importa o quanto você é bom com os punhos. O fato de você ter chegado até aqui sem acabar pendurado na ponta de uma corda é tanto uma questão de sorte quanto de consequência. — Ele fez uma pausa e suspirou. — Você confia em Vipond?

— Eu não confio em ninguém.

— Qualquer idiota pode dizer que não confia em ninguém. O problema é que às vezes é preciso. As pessoas podem ser nobres, abnegadas e todas aquelas outras qualidades admiráveis. Elas existem, mas a questão é que essas virtudes nobres tendem a ser inconstantes. Ninguém espera que um homem bem-humorado ou uma mulher bondosa sejam assim o tempo inteiro todos os dias. Mas, mesmo assim, ficam chocados quando uma pessoa é confiável durante um mês ou um ano e deixa de ser por uma hora ou um dia.

— Se você não pode contar com uma pessoa o tempo todo, então não confia nela.

— E você é confiável.

— Não. Eu descobri, IdrisPukke, que sou capaz de fazer coisas nobres. Sou capaz de salvar os inocentes — ele sorriu, zombando de si mesmo —, salvá-los das garras dos perversos e injustos. Porém, não combina comigo. Eu estava em um dia bom, ou em um dia ruim, quando salvei Riba. Mas vai demorar a acontecer de novo.

— Você tem certeza disso?

— Não, mas vou me esforçar ao máximo. — Eles cavalgaram em silêncio por mais meia hora. — Você confia em Vipond? — disse Cale, por fim.

— Depende. Em relação a quê?

Cale se mexeu desconfortavelmente em sua sela.

— Ele prometeu que, se eu ficasse com você e me comportasse, Henri Embromador e Kleist ficariam bem. Que os protegeria. Ele vai fazer isso?

— Então... você está preocupado com seus amigos? Não é tão sem coração quanto gosta de fingir.

— Você acha? Tente depender do meu coração... e espere para ver onde vai parar.

IdrisPukke riu.

— O que você não deve esquecer a respeito de Vipond é que ele é um grande homem, e que grandes homens têm grandes responsabilidades. Quebrar suas promessas é uma delas.

— Você só está querendo soar esperto.

— Nada disso. Vipond tem peixes muito mais graúdos para fritar, e você e seus amigos não são peixes nem um pouco grandes. E se uma centena de vidas ou a segurança de Memphis e de todos os seus milhares de almas dependessem de ele quebrar sua palavra para três peixinhos como você e seus amigos? O que faria no lugar dele? Se você acha que é tão casca-grossa assim, diga-me.

— Kleist não é meu amigo.

— O que acha que Vipond quer de você?

— Ele quer que eu aprenda a confiar em você para lhe contar toda a verdade sobre o que aconteceu com os Redentores. Está achando que eles podem ser uma ameaça.

— E ele tem razão?

Cale o encarou.

— Os Redentores são uma praga que infesta a face da Terra... — Ele deu a impressão de querer prosseguir, porém, esforçou-se para se conter.

— Você ia dizer mais alguma coisa.

— É, eu ia.

— O quê?

— Só eu sei, cabe a você descobrir.

— Como quiser. Quanto a confiar em Vipond... você pode, sim, até certo ponto. Ele fará tudo ao seu alcance para proteger seu amigo e o outro que não é seu amigo, a não ser que passe a ser necessário não fazê-lo. Enquanto eles não se tornarem importantes do jeito errado, estão em total segurança.

Enquanto cavalgavam em silêncio, os dois continuaram sem perceber que os olhos e ouvidos de Kitty das Lebres acompanhavam seus passos e ouviam sua conversa.

Às quatro horas daquela tarde, IdrisPukke desmontou de seu cavalo e, gesticulando para Cale fazer o mesmo, abandonou a trilha, adentrando o que parecia uma mata virgem. O caminho teria sido árduo mesmo sem os cavalos, e eles seguiram por quase duas horas inteiras até as árvores e arbustos ficarem menos cerrados, dando lugar em seguida a outra trilha claramente pouco utilizada.

— Me parece que você já conhecia o caminho — disse Cale para as costas de IdrisPukke.

— Estou vendo que não dá para esconder nada de você, sr. Sabe-Tudo.

— Como, então?

— Eu costumava vir bastante aqui para Treetops com meu irmão, quando era garoto.

— E quem é ele?

— O chanceler Leopold Vipond.

18

Cale poderia ter achado que os dois meses seguintes passados no Chalé de Treetops foram os mais felizes da sua vida, se tivesse outra experiência feliz com a qual compará-los. Porém, levando-se em conta que dois meses no Sétimo Círculo do Inferno teriam sido um progresso diante da vida que levava no Santuário, não havia nada com que comparar sua felicidade. Ele estava simplesmente feliz. Dormia 12 horas por dia e muitas vezes até mais, bebia cerveja e, ao cair da noite, fumava junto com IdrisPukke, que se esforçou ao máximo para garantir que, uma vez superada a aversão inicial, fumar seria ao mesmo tempo um grande prazer e um dos poucos consolos verdadeiramente confiáveis que a vida tinha para dar.

À tardinha, os dois se sentavam na espaçosa varanda de madeira da velha cabana de caça, escutando o zumbido dos insetos e observando as andorinhas e os morcegos mergulhando e fazendo acrobacias no ar. Geralmente, ficavam sentados horas a fio em um silêncio pontuado, de tempos em tempos, por alguma das anedotas de IdrisPukke sobre a vida e seus prazeres e suas ilusões.

— A solidão é uma coisa maravilhosa, Cale, e por dois motivos. Em primeiro lugar, ela permite que um homem esteja consigo mesmo e, em segundo, evita que ele esteja na companhia dos outros. — Cale concordou com a cabeça com uma sinceridade possível apenas para alguém que havia passado cada hora desperta ou adormecida da sua vida na companhia de centenas de outras pessoas, sempre vigiado e espionado.

— Ser sociável — prosseguiu IdrisPukke — é uma coisa arriscada. Fatal até, pois significa estar em contato com pessoas. E a maioria delas é idiota, perversa e ignorante, e está com você apenas porque não consegue aguentar a própria companhia. Normalmente, as pessoas se entediam sozinhas e recebem você não como um amigo de verdade, mas como uma distração, como se fosse um cachorro dançante ou um ator de meia-tigela com um estoque de histórias divertidas. — IdrisPukke tinha uma antipatia especial por atores e era fácil ouvi-lo discorrer sobre seus defeitos, uma repulsa que não fazia sentido para Cale, pois ele jamais tinha visto uma peça: a ideia de fingir ser outra pessoa por dinheiro lhe era incompreensível.

— Obviamente, você é jovem e ainda não sentiu o impulso mais forte de todos: o amor de uma mulher. Não me entenda mal. Todo homem e toda mulher deveriam saber o que significa amar e ser amado. O corpo feminino é a melhor imagem da perfeição que conheço. Porém, para ser totalmente sincero com você, Cale, embora duvide que vá fazer alguma diferença, desejar o amor, como disse certa vez um homem muito espirituoso, é desejar estar acorrentado a um lunático.

Em seguida, ele abria uma cerveja, enchia um quarto da caneca de Cale — nunca mais do que isso e sempre com moderação — e se recusava a lhe dar mais tabaco, observando que, quando o assunto era fumar, o exagero faz mal e pode prejudicar o fôlego de um jovem.

E, depois, às vezes já bem de madrugada, Cale ansiava pelo que havia se tornado quase o seu maior prazer: uma cama quente e um colchão macio para aproveitar total e completamente sozinho, sem nenhum resmungo, grito, ronco ou o cheiro dos peidos de centenas de meninos — apenas um silêncio e uma paz maravilhosos. Durante aqueles dias, para Cale era uma alegria estar vivo.

Ele começou a vagar sem rumo pela mata por horas a fio, desaparecendo logo ao acordar e retornando à cabana de caça ao cair da noite. As colinas, os eventuais prados, os rios, os cervos desconfiados, os pombos que arrulhavam nas árvores durantes as tardes de calor, a alegria maravilhosa de simplesmente passear sozinho, tudo isso lhe causava um prazer ainda mais intenso do que a cerveja e o tabaco. A única coisa que estragava sua felicidade era o pensamento de Arbell Pescoço de Cisne, cujo rosto lhe vinha sem ser convidado tarde da noite, ou então à tarde, deitado às margens do rio, onde os únicos sons eram o barulho de um ou outro peixe saltando na água, o cantar dos pássaros e o vento fraco contra as árvores. As sensações que Cale tinha quando ela lhe vinha à mente eram estranhas e inoportunas e chocavam-se de forma desagradável contra a paz extraordinária que sentia. Ela o deixava nervoso de um jeito que ele nunca mais queria ficar novamente. Queria apenas se sentir assim: livre, preguiçoso, sem precisar dar satisfações a ninguém em meio ao calor de verão e à beleza verde daquela grande floresta.

A outra grande alegria que ele descobriu foi a de comer. Comer para viver, saciar uma fome intensa simplesmente enchendo a barriga, era uma coisa. No entanto, para um menino cuja dieta consistira, durante boa parte da vida, em pé de defunto, a possibilidade de comer boa comida significava que algo para o qual as pessoas geralmente não davam importância poderia ser fonte de encanto.

IdrisPukke era um grande amante da culinária e, tendo vivido em algum momento ou outro em praticamente qualquer parte do mundo civilizado que se possa imaginar, se considerava, como na maioria dos assuntos, um especialista. Ele adorava preparar refeições quase tanto quanto adorava comê-las, porém, infelizmente, seu desejo de ensinar seu receptivo pupilo sobre o mundo teve que vencer alguns obstáculos.

Sua primeira tentativa de apresentar Cale à grande arte de comer terminou mal. Certo dia, quando Cale voltou ao chalé após uma ausência de dez horas e tão faminto que seria capaz de devorar um padre, ele se deparou com o Banquete do Imperador — a versão improvisada de IdrisPukke da refeição mais espetacular que ele já comera na vida, uma especialidade da Casa de Imur Lantana, na cidade de Apsny. Vários ingredientes tinham sido substituídos: não era possível encontrar pênis de porco nas montanhas, uma vez que os nativos os consideravam animais sujos; açafrão tampouco, pois era caro demais e, de qualquer forma, ninguém nunca tinha ouvido falar de coisa parecida. Além disso, faltava uma iguaria que muitos consideravam o ponto alto do banquete: IdrisPukke, embora não fosse nada sentimental, não teve coragem de afogar dez filhotes de cotovia em conhaque para depois assá-los em forno quente por menos de trinta segundos.

Quando chegou, bronzeado de sol e esfomeado, Cale soltou uma gargalhada ao se deparar com as iguarias que um orgulhoso IdrisPukke colocara à sua frente.

— Comece por aqui — disse o cozinheiro sorridente, e Cale quase literalmente se jogou em cima do prato de camarões de água doce moídos, fritos em pão branco com um molho de framboesa selvagem azeda. Depois de cinco pratos desses, IdrisPukke indicou com a cabeça o pato grelhado com molho de ameixa e, então, com um aviso gentil para que ele fosse mais devagar, as asas de galinha fritas em farelo de pão e as batatas fritas em palito.

Obviamente, em pouco tempo Cale estava passando terrivelmente mal. IdrisPukke tinha visto bastante gente vomitar na vida, e feito o mesmo com frequência. Testemunhara o desagradável hábito kvenlandês de se interromper banquetes de 39 pratos para visitas ao bilematório, ou salão do vômito, necessárias mais ou menos a cada dez pratos se você quisesse comer até o final, evitando, assim, o insulto mortal aos anfitriões que não conseguir chegar ao 39º prato implicaria. Cale golfava em proporções épicas à medida que seu estômago sobrecarregado expelia tudo que ele comera nos vinte minutos anteriores e, conforme parecia a IdrisPukke, praticamente tudo o mais que comera na vida.

Finalmente, o menino exausto terminou e foi para a cama. Na manhã seguinte, Cale apareceu com uma cor branco-esverdeada na cara que IdrisPukke só havia visto antes em um cadáver de três dias. Cale se sentou à mesa e tomou, com uma cautela considerável, uma xícara de chá fraco sem leite. Com uma voz abatida, ele começou a explicar para IdrisPukke por que tinha passado tão mal.

— Bem — falou IdrisPukke depois que Cale acabou de lhe contar sobre como os Redentores lidavam com a comida —, se um dia eu me sentir disposto a pensar mal de você, tentarei desculpá-lo ao me lembrar que não deveria esperar muito de uma criança criada à base de pé de defunto. — Então, após um breve silêncio: — Espero que não se importe que eu lhe dê um conselho.

— Não — disse Cale, abatido demais para se sentir ofendido.

— Não devemos achar que a capacidade de aceitação das pessoas é ilimitada. Talvez seja melhor, se um dia o assunto surgir quando estivermos em boa companhia, não mencionar os ratos.

19

Henri Embromador e Kleist tinham visto Cale apenas por alguns minutos antes da sua partida apressada, de modo que mal tiveram tempo para registrar a reaparição extremamente suspeita de IdrisPukke, quanto mais para receber uma explicação aceitável do que havia acontecido com Cale depois que ele fora arrastado do jardim de verão. Kleist, para sua considerável irritação, nem mesmo teve tempo para dizer a Cale que sua falta de disciplina e egoísmo generalizado tinham deixado os dois encalhados em um rio de bosta. Porém, no fim das contas, o medo cabível que Kleist sentia de Cale ter atraído para eles o interesse hostil de todos que os cercavam acabou não se concretizando por completo. Havia hostilidade, sem dúvida, contudo, a surra cruel que Cale aplicara na nata do Mond deixara os que ansiavam por vingança extremamente ressabiados em relação a Henri Embromador e Kleist, pois havia o risco de eles serem igualmente habilidosos. Mais do que ferimentos graves ou a morte, o que o Mond temia era a humilhação de levar uma coça de pessoas tão claramente abaixo deles na sociedade.

Vipond ordenara que os dois fossem transferidos para as cozinhas, onde não havia chance de encontrarem ninguém importante. Os xingamentos demorados e constantes que Kleist dedicava a Cale por tê-lo deixado lavando pratos dez horas por dia são fáceis de imaginar. No entanto, havia uma vantagem inesperada: os servos que guardavam algum tipo de rancor contra o Mond por conta da sua empáfia e arrogância — e eles não eram poucos — os viam com certa admiração. Pelo menos o suficiente para, depois de cerca de um mês, deixar que eles ajudassem em tarefas mais interessantes do que lavar pratos. Kleist se ofereceu a ajudar na seção das carnes, impressionando a todos com suas habilidades de açougueiro: "Um talento nato." Ele teve o bom-senso de não especificar com quais animais pequenos havia aprendido seu ofício.

— Quanto a mim — disse Kleist a Henri Embromador enquanto desmembrava alegremente uma enorme vaca Holstein —, eu gosto de trabalhar em grande escala.

Henri Embromador teve que se contentar em alimentar animais e levar uma eventual mensagem à entrada de serviço dos *palazzos* das redondezas. Isso lhe deu a chance de ver Riba, que, àquela altura, praticamente não lhe saía da cabeça. Quando a via, nunca era por muito tempo, porém, seu rosto se iluminava e ela disparava a falar com empolgação, tocando seu braço e sorrindo para ele com seus dentinhos brancos lindos. No entanto, ele logo começou a notar que quase ninguém deixava de receber o mesmo sorriso, a mesma demonstração de prazer. Era de sua natureza ser aberta e sedutora em relação a todos, que, por sua vez, se mostravam receptivos, muitas vezes se surpreendendo ao ver o quanto passavam a valorizar aquele sorriso encantador. Henri Embromador, no entanto, o queria apenas para si.

Ele vinha nutrindo, há algum tempo, um segredo sombrio a respeito de Riba, desde que eles se viram sozinhos nas Terras Crestadas por quase cinco dias. A princípio, ele a tratou com uma deferência estupefata, como alguém que estivesse fazendo uma peregrinação com um anjo. Todos os homens já foram hipnotizados pela beleza de uma mulher, porém, imagine o fascínio de uma pessoa que crescera sem jamais ver ou imaginar criatura parecida. Após alguns dias na sua companhia, ele começou a se acalmar um pouco, nem que fosse para dar vazão a sentimentos mais mundanos do que reverência e adoração. Ele tomou todo o cuidado para não tratar aquela presença divina de maneira que pudesse ofender sua própria admiração (embora tivesse uma incerteza profunda quanto ao que ofendê-la poderia envolver). Coisas para as quais não tinha nome se agitavam dentro dele. Depois de alguns dias, eles chegaram a um pequeno oásis com uma fonte, por sorte jorrando aos borbotões, que havia criado uma pequena lagoa. Ela riu de alegria e, por conta de sua delicadeza natural, Henri Embromador se oferecera a ir para trás de um pequeno outeiro que se estendia ao longo da lagoa. Ele se deitou de costas e, aos poucos, começou sua primeira batalha verdadeiramente árdua contra o diabo. As oportunidades para grandes tentações eram escassas no Santuário. O Redentor Hauer, seu conselheiro espiritual por quase dez anos, teria se afligido ao descobrir como a resistência de Henri Embromador era fraca, como tinha sido ineficaz a ladainha sem fim sobre a certeza da danação para os que cometiam crimes contra o Espírito Santo. (Por motivos jamais explicados, era o Espírito Santo que ficava especialmente traumatizado por desejos pecaminosos dessa espécie.) A força de vontade de Henri foi subitamente dominada pelo diabo e ele se virou de barriga para baixo, rastejando devagar, como o réptil servo de Belzebu que havia se tornado, até estar logo abaixo da beirada do outeiro. Algum dia o ato de cair em tentação já foi tão regiamente recompensado? Riba estava de pé, com água até o meio das coxas, banhando-se com indolência. Seus seios eram enormes, embora Henri não tivesse nada com que compará-los, e as aréolas que cobriam suas pontas eram de um rosado extraordinário, diferente de qualquer coisa que ele tivesse visto na vida. Eles se mexiam junto com ela, mas tremulando com uma graça que o fez se engasgar. No meio das suas pernas... mas não devemos ir tão longe — embora Henri Embromador não tenha respeitado essa proibição por um instante que fosse. O diabo tomara conta dele por completo. Sua respiração parou, fulminada por aquele que era o mais secreto dos lugares. Henri tinha várias imagens do inferno marcadas a ferro quente na sua alma, porém, até aquele momento divino, nenhuma só imagem do paraíso. Aquela era uma visão da graça envolvida em delicadas dobras de pele, que jamais seria superada e vibraria em sua alma até o dia de sua morte. Foi então que Henri Embromador, transfigurado por um terror sagrado, deslizou lentamente de volta, afastando-se da beirada do outeiro. Riba, o alvo de toda aquela transgressão, continuou se banhando por mais alguns minutos, alheia à epifania que se dava logo adiante, do outro lado do outeiro. Se Henri tivesse simplesmente ficado à beira da lagoa observando-a, ela não teria achado aquilo inadequado. Riba adorava dar prazer aos homens. Afinal de contas, era para isso que havia sido criada. Quanto ao pobre Henri Embromador, ele havia sido fulminado como um diapasão e continuaria vibrando por meses a fio. A natureza lhe concedera um desejo intenso, porém, a vida o privara de qualquer experiência ou compreensão que lhe possibilitasse lidar com ele.

Riba tinha dado muito mais sorte do que os meninos no quesito emprego. Ela começara como criada da criada da criada particular de mademoiselle Jane Weld, um cargo que, embora fosse o mais inferior no mundo impiedoso da criadagem das damas da corte, só podia ser obtido após no mínimo 15 anos de trabalho no ramo. A sobrinha do chanceler Vipond aceitara Riba sentindo-se especialmente indignada por ter, a olhos vistos, uma sub-sub-subcriada de tão baixa categoria. No entanto, sua indignação começou a diminuir (o que fez a já violenta indignação das demais criadas aumentar) quando ficou claro que Riba tinha, de fato, um talento para as habilidades pelas quais as criadas são muito valorizadas: ela era uma cabeleireira muito delicada e habilidosa, sabia espremer uma espinha ou um cravo causando o mínimo de estrago na pele quanto humanamente possível, disfarçando em seguida a vermelhidão a ponto de deixá-la invisível. Peles foram revigoradas sob o tratamento dos cremes e loções caseiros de Riba, que era uma feiticeira no que dizia respeito à confecção deles; unhas horrorosas ficaram elegantes; cílios engrossaram; lábios se avermelharam; pernas ficaram macias (esfoliadas da forma mais indolor possível, o que quer dizer a um passo da agonia). Em suma, Riba foi um achado.

Isso deixava mademoiselle Jane com o problema do que fazer com as outras três criadas particulares, que haviam se tornado redundantes, sendo que a mais velha a acompanhava desde a infância. Mademoiselle Jane, embora fosse uma beldade fria em muitos aspectos, possuía um lado sensível, de modo que não conseguia ter coragem de dizer à velha Briony que ela não era mais necessária. Ela sabia que sua ex-babá ficaria profundamente angustiada e, pensando melhor, também se preocupava bastante com as várias confidências que fizera a Briony, do tipo que uma pessoa ressentida talvez estivesse disposta a revelar, caso recebesse motivos suficientes. Portanto, mademoiselle Jane poupou Briony da experiência dolorosa de ser demitida após 12 anos de serviços fiéis ao mandar que suas malas fossem feitas enquanto ela estava na rua comprando uma bisnaga de creme facial à base de alecrim. Ao voltar, a infeliz criada encontrou apenas um quarto vazio e um empregado com um envelope nas mãos. O envelope continha vinte dólares e um bilhete agradecendo-a por seus serviços fiéis e informando-lhe que ela estava sendo enviada para ser a criada de um parente distante em uma província remota e que, em reconhecimento aos já mencionados serviços, ela seria acompanhada em sua viagem bastante longa pelo empregado que lhe entregara o envelope, que recebera instruções para ficar ao seu lado e protegê-la a todo momento. Mademoiselle Jane lhe desejava tudo de bom e expressava suas esperanças de que ela aproveitasse da melhor forma possível a sua boa sorte. Vinte minutos depois, uma Briony chocada estava montada em seu cavalo, rumando, juntamente com seu guarda-costas, em direção a uma nova vida, sem que ninguém jamais tivesse notícias suas novamente.

As demais criadas, para o caso de Briony ser tão indiscreta quanto sua patroa, foram igualmente dispersadas, e mademoiselle Jane pôde contemplar uma vida em que espinhas, cravos, lábios finos e cabelos rebeldes eram coisa do passado.

Durante vários meses, a jovem aristocrata esteve no paraíso. O talento de Riba para as artes do embelezamento extraía o máximo de sua beleza nada mais que moderada. Houve inclusive um aumento no número de pretendentes, o que lhe possibilitou tratar esses candidatos a amantes — conforme exigido pelas tradições de galanteio dos Materazzi — com um desdém e um menosprezo ainda maiores. Conforme ela sabia muito bem, nenhuma droga, por mais rara e preciosa que fosse, igualava o prazer extraordinário de ser o centro dos sonhos e desejos de outra pessoa e poder, apenas com um sorriso ou um olhar, fazê-la em pedacinhos.

Embora a princípio tenha se perdido no deleite de saber que estava partindo mais corações do que até mesmo a odiada Arbell Pescoço de Cisne, mademoiselle Jane começou a se dar conta, para o seu desconforto, de algo tão estranho e inusitado que, durante algumas semanas, ela teve certeza de que era imaginação sua.

Alguns dos jovens aristocratas que vinham ao seu encontro, e não mais que alguns, pareciam não ficar tão devastados pela sua constante rejeição quanto ela esperava. Eles resmungavam, se lamentavam e imploravam que ela reconsiderasse tanto quanto os demais, porém, ela era, conforme já vimos antes, uma garota sensível (ainda que apenas no que dizia respeito a si mesma) e começou a suspeitar que seus protestos não fossem totalmente sinceros. O que isso poderia significar? Talvez, pensou mademoiselle Jane, ela estivesse se acostumando a partir corações e seu prazer nisso estivesse diminuindo, como geralmente acontece com prazeres aos quais nos entregamos com frequência. Mas não era isso, pois ela continuava a sentir exatamente o mesmo arrebatamento com aqueles que ficavam arrasados de verdade diante da sua frieza. Algo estava acontecendo.

Mademoiselle Jane sempre reservava o fim da manhã para partir corações, concedendo aos seus pretendentes fatias generosas do seu tempo, podendo chegar a até trinta minutos, se eles fossem especialmente bons em lamentar sua beleza, frieza e crueldade. Ela decidiu reservar a manhã inteira aos que considerava suspeitos para ver se conseguia sanar suas dúvidas perturbadoras. Seus aposentos eram projetados de maneira que ela pudesse espiar com facilidade seus pretendentes à medida que chegavam e partiam, e ela passou a manhã fazendo exatamente isso.

Já pela metade da manhã, ela estava em um mau humor furioso, uma vez que todos os seus medos haviam se confirmado, embora de uma maneira que desafiava a imaginação. Era tudo culpa de Riba, aquela cadela ingrata.

Três vezes naquela manhã ela suportara os protestos insinceros de jovens que, agora estava claro, tinham vindo ao seu encontro apenas porque isso lhes dava a oportunidade de chegar mais cedo, se humilharem diante dela e então partirem o mais rápido possível para fazerem cara de cachorro pidão para aquela piranha gorda da Riba. Aquilo era inimaginavelmente humilhante. Eles não só estavam traindo a mulher mais bela e desejável de Memphis (o que era um exagero — ela era a 15ª da lista, no máximo —, mas devemos dar um desconto por conta da sua compreensível indignação), como também o estavam fazendo com uma criatura do tamanho de um bonde, que tremia como um manjar branco sempre que andava.

Esse insulto — e, para uma Materazzi, chamar uma mulher de gorda era um insulto mortal — também não era, de forma alguma, justo. Era evidente que Riba contrastava com sua patroa, assim como com qualquer outra Materazzi, porém, ela jamais tremia como um manjar branco; além disso, nos dois meses que havia passado em Memphis, Riba estivera tão ocupada que já nem tinha condições ou tempo de comer tanto quanto no Santuário. O resultado era que ela havia perdido boa parte da sua formosura gorducha. O que antes parecia um excesso de singularidade se tornara uma singularidade muito sedutora. As curvas e formas sinuosas de Riba faziam um número cada vez maior de jovens Materazzi, acostumados à magreza andrógina e ao mau gênio das mulheres do seu clã, observá-la com um interesse crescente sempre que ela passava por eles com sua patroa desdenhosa. Seu sorriso alegre e sua receptividade eram quase tão cativantes quanto a sua figura. Os Materazzi haviam sido criados sob os rituais de um amor cortês, que envolviam uma adoração desesperada e platônica a um objeto de afeição distante que só sabia tratar todos os homens como lixo. Assim, a conversão de vários rapazes àquela beldade formosa, que não os olhava de cima para baixo como se fossem algo que o gato trouxe da rua, mal precisava de explicações.

Em um estado pavoroso, mademoiselle Jane desceu correndo do seu esconderijo e atravessou a porta do seu aposento principal, adentrando a recepção, onde Riba acabara de fechar a porta às costas de um jovem Materazzi, que foi conduzido sorridente em direção à rua em uma névoa de desejos e anseios. mademoiselle Jane chamou aos gritos sua governanta.

— Anna-Maria! Anna-Maria!

Riba olhou assustada para a sua patroa, que, àquela altura, estava bastante vermelha de raiva.

— Qual o problema, mademoiselle?

— Cale a boca, seu monte barrigudo de banha — respondeu mademoiselle Jane, de maneira extremamente inadequada para uma mademoiselle, enquanto Anna-Maria, espantada por conta do grito selvagem, entrava correndo na recepção. Mademoiselle Jane olhou para a governanta como se fosse explodir e então apontou para Riba.

— Tire essa vigarista traiçoeira da minha casa. Nunca mais quero ver essa vagabunda.

Mademoiselle Jane estava prestes a concluir seu ataque com um tapa na cara de Riba, porém, reconsiderou ao ver como o espanto no rosto da jovem havia se transformado em raiva por ter sido insultada com tanta fúria.

— Tire-a da minha frente! — gritou ela para Anna-Maria, zunindo de volta para os seus aposentos.

20

IdrisPukke se recusara a desistir de tentar reeducar o estômago de Cale. A princípio, sua nova dieta teria que ser simples — e a simplicidade não era, no fim das contas, um teste para o talento de um bom cozinheiro? Da próxima vez que Cale voltou para comer um dos pratos especiais de IdrisPukke, deparou-se com uma truta fresca apanhada no lago próximo ao chalé, ligeiramente cozida a vapor, com batatas cozidas e ervas. Cale tomou cuidado com as batatas porque elas tinham um pouquinho de manteiga derretida em cima, porém, elas continuaram na sua barriga e ele até pediu mais.

E assim se passaram as noites e os dias. Cale continuava fazendo suas longas caminhadas com e sem IdrisPukke. Eles ficavam sentados em silêncio por horas e conversavam por horas, embora fosse IdrisPukke quem mais falasse. Ele também ensinou Cale a pescar, a comer na companhia de pessoas civilizadas (nada de arrotar, beber fazendo barulho e comer de boca aberta) e lhe contou sobre sua vida extraordinária — além de várias histórias em que ria às próprias custas, algo que Cale continuava achando desconcertante. À noite, ele às vezes sentia arroubos de felicidade quase incontroláveis sem nenhum motivo aparente. IdrisPukke também continuava a oferecer a Cale os benefícios de sua filosofia de vida.

— O amor entre um homem e uma mulher é o melhor exemplo possível de como todas as esperanças deste mundo são uma ilusão absurda, e isso porque o amor promete extraordinariamente muito e nos entrega extraordinariamente pouco. — Ou então: — Sei que você não precisa que eu lhe diga que este mundo é um inferno, porém, tente entender que os homens e as mulheres são, ao mesmo tempo, as almas atormentadas dele e os demônios que executam esses mesmos tormentos. — E ainda: — Ninguém verdadeiramente inteligente aceita o que quer que seja só porque alguma autoridade diz que deve ser assim. Não aceite a verdade de nada que não tenha confirmado por conta própria.

Cale, por sua vez, lhe contava sobre sua vida com os Redentores.

— No começo, não eram apenas as surras que nos assustavam. Naquela época, acreditávamos no que eles diziam: que mesmo que não fôssemos pegos fazendo algo de errado, nascíamos maus e Deus via tudo o que fazíamos, então, precisávamos confessar tudo. Se não confessássemos e morrêssemos em um estado de pecado, iríamos para o inferno, onde queimaríamos por toda a eternidade. E quase todo mês meninos morriam, e os Redentores nos falavam que a maioria deles tinha ido para o inferno e queimariam por toda a eternidade. Eu costumava ficar acordado à noite depois das orações que sempre terminavam assim: "E se eu morresse esta noite?" Às vezes tinha certeza absoluta de que, se eu pegasse no sono, iria morrer e queimar para sempre em agonia. — Ele parou de falar por um instante. — Com que idade, IdrisPukke, você descobriu o que era o terror?

— Eu tinha bem mais de 5 anos, de qualquer forma. Foi na Batalha de Goat River. Estava com, vamos ver, 17 anos. Fomos emboscados em uma missão de reconhecimento. Minha primeira vez em uma batalha de verdade. Não que não tivesse sido treinado. Eu era bom, o terceiro da minha classe. A Cavalaria Druse veio descendo a colina e então houve apenas confusão, barulho e caos. Eu não conseguia falar, minha língua ficou grudada no céu da boca. Comecei a tremer e senti vontade de... bem... quero dizer...

— De cagar nas calças? — sugeriu Cale.

— Para que fazer rodeios? Quando tudo acabou, e não durou mais que cinco minutos, eu ainda estava vivo. Mas não tinha nem mesmo sacado minha espada.

— Alguém viu?

— Sim.

— O que eles disseram?

— "Você vai se acostumar."

— Não bateram em você?

— Não. Mas disseram: "Se isso acontecer de novo, bem, você não vai durar muito." — E então, você já se sentiu assim alguma vez? — perguntou finalmente IdrisPukke.

Não era, de forma alguma, uma pergunta simples. Uma das condições impostas por seu irmão, ou, mais precisamente, seu meio-irmão, para libertar IdrisPukke e deixar Cale sob seu controle era que ele deveria descobrir tudo sobre o garoto — e, o que era mais importante, tudo sobre sua aparente falta de medo, inclusive se ela era um talento ou algo de alguma forma engendrada pelos Redentores.

— Eu costumava sentir medo o tempo todo quando era novo — disse Cale algum tempo depois. — Mas então parei de sentir.

— Por quê?

— Não sei. — Isso não era verdade, é claro, ou pelo menos não inteiramente.

— E agora você não sente medo nenhum?

Cale o encarou. As últimas semanas o haviam deixado perplexo; ele se sentia grato a IdrisPukke e experimentara várias sensações estranhas e inusitadas de amizade e confiança. Porém, seria preciso mais do que algumas semanas de gentileza e generosidade para abalar a desconfiança de Cale. Ele refletiu se deveria ou não mudar de assunto. No entanto, pelo jeito não parecia importar muito que ele dissesse a verdade.

— Eu tenho medo de coisas que possam me machucar em geral. Sei o que os Redentores querem fazer comigo. É difícil explicar. Mas lutar... é diferente. Aquilo que você estava dizendo sobre a Batalha de... — Ele olhou para IdrisPukke.

— Goat River.

— ... aquela história de tremer todo e ter vontade de cagar nas calças.

— Não se preocupe em poupar meus sentimentos.

— Para mim é o oposto. Eu simplesmente fico frio. Tudo fica muito claro.

— E depois?

— Como assim?

— Você sente medo?

— Não. Na maioria das vezes, não sinto nada. Exceto depois que tirei o couro de Conn Materazzi. Aí eu me senti ótimo. Ainda me sinto. Mas quando matei aqueles soldados no ringue não me senti bem. Afinal, eles não fizeram mal nenhum. — Ele fez uma pausa. — Não quero mais falar sobre isso.

E, por ser um homem de bom-senso, IdrisPukke não abusou da sorte. Assim, durante as próximas semanas, Cale voltou às suas perambulações enquanto, à noite, os dois bebiam, fumavam e comiam juntos — a comida se tornando pouco a pouco cada vez mais gostosa, à medida que Cale ficava mais apto a digerir um pouco de peixe frito empanado em massa crocante, mais manteiga em seus vegetais, um pingo de creme nas suas amoras silvestres.

Durante o mês que Cale e IdrisPukke passaram gozando da calma e tranquilidade do Chalé de Treetops, um homem e uma mulher os vigiaram. Não se deve inferir disso nenhum cuidado ou zelo — imagine a vigilância amorosa de uma mãe sobre o filho, mas sem o amor.

Nas histórias de mocinhos e bandidos, é sempre o mocinho que fica sujeito à má sorte, aos infortúnios e aos descuidos. Os bandidos são sempre espertos e agem com disciplina, realizando planos astuciosos frustrados apenas no último minuto. O mal está sempre à frente dos métodos infalíveis. Na vida real, tanto os bandidos quanto os mocinhos cometem erros simples e fáceis de evitar, têm dias terríveis e se equivocam. Os vilões possuem fraquezas que vão além da sua disposição para matar e ferir. Mesmo a alma mais fria e cruel tem seus pontos fracos. Mesmo o mais árido deserto possui seus oásis, suas árvores que fazem sombra e córregos de águas tranquilas. Não é apenas a chuva que cai tanto sobre os justos quanto sobre os injustos, mas também a boa e a má sorte, as vitórias imprevistas e as derrotas imerecidas.

Recostado contra uma amoreira, Daniel Cadbury fechou o livro que estava lendo, *O Príncipe Melancólico*, e gemeu de satisfação.

— Fique quieto! — disse a mulher, que estava olhando com atenção para a direção oposta dele, mas que, ao ouvir o barulho do livro sendo fechado, lançou a cabeça na sua direção.

— Ele está a 200 metros de distância — disse Cadbury. — O menino não ouviu nada.

Conferindo por um instante que Cale ainda dormia às margens do rio mais abaixo, a mulher olhou de volta para Cadbury, desta vez, apenas encarando-o. Se não fosse quem era — um assassino, ex-escravo das galés e, vez por outra, agente secreto de Kitty das Lebres —, Cadbury poderia muito bem ter se sentido intimidado. Ela não era exatamente feia, talvez apenas extremamente sem-sal. Seus olhos, no entanto, desprovidos de qualquer coisa que não fosse hostilidade, teriam deixado quase qualquer um desconfortável.

— Quer emprestado? — disse Cadbury, gesticulando em sua direção com o livro. — É muito bom.

— Não sei ler — disse a mulher, achando que ele estava tirando sarro dela, o que era verdade. Normalmente, Cadbury não seria insensato a ponto de provocar Jennifer Plunkett, uma matadora tão admirada por Kitty das Lebres que ele lhe reservava apenas os assassinatos mais difíceis. Ele gemera de desânimo quando Kitty lhe disse quem seria sua parceira.

— Jennifer Plunkett não, por favor.

— Concordo que ela não seja uma companhia agradável — gorgolejou Kitty —, mas existem muitas pessoas importantes interessadas neste menino, inclusive eu, e meu instinto me diz que o tipo de violência extrema na qual Jennifer Plunkett é exímia pode ser necessária. Tolere-a por mim, Cadbury. — E assim foi.

Foi o tédio que fez Cadbury alfinetar a carniceira perigosamente talentosa que ainda o fuzilava com os olhos. Eles já estavam observando o menino por quase um mês e tudo que ele fizera tinha sido comer, dormir, nadar, andar e correr. Nem mesmo os prazeres de *O Príncipe Melancólico*, um livro com o qual ele se deleitara uma dúzia de vezes durante o mesmo número de anos, conseguiam evitar que ficasse irrequieto.

— Não quis ofender, Jennifer.

— Não me chame de Jennifer.

— Tenho que chamá-la de alguma coisa.

— Não, não tem. — Ela não afastou o olhar e tampouco piscou. Sua tolerância tinha limite, e não era muito grande. Cadbury deu de ombros para sugerir que estava cedendo, mas ela não se mexeu. Ele começou a se perguntar se não deveria ficar preparado. Então, como um animal, do tipo que não gostava da companhia humana, ela virou a cabeça para o outro lado e voltou a observar o menino adormecido.

Não são apenas os olhos dela que são estranhos, pensou Cadbury, *é o que está por trás deles. Ela está viva, mas não consigo entender como exatamente.*

Graças à sua profissão, Cadbury conhecia muito bem os homicidas. Afinal, era um deles. Ele matava quando necessário, dificilmente com prazer e, às vezes, com relutância e até mesmo remorso. A maioria dos assassinos de aluguel tirava certo prazer — em maior ou menor escala — do que fazia. Jennifer Plunkett era diferente, no sentido que ele achava impossível saber o que se passava na sua cabeça quando ela matava. Sua experiência de observá-la se livrar dos dois homens que IdrisPukke subornara os soldados para prender foi diferente de qualquer coisa que ele tivesse visto na vida. Quando foram soltos, e ignorando que não passavam de marionetes, eles caíram na besteira de entrar na floresta a 800 metros do Chalé de Treetops e acampar ali. Sem consultá-lo — o que era uma descortesia profissional, mas ele resolvera deixar isso para lá —, ela se aproximou dos dois enquanto eles ferviam um bule de chá e os esfaqueou. Foi sua discrição que impressionou Cadbury. Ela os matou tão sem esforço quanto uma mãe que estivesse catando os brinquedos do filho, como se fosse uma espécie de distração entediante. Quando os homens perceberam o ocorrido, já estavam morrendo. Pela sua experiência, até mesmo os matadores mais cruéis precisavam, ou preferiam, se preparar para matar. Mas não Jennifer Plunkett.

Seu devaneio foi interrompido pelo som do menino à beira do rio, que já havia acordado e estava se mexendo. Ele se afastara da margem cerca de 20 metros. Então, começou a gritar, emitindo um "Whooooooo!" grave e disparando em direção à água, correndo cada vez mais rápido. Erguendo a voz até um grito agudo, ele saltou para dentro do rio, encolhendo-se como uma bomba no ar e espalhando água por todo lado. Quase imediatamente, veio à tona com um salto, gritando alegremente de frio e batendo os pés de volta à margem. Peladinho da silva, ele dançou de um lado para outro, rindo e gritando diante do prazer formidável da água gelada e do ar quente de verão.

— É bom ser jovem, né? — disse Cadbury. Era impossível não compartilhar da alegria do menino. E então, para o seu assombro, ele viu como isso era verdade. Jennifer Plunkett estava sorrindo, seu rosto transformado, como a pintura de uma santa. Jennifer Plunkett estava apaixonada. Ao notar que Cadbury a observava, ela abandonou no mesmo instante qualquer que fosse o paraíso para o qual o menino a levara. Ela o encarou, piscou como um falcão ou um gato selvagem e então deu as costas para o rio, sua expressão totalmente vazia.

— O que você acha que Kitty das Lebres quer com ele? — disse ela.

— Não faço ideia — respondeu Cadbury. — Boa coisa não pode ser. É uma pena — acrescentou ele, com bastante sinceridade. — Ele parece um rapazinho tão alegre. — Cadbury se arrependeu das suas palavras assim que saíram da sua boca, no entanto, ele ainda estava perturbado pelo que tinha visto. Era como ver uma cobra corar de vergonha. *Isso serve para você aprender*, pensou ele, *a não achar que sabe o que se passa na cabeça das outras pessoas.* Repleto de admiração diante daqueles desdobramentos inusitados, ele se sentou e recostou-se de volta contra a amoreira.

No fim das contas, Cadbury não tardou a descobrir o que se passava pela cabeça dela. Para Jennifer Plunkett, ele parecia estar dormindo; no entanto, Cadbury era esperto demais para não levar em conta esse imprevisto. Ele manteve seus olhos não exatamente fechados sobre as costas de Jennifer, sacando sua faca Mott e escondendo-a, com a mão fechada em volta do cabo, debaixo da coxa direita, que estava mais longe dela. Durante trinta minutos inteiros, ele observou suas costas imóveis enquanto escutava repetidas vezes o "Whooo!" do menino, seguido do barulho de água e das suas risadas escandalosas. Então ela se virou, aproximando-se dele com a faca em punho, novamente sem o menor estardalhaço, e começou a desferir o golpe mortal. Ele o bloqueou com sua mão esquerda e deu uma facada para cima com a direita. Ficou impressionado com a sua agilidade enquanto rolava com ela sobre as folhas secas de outono que cobriam o solo da floresta. Ficaram rolando para lá e para cá em seu abraço terrível, apenas os dois ouvindo o chiado quente e fraco de suas respectivas respirações e o farfalhar das folhas mortas, enquanto olhavam dentro dos olhos um do outro, seus lábios quase se tocando.

Então, aos poucos, começou a ficar claro que ele era mais forte. Ela se debateu, contorcendo-se com todo o seu enorme vigor, porém, logo Cadbury a imobilizou e ela estava derrotada. Contudo, Jennifer tinha mais uma arma, além de seu ódio e sua raiva, a que recorrer: seu amor monstruoso. Como ela poderia desistir dele e morrer? Assim, ela ergueu o corpo do chão, deslizou para o lado, desequilibrou Cadbury e se libertou da sua mão esquerda, levantando-se e disparando colina abaixo em direção ao seu menino querido.

— Thomas Cale! Thomas Cale! — gritou ela. O menino ergueu os olhos enquanto escalava nu a margem coberta de limo do rio. Boquiaberto, ele olhou para a harpia que descia aos gritos a colina, desesperada e exclamando seu nome sem parar: — Thomas Cale! Thomas Cale!

Em sua vida amaldiçoada por diversas visões extraordinárias, aquela era a mais estranha de todas: uma criatura assexuada, de aparência selvagem, gritava seu nome, brandindo uma faca no ar e disparando em sua direção com uma loucura terrível nos olhos. Apavorado, ele foi correndo apanhar suas roupas, tateando em busca da sua espada, que deixou cair e apanhou de volta em seguida. Então a ergueu para golpeá-la quando Jennifer estava quase em cima dele, berrando alucinadamente. Ele ouviu um zumbido cortante, seguido por um baque surdo, como o do tapa da mão de um homem contra o flanco de um cavalo. Jennifer soltou uma tosse fina e passou rolando por um Cale aterrorizado, chocando-se com força contra o tronco de um carvalho-japonês.

Cale correu para trás de uma árvore, seu coração esmurrando o peito e agitando-se como um pássaro recém-capturado. Ele começou imediatamente a procurar uma rota de fuga. Ao redor da árvore, havia um arco irregular de terreno a céu aberto com algo em torno de 50 metros de extensão. Ele olhou para o corpo. Agora, conseguia ver que se tratava de uma mulher, embolada contra a base da árvore com a bunda para cima e caída de lado. Ela estava com o que parecia ser uma flecha de 90 gramas enfiada nas costas, a ponta mal saindo do seu peito. Seu nariz sangrava, uma gota de sangue solitária caindo no chão a cada três ou quatro segundos. Não era um tiro fácil, acertar um alvo em movimento como aquele, mas tampouco era excepcional. Ela havia corrido na direção oposta da flecha, portanto, se ele saísse de trás da árvore naquele instante, teria que atravessar a linha de fogo. Começando a correr do zero, levaria cinco ou seis segundos para alcançar abrigo. Tempo suficiente para um tiro, não mais, e teria que ser muito bem dado. Porém, talvez ele fosse bom o suficiente. Kleist conseguia acertar um tiro daqueles três de quatro vezes.

— Ei! Garotão!

Ele estava a cerca de 200 metros de distância, e em linha reta, pensou Cale.

— O que você quer?

— Que tal um "obrigado"?

— Obrigado. Agora por que não dá o fora?

— Seu merdinha ingrato, eu acabei de salvar sua vida.

Ele estava se movendo? Parecia que sim.

— Quem é você?

— Seu anjo da guarda, parceiro, é isso que eu sou. Ela era uma garota muito ruim, aquela ali, muito ruim mesmo.

— O que ela queria?

— Queria cortar sua garganta, parceiro. É o que ela fazia para viver.

— Por quê?

— Não faço ideia. Vipond me mandou para ficar de olho em você e naquele irmão imprestável dele.

— Por que eu deveria acreditar em você?

— Por nada. Aliás, nem se incomode. Só não quero que venha atrás de mim. Não quero ter que cravar uma flecha em você, não depois de todo o trabalho que tive para salvar sua pele. Então, simplesmente fique onde está por 15 minutos e, enquanto você aguarda pacientemente, eu sigo meu caminho e ninguém sai ferido. Combinado?

Cale pensou no assunto: fugir, segui-lo, apanhá-lo, arrancar a verdade dele na base da pancada. Ou, no caminho, levar uma flechada nas costas. Aquele homem soava como se soubesse o que estava fazendo. De qualquer forma, havia uma alternativa.

— Combinado. Quinze minutos.

— Palavra de honra?

— O quê?

— Esqueça. Que tal aquele "obrigado", então.

E, com essas palavras, tanto Cadbury quanto Cale se puseram a caminho. Enquanto Cadbury marchava de volta para a parte mais cerrada da floresta, Cale, usando as árvores como proteção, havia entrado no rio e nadava com cautela ao longo de sua margem, afastando-se dali.

Três horas depois, Cale e IdrisPukke estavam de volta ao rio examinando o corpo da mulher morta sob a proteção de uma nuvem de árvores. Eles tinham passado duas horas buscando qualquer sinal do suposto salvador de Cale, porém, não encontraram nada. IdrisPukke revistou o corpo e encontrou três facas, dois garrotes, um esmagador de polegares, um soco-inglês e, na sua boca, ao longo da gengiva esquerda, uma lâmina flexível de 2,5 centímetros, envolvida em seda.

— Independente do que ela estivesse tramando — disse IdrisPukke —, ela não queria lhe vender pregadores de roupas.

— Você acredita nele?

— No seu salvador? Me parece plausível. Entretanto, não sei se acredito exatamente nele. Mas, convenhamos, se ele quisesse matar você, poderia ter feito isso a qualquer momento do mês que passou. Ainda assim... isso cheira mal.

— Você acha mesmo que ele foi enviado por Vipond?

— É possível. Seria muita dor de cabeça por conta de um sujeito como você. Sem ofensa.

Cale só não ficou ofendido com a observação de IdrisPukke porque estava pensando a mesma coisa.

— E quanto à mulher? — disse ele, por fim.

— Vamos jogá-la no rio.

Então foi isso que eles fizeram, e esse foi o fim de Jennifer Plunkett.

Naquela noite, os dois comeram dentro da cabana, só para garantir, e conversaram sobre o que fazer quanto aos acontecimentos estranhos do dia.

— A questão é — disse IdrisPukke —, o que podemos fazer? Se os responsáveis pela morte daquela moça quisessem fazer o mesmo com você, já teriam feito. Ou poderiam fazer amanhã.

— Você disse que cheira mal.

— É perfeitamente possível que Vipond tenha mandado alguém para ficar de olho na gente, mesmo que tenha sido por motivos pessoais. Também é possível que um dos membros do Mond que você humilhou de forma tão pública tenha pagado alguém para te colocar em um caixão. Eles têm dinheiro e ódio suficientes para isso. Ao que parece, a mulher estava vindo atacar você: ela estava com uma faca na mão. O tal homem a deteve e depois caiu fora. Esses são apenas os fatos. Obviamente não são todos eles, e novas descobertas podem nos fazer encará-los sob um prisma totalmente diferente. Mas, por enquanto, tudo não passa de especulação. Tanto se ficarmos aqui quanto se formos embora, continuamos vulneráveis a qualquer homem ou mulher com uma boa pontaria e malícia ou uma recompensa no coração. Aceitamos o que os fatos que temos nos dizem porque é o melhor que podemos fazer. Você tem uma alternativa?

— Não.

— Então pronto.

Na manhã seguinte, Cale acordou cedo e saiu, porém, não sem uma grande inquietude. Conseguia ver sentido no fatalismo de IdrisPukke, mas, no fim das contas, não era o destino dele que estava em jogo. Como o próprio IdrisPukke costumava dizer, qualquer filósofo pode suportar uma dor de dente, exceto o que a está sofrendo. Preocupado, ele mal registrou que havia um pombo de plumagem lustrosa zanzando pela mesa da varanda, comendo farelos de pão dormido.

— Não se mexa — falou baixinho IdrisPukke, bem atrás dele, estendendo um pedaço de pão enquanto se aproximava lentamente do pássaro e lhe dava de comer, colocando a outra mão com cuidado ao redor do seu corpo e, então, agarrando-o firme. Virando o pombo de ponta-cabeça, IdrisPukke tirou o pequeno tubo de metal preso a uma de suas pernas. Cale ficou observando a cena, estupefato.

— É um pombo-correio — falou IdrisPukke. — Enviado por Vipond. Aqui, tome. — Ele entregou o pássaro para Cale, desatarraxando o tubo, tirando um pedaço de papel de arroz de dentro dele e começando a ler. Ao fazê-lo, sua expressão ficou grave.

— Uma tropa de Redentores raptou Arbell Pescoço de Cisne.

O rosto de Cale ficou vermelho de espanto e perplexidade.

— Por quê?

— A mensagem não diz. A questão é que ela estava no lago Constanz. Ele fica a uns 80 quilômetros daqui. A rota mais curta de volta ao Santuário é através do desfiladeiro de Cortina, a uns 30 quilômetros de onde estamos. Se for por lá que eles estão indo, temos que encontrá-los e comunicar às tropas que Vipond está mandando atrás de nós. — Ele pareceu preocupado e confuso. — Isso não faz sentido. É uma declaração de guerra. Por que os Redentores fariam uma coisa dessas?

— Não sei. Mas existe um motivo. Isso não teria acontecido sem o assentimento de Bosco. E Bosco sabe o que faz.

— Bem, não tem lua no céu, então eles não podem viajar à noite, nem nós. Vamos juntar nossas coisas agora, dormir um pouco e começar ao amanhecer. — Ele respirou fundo. — Embora Deus saiba que nós temos poucas chances de alcançá-los.

21

No dia seguinte, IdrisPukke não quis partir antes de haver luz o bastante para enxergarem com clareza. Cale argumentou que era preciso correr aquele risco, porém, IdrisPukke não arredou pé.

— Se um desses cavalos se machucar pisando em falso no escuro, estamos ferrados.

Cale sabia que ele tinha razão, mas estava desesperado para partir logo, de modo que resmungou com uma irritação desdenhosa. IdrisPukke o ignorou por mais vinte minutos e então se puseram a caminho.

Durante os dois dias que se seguiram, eles pararam apenas para descansar os cavalos e comer. Cale o instigava o tempo todo a ir mais rápido. IdrisPukke, por sua vez, insistia calmamente que os cavalos, e ele mesmo, não aguentariam, mesmo que Cale aguentasse. Iriam precisar dos quatro para alcançar os Redentores, se é que conseguiriam alcançá-los. E também precisavam ter pelo menos um cavalo em condições de voltar rapidamente para os Materazzi para lhes transmitir as coordenadas.

— Você não parece preocupado com a garota — disse Cale.

— É exatamente por estar preocupado com ela que estamos fazendo isso do meu jeito; porque eu estou certo. Além do mais, o que Arbell Pescoço de Cisne significa para você?

— Absolutamente nada. Mas, se eu puder ajudar a deter os Redentores, então o marechal terá um bom motivo para ser mais generoso comigo. Tenho amigos em Memphis que também são reféns.

— Para mim, você não tinha amigos. Achava que vocês tinham sido unidos apenas pelas circunstâncias.

— Eu salvei a vida deles. Isso já me parece bastante amigável.

— Ah — disse IdrisPukke. — Pensei que você tivesse sido um herói relutante nessa história toda.

— E tinha mesmo.

— Então o que você é, mestre Cale? Nobre por natureza ou somente por acaso?

— Não sou nem um pouco nobre.

— Isso é o que você diz. Mas eu me pergunto se não existe um herói incipiente crescendo em algum lugar aí dentro.

— O que significa "incipiente"?

— Algo que está começando a vir à tona, começando a surgir.

Cale riu, mas não de forma agradável.

— Se é isso que você pensa, vamos torcer que não esteja em posição de descobrir.

E, ao ouvir essas palavras, IdrisPukke decidiu se calar.

No segundo dia, eles desceram até a estrada principal, que levava ao desfiladeiro de Cortina. Se é que se podia chamar aquilo de estrada.

— Já faz sessenta anos que ninguém mais usa essa estrada, desde que os Redentores fecharam a fronteira.

— A que distância o Santuário fica do desfiladeiro? — perguntou Cale.

— Você não sabe?

— Os Redentores não deixavam mapas espalhados pelo Santuário, ou qualquer coisa que pudesse facilitar nossa fuga. Até alguns meses atrás, eu achava que Memphis ficava a milhares de quilômetros de distância.

Se IdrisPukke não tivesse sido distraído por uma graciosa libélula escarlate e dourada, ele teria visto a mentira no rosto de Cale à medida que ele achava que tinha se entregado.

— Quero dizer — acrescentou Cale —, antes de vir para cá e perceber que não. — Foi então que IdrisPukke percebeu o nervosismo na sua voz.

— Qual o problema?

— Nada.

— Se você diz.

Morrendo de medo de ter revelado algo que estava preocupadíssimo em não revelar, Cale passou os dez minutos seguintes envolvido em um silêncio apreensivo. Quando IdrisPukke voltou a falar, era como se tivesse esquecido o assunto — o que de fato tinha acontecido.

— O Santuário está a uns bons 300 e poucos quilômetros do desfiladeiro, mas eles não precisam ir tão longe. Existe uma fortaleza a 30 quilômetros da fronteira. Eles a chamam de Cidade do Mártir.

— Nunca ouvi falar.

— Bem, não é tão grande, mas as muralhas são grossas. Seria preciso um exército para tomá-la.

— E daí?

— Daí, nada. Materazzi adora a garota. Vai dar qualquer coisa que eles quiserem.

— Como você sabe que eles querem alguma coisa.

— Não faz sentido se não quiserem.

— O que faz sentido para você e o que faz sentido para os Redentores está longe de ser a mesma coisa.

— Então você chegou a alguma conclusão sobre o que eles estão fazendo?

— Não.

— Não tem nada a ver com você?

Cale riu.

— Os Redentores são um bando de desgraçados, mas você acha mesmo que eles começariam uma guerra com Memphis por causa de três garotos e uma menina gorda?

IdrisPukke resmungou.

— Não se você colocar dessa maneira. Por outro lado, você vem mentindo para mim há dois meses.

— E quem é você para exigir a verdade?

— O melhor amigo que você tem.

— É mesmo?

— Sim, por capricho do destino. Então, não há nada que você queira me contar?

— Não. — E ficou por isso mesmo.

Vinte minutos depois, eles toparam com os resquícios de uma fogueira.

— O que você acha? — perguntou Cale, à medida que IdrisPukke peneirava os restos de cinza entre os dedos.

— Ainda está quente. Estiveram aqui há poucas horas. — Ele indicou com a cabeça a grama achatada e a terra ligeiramente revolvida. — Quantos?

Cale suspirou.

— Provavelmente não menos que dez, mas não mais que vinte. Desculpe, não sou muito bom nesse tipo de coisa.

— Nem eu. — Ele olhou em volta, pensativo e indeciso. — Acho que um de nós deveria voltar e dizer aos Materazzi em que pé estamos.

— Por quê? Isso vai fazer com que eles venham mais rápido? E mesmo se for o caso, o que vão fazer quando chegarem aqui? Se houve qualquer tipo de batalha, os Redentores irão matá-la. Eles não se rendem, isso eu garanto.

Desta vez, foi IdrisPukke que suspirou.

— Então o que você sugere?

— Alcançá-los e nos mantermos longe de vista. Assim que a gente souber qual é a situação, podemos calcular o que fazer. Trazer um pequeno número de Materazzi e dar cabo disso rápido. Essa é a minha ideia enquanto não os alcançamos. As coisas podem mudar quando isso acontecer.

IdrisPukke fungou e cuspiu no chão.

— Está certo. Você os conhece melhor.

Cinco horas depois, enquanto a noite caía, Cale e IdrisPukke rastejaram em direção ao topo de uma pequena colina logo antes da entrada do desfiladeiro de Cortina — uma fissura imensa na montanha de granito que demarcava a fronteira norte entre os Redentores e os Materazzi.

A colina dava vista para uma depressão de cerca de 6 metros de profundidade e 80 metros de largura, na qual eles conseguiam ver seis Redentores montando um acampamento. Arbell Materazzi estava sentada no meio do grupo, aparentemente amarrada, pois não se moveu uma só vez enquanto eles ficaram observando. Cinco minutos depois, os dois recuaram até um grupo de arbustos a uns 200 metros de distância dali.

— Caso você esteja se perguntando por que só vimos seis deles ali, tem outros quatro, no mínimo, vigiando as cercanias — disse Cale. — Eles provavelmente enviaram um cavaleiro na frente até a fortaleza para esperá-los do outro lado.

— Vou voltar e tentar trazer os Materazzi — disse IdrisPukke.

— Para quê?

— Se eles estiverem perto, vão se arriscar a cavalgar no escuro. Mesmo se os Materazzi perderem metade dos seus cavalos no caminho, são apenas uma dúzia de Redentores, no máximo.

— E se vocês não estiverem aqui e prontos para atacar antes do amanhecer, eles já estarão no desfiladeiro e fora de alcance. E mesmo que não, um ataque à luz do dia é morte certa para a garota. Precisamos detê-los antes de eles partirem ou então desistir.

— Nós somos apenas dois — observou IdrisPukke.

— Sim — respondeu Cale. — Mas um de nós dois sou eu.

— É suicídio.

— Se fosse, eu não faria.

— Por que, então?

Cale deu de ombros.

— Se eu salvar a garota, Sua Excelência, o marechal, ficará eternamente grato. Grato o suficiente para me dar dinheiro, muito dinheiro, e salvo-conduto.

— E para onde você iria?

— Para algum lugar quente, onde a comida seja gostosa e o mais longe que você possa chegar dos Redentores sem cair da beirada do mundo.

— E seus amigos?

— Meus amigos? Ora, eles podem vir também. Por que não?

— É arriscado demais. Melhor deixá-la continuar como refém e os Materazzi que a comprem de volta com o que quer que os Redentores queiram.

— O que faz você ter tanta certeza de que ela é uma refém? — disse Cale, sua voz fria e irritada. IdrisPukke o encarou.

— Pois bem... talvez agora a gente ouça a verdade.

— A verdade é que você acha que os Redentores são como você, só que mais cruéis, mais loucos. E que, no fundo, o que você quer e o que eles querem é a mesma coisa. Só que não é. — Ele suspirou. — Não que eu os entenda, porque não é isso. Eu achava que entendia, até o que aconteceu antes de eu matar aquele bosta do Picarbo, o Redentor. Eu disse que fiz aquilo para evitar que ele, bem, a estrupasse.

— Estuprasse.

Cale, que odiava ser corrigido, ruborizou.

— Não importa como se diz, não era isso que ele estava fazendo. Ele estava retalhando a menina. — Então ele contou a IdrisPukke o que exatamente aconteceu naquela noite.

— Meu Deus! — disse um IdrisPukke horrorizado quando ele terminou. — Por quê?

— Não faço ideia. Era isso que eu queria dizer quando falei que parei de achar que sabia o que se passava nas cabeças pervertidas deles.

— Por que fariam isso com Arbell Materazzi?

— Já disse que não sei. Talvez queiram saber como uma Materazzi é, bem... — ele fez uma pausa, constrangido para variar — ... por dentro. Sei lá. Mas não faz sentido que eles a queiram por dinheiro. E *isso* não é do feitio deles.

— Faz mais sentido se eles quiserem você de volta.

Cale engasgou, quase rindo.

— Eles gostariam de fazer de mim um exemplo, um espetáculo para ninguém botar defeito. E não nego que chegariam a extremos para tanto. Mas começar uma guerra com os Materazzi por um acólito? Nem em um milhão de anos. — Ele sorriu, taciturno. — Imagino que a mesma ideia tenha passado pela cabeça do marechal. Estou disposto a apostar que nós quatro poderíamos ser mandados de volta ao Santuário num piscar de olhos apenas como um gesto da sua boa vontade. Você não acha?

IdrisPukke não respondeu, pois era exatamente nisso que estava pensando. Os dois ficaram calados por alguns minutos.

— É arriscado. Mas pode ser feito — falou Cale. — Ela não significa nada para mim — mentiu ele. — Não jogaria minha vida no lixo por uma pirralha mimada dos Materazzi. Mas, se os Redentores a levarem embora, tenho tudo a perder. Se conseguirmos resgatá-la, tenho tudo a ganhar. Tudo o que você precisa fazer é me dar cobertura. Mesmo que eu fracasse, você tem uma chance mais do que razoável de fugir. E, convenhamos, ninguém vai lhe agradecer se descobrirem que você conseguiu alcançá-la e os deixou irem embora sem fazer nada.

IdrisPukke sorriu.

— A injustiça da vida: sempre o melhor argumento. Muito bem. Conte-me seu plano.

— Bosco martelou três palavras na minha cabeça quase todos os dias da minha vida: surpresa, violência e *momentum*. Agora, ele vai desejar nunca ter feito isso. — Cale desenhou um círculo nas agulhas de pinheiro que cobriam o chão da floresta.

— Vão ter quatro guardas nas redondezas: leste, oeste, sul e norte. A noite está sem luar, então não podemos agir antes do raiar do dia. É nessa hora que você vai ter que matar o guarda do oeste, assim que conseguir vê-lo. Então, eu vou dar cabo do guarda ao sul. Você vai precisar manter a posição oeste, porque é o único lugar de onde dá para acertar um tiro atrás da rocha próxima à garota. É para lá que eu vou levá-la assim que a libertar. Você sabe imitar algum pássaro?

— Sei fazer uma coruja — falou IdrisPukke, sem muita confiança. — Mas não tem corujas nesta parte do mundo.

— Os Redentores provavelmente não sabem disso. — Cale fez uma pausa. — Como é o som de uma coruja?

IdrisPukke fez uma demonstração para ele.

— E se o guarda fizer um barulho enquanto eu estiver tentando matá-lo?

— *Tentando?* — disse Cale, horrorizado. — Não tem essa de *tentar*. Não quero nem ouvir você falando que vai fazer o seu melhor. Pise na bola e eu estou morto. Entendido?

IdrisPukke encarou Cale com ressentimento.

— Não se preocupe comigo, garoto.

— Bem, eu me preocupo sim. Então, assim que ouvir o seu sinal, eu mato o guarda do sul. Vou precisar de um minuto para vestir a batina dele. Daí, vou simplesmente entrar no acampamento o mais discretamente que conseguir. Quando os guardas restantes descobrirem o que está acontecendo...

— Por que nós não matamos todos os vigias antes?

— Você jamais conseguiria zanzar por ali por muito tempo sem se entregar. Essa é a maneira mais segura possível. Eles ficarão confusos e eu estarei parecido com os outros Redentores no acampamento. O dia ainda estará quase escuro. Seja como for, se você fizer sua parte direito não vai demorar muito.

— O que eu faço depois?

— Você não vai enxergar onde os vigias estarão no norte e no leste a não ser que eles comecem a atirar. Se isso acontecer, atire de volta. Mantenha a cabeça deles abaixada. Eu levarei a garota para trás da rocha. Assim, eles só conseguirão nos acertar diretamente de cima. — Cale sorriu. — É aí que a coisa complica. Você precisa impedi-los de ir para cima e para trás de nós até eu poder fugir. Enquanto você conseguir evitar que eles tomem sua posição, ela estará segura. Depois que eu atravessar a beira da encosta, vai ser dois contra dois.

— Isso são 40 metros a céu aberto, sendo que os últimos 15 são uma subida íngreme. Se eles forem minimamente bons, você não me parece ter grandes chances.

— Eles vão ser bons.

— Enfim, não sei por que estou me preocupando com uma fuga suicida. Afinal, antes de qualquer coisa você tem que matar seis homens armados sozinho. Essa ideia toda é ridícula. Devemos esperar pelos Materazzi.

— Eles irão matá-la antes de os Materazzi chegarem. Essa é a única chance que ela tem. Confie em mim: estou gastando mais tempo para explicar o que vou fazer do que vou gastar fazendo. Vai ser uma surpresa para eles serem atacados tão perto do amanhecer, e não vão conseguir me diferenciar dos outros Redentores no escuro. Quando perceberem que é um ataque, vão esperar soldados Materazzi por todo canto, e não uma coisa como essa.

— Porque é idiota demais para acreditar.

— É a minha vida que está em jogo, não a sua.

— E a da garota.

— A garota só vale alguma coisa se formos nós a salvá-la. Sem isso, você vira uma espécie de nada... ou pior. A escolha é bem simples, eu diria.

Seis horas depois, IdrisPukke estava parado sobre o cadáver do guarda do oeste.

No passado, IdrisPukke havia comandado diversas batalhas que resultaram na morte de milhares de homens. No entanto, fazia tempo que não matava um homem cara a cara. Ele fitou por um instante os olhos vidrados e a boca aberta do vigia, com os lábios retraídos sobre os dentes, enquanto sentia seu corpo inteiro começar a tremer.

Consequentemente, sua tentativa de imitar uma coruja ficou presa na garganta e teria assustado qualquer um que já tivesse ouvido o pio daquele pássaro antes. No entanto, menos de um minuto depois ele pôde ver a silhueta indistinta de Cale movendo-se lentamente pela encosta abaixo, tomando cuidado para não fazer barulho ou, se fosse visto pelos dois vigias restantes, aparentar qualquer tipo de pressa.

Um medo profundo começou a invadir IdrisPukke enquanto ele observava o que, no fim das contas, não passava de um menino se encaminhar com tranquilidade até os seis homens adormecidos e começar a agir.

Ele não sabia bem o que esperar, mas não havia imaginado nada parecido com aquilo. Cale sacou sua espada curta e, com um único movimento para baixo, apunhalou o primeiro vulto adormecido, que não se moveu ou gritou. Ainda sem pressa, foi em direção ao segundo homem. Novamente, o mesmo golpe descendente vigoroso e a ausência de um grito. Enquanto ele se movia, o terceiro Redentor começou a se mexer, chegando a levantar a cabeça. Outro golpe — se o homem gritou, IdrisPukke não conseguiu ouvir. Cale foi até o quarto homem, que havia se sentado e olhava sonolento para o menino, intrigado, mas sem medo. Uma estocada de cima para baixo contra a sua garganta e ele caiu para trás com um grito estrangulado, porém alto.

O quinto e o sexto homem acordaram — homens experientes, endurecidos pela guerra e por muitas surpresas. O primeiro gritou para Cale e veio direto para cima dele, tentando atingir seu rosto com uma lança curta. Cale mirou um golpe no pescoço, mas errou, perfurando em vez disso o ouvido do Redentor. O homem soltou um berro e caiu no chão gritando de dor. O último dos dorminhocos perdeu sua habitual presença de espírito, seus anos de luta subitamente inúteis, e ficou olhando horrorizado para o amigo, que agarrava, coberto de sangue, as folhas mortas da floresta. Ele observou em silêncio, tão imóvel quanto um tronco de árvore, um Cale em transe varar seu esterno com a espada. Uma simples arfada e ele caiu, o homem no chão ainda aos urros.

Pela primeira vez, Cale começou a correr, seguindo em direção à garota, que havia acordado a tempo de ver as três últimas mortes. Ela estava amarrada pelas mãos e pelos pés, e Cale a ergueu com um só movimento por sobre o ombro, correndo para se proteger atrás do pedregulho contra o qual ela estava dormindo. Uma flecha passou zunindo pelo seu ouvido esquerdo e ricocheteou nas rochas.

Diretamente acima das suas cabeças, IdrisPukke reagiu com uma flecha sua. A resposta do segundo vigia foi imediata e veio zunindo para dentro da árvore que escondia IdrisPukke.

Durante os minutos seguintes, flechas foram atiradas para lá e para cá, porém, IdrisPukke conseguiu reconhecer um padrão — um dos guardas o caçava enquanto outro providenciava o fogo de cobertura. O dia ficava mais claro a cada segundo e, com o avançar da aurora, qualquer chance de Cale conseguir fugir desaparecia. IdrisPukke teria que sair dali logo, ou seria encurralado.

Cale gesticulou para Arbell ficar parada e quieta, então começou a se mexer, correndo de trás da rocha em direção à subida para sair da depressão. IdrisPukke, com o arco a postos, torceu por um tiro precipitado que entregasse a posição do arqueiro assim que ele visse Cale em movimento. Porém, o arqueiro foi frio — ele esperaria Cale alcançar a subida que o desaceleraria para só então pegá-lo. O menino levou apenas cerca de quatro segundos para tanto e começou a subir, seus pés e suas mãos se afundando na camada superficial de agulhas de pinheiro soltas e secas, ficando cada vez mais lento. Então, depois de vencer três quartos da subida, ele escorregou em uma raiz de árvore coberta de barro e deslizou até parar, agitando os pés em busca de apoio. Foi apenas um segundo, porém, interrompeu seu impulso e deu ao arqueiro o tempo de que ele precisava. O tiro veio, zunindo como uma vespa através da depressão, atingindo Cale no instante em que ela atravessou a borda.

O coração de IdrisPukke saltou no peito — na penumbra, era difícil ver onde ele havia sido atingido. O som, no entanto, era inconfundível: um barulho ao mesmo tempo suave e duro.

Agora, ele próprio estava encrencado. Os dois vigias só precisavam se preocupar com ele — se continuasse ali, suas chances seriam poucas, porém, se saísse, eles poderiam assumir sua posição atual e simplesmente se debruçar sobre a beira da depressão e dar cabo da garota, algo que, agora que só restavam dois deles, certamente fariam. Os arbustos ao seu redor eram cerrados e, embora isso o protegesse, fariam o mesmo para os guardas. Tudo estava a favor deles, enquanto não havia nada a seu favor.

Durante os cinco minutos seguintes, vários pensamentos desagradáveis atravessaram sua cabeça. O fato terrível da morte próxima e a tentação de dar no pé. Se ele morresse ali — e com certeza morreria, o diabinho da sua consciência ressaltou —, isso não adiantaria nada para a garota. No entanto, obviamente, ele teria que viver consigo mesmo depois. *Mas isso você consegue*, disse sua consciência diabólica. *Melhor um vira-lata vivo do que um leão morto.*

E assim IdrisPukke, com a espada enfiada no chão à sua frente e um arco preparado para atirar, aguardou, suportando os pensamentos que martelavam o seu cérebro. E esperou. E esperou.

A dor não era novidade para Cale, porém, a flecha que o atingira logo acima da omoplata era uma agonia que ia muito além de qualquer coisa que tivesse sentido antes. O som que soltou através dos dentes cerrados foi de choro, tão impossível de ser detido pela coragem ou pela força de vontade quanto o sangue quente que ele sentia escorrer pelas suas costas. Seu corpo começou a tremer de dor, como se ele estivesse tendo uma crise epilética. Ele tentou respirar fundo, mas a dor não dava trégua e o fez soltar uma série de arquejos espasmódicos. Precisava se sentar ereto e recuperar o controle. Ele começou a rastejar e choramingar, rastejar e choramingar. Então, desmaiou. Acordou em seguida sem saber ao certo quanto tempo havia ficado inconsciente — segundos, minutos? Estavam vindo ao seu encalço e ele tinha que se levantar. Rastejando até um pinheiro, ele começou a se puxar para cima. Impossível. Parou e então tentou novamente. Levante-se ou morra. No entanto, o máximo que conseguiu fazer foi dar meia-volta e recostar a parte não ferida das suas costas contra a árvore. Ele vomitou e desmaiou outra vez. Quando acordou, foi com um sobressalto e um gemido de dor, porém, desta vez, por conta da pedra do tamanho de um punho que o Redentor a uns 10 metros de distância jogou contra ele.

— Achei que você estivesse se fingindo de morto — falou o Redentor. — Cadê os outros?

— O que você disse? — Cale sabia que precisava se manter acordado e falando.

— Cadê os outros?

— Estão ali. — Ele tentou erguer a mão para apontar para longe de IdrisPukke, porém, perdeu a consciência novamente. Outra rocha, outro sobressalto.

— O quê? O quê?

— Diga-me onde eles estão ou vou colocar a outra flecha na sua virilha.

— São vinte deles... eu conheço o Redentor Bosco... ele me enviou.

O Redentor havia preparado seu arco para atirar, decidindo que não arrancaria nada que fizesse sentido de Cale, contudo, a menção de Bosco o espantou. Como alguém saberia sobre o grande Lorde da Guerra naquele lugar? Ele baixou o arco e isso foi o suficiente.

— Bosco disse... — Cale começou a murmurar as palavras, como se fosse desmaiar novamente, e o Redentor, sem pensar direito, deu alguns passos adiante para escutar o que ele dizia. Então, o menino atacou com o braço esquerdo bom, atirando a pedra de modo a atingir o Redentor bem no alto da testa. Seus olhos giraram para trás, a boca escancarada, e ele desabou no chão. Cale voltou a desmaiar.

IdrisPukke ainda estava esperando no espaço pequeno, semicircular, cercado de três lados por arbustos tão densos que ele não conseguia enxergar o lado de fora e ninguém conseguiria enxergar o lado de dentro. Atrás dele, havia a descida de 9 metros de altura, no fundo da qual, torcia ele, Arbell Materazzi ainda esperava. Ouviu-se um farfalhar baixinho vindo de fora dos arbustos. Ele ergueu seu arco, a corda esticada ao máximo, e aguardou. Uma pedra caiu dentro do círculo. Ele quase disparou o tiro, conforme esperava a pessoa que jogou a pedra. Movendo o arco de um lado para outro para se proteger de uma entrada surpresa, ele exclamou com a voz trêmula:

— Se você entrar aqui, tem cinquenta por cento de chances de levar uma flechada na barriga! — Ele deu três passou para o lado, para não entregar sua posição. Uma flecha saiu zunindo do meio dos arbustos, atravessando a beirada da depressão e errando IdrisPukke pelos exatos três passos que havia dado.

— Vá embora agora e nós não iremos atrás de você.

Ele se agachou, movendo-se novamente para o lado. Outra flecha. Ela também passou zunindo quase exatamente pelo lugar em que ele estava antes. Falar tinha sido um erro. Vinte segundos se passaram. A respiração de IdrisPukke soava tão alta aos seus ouvidos que ele tinha certeza de que o Redentor sabia exatamente a sua posição.

Vindo de cerca de 200 metros de distância, ouviu-se um grito agudo de agonia e horror. Então, ele foi silenciado. Tudo pareceu parar, restando apenas o vento que soprava pelas folhas durante o que pareceram minutos.

— Esse foi o seu amigo, Redentor. Agora só resta você. — Outra flecha, também desperdiçada. — Fuja agora e não iremos atrás de você. O acordo é esse, e você tem minha palavra.

— Por que eu deveria confiar em você?

— Meu colega vai demorar uns dois ou três minutos para chegar aqui. Ele vai confirmar o que eu digo.

— Está certo, concordo em fazer um pacto. Mas, se vocês vierem atrás de mim, juro por Deus que levo um dos dois junto comigo.

IdrisPukke decidiu continuar calado. Com Cale lá fora, claramente vivo e mal-humorado, tudo o que ele precisava fazer era esperar. Na verdade, Cale tinha desmaiado novamente logo depois de matar o Redentor no instante em que ele recuperou a consciência, e estava sem condições de fazer muita coisa, quanto mais de resgatar IdrisPukke. Contudo, após dez minutos de espera, sua ansiedade aumentando pouco a pouco, Cale falou baixinho com ele por trás dos arbustos à sua direita:

— IdrisPukke, estou entrando e não quero que você arranque minha cabeça quando eu fizer isso.

— Graças a Deus — disse IdrisPukke para si mesmo, baixando o arco e relaxando a corda.

Depois de um farfalhar demorado e confuso, Cale surgiu diante dele.

IdrisPukke se sentou, dando um suspiro longo e profundo e começou a remexer no seu bolso em busca de tabaco.

— Achei que você estivesse morto.

— Não — respondeu Cale.

— E quanto ao guarda.

— Ele está morto, sim.

IdrisPukke soltou uma risada amarga.

— Você não deixa ponto sem nó.

— Não sei o que significa isso.

— Esqueça. — IdrisPukke terminou de enrolar seu tabaco e o acendeu. — Quer um? — disse ele, gesticulando para a cigarrilha.

— Para ser franco — disse Cale. — Não estou me sentindo muito bem. — E, com essas palavras, ele caiu para a frente, desmaiando no ato.

Cale só voltou a acordar depois de três semanas, durante as quais ele beirou a morte em mais de uma ocasião. Em parte, isso se deu por conta da infecção causada pela ponta da flecha que havia se alojado em seu ombro, mas o principal motivo foi o tratamento que ele recebeu dos médicos caros que o acompanhavam noite e dia, e cujos métodos de uma estupidez nociva (sangria, raspagem, drenagem) quase conseguiram fazer o que uma vida inteira de brutalidades no Santuário não tinha conseguido. E não teriam fracassado se uma diminuição temporária da febre não tivesse permitido a Cale recobrar a consciência por algumas horas. Ao abrir os olhos, confuso e desorientado, Cale se deparou com um velho de gorro vermelho que o encarava de cima.

— Quem é o senhor?

— Eu sou o doutor Dee — falou o velho, voltando a posicionar uma faca afiada e não muito limpa sobre uma veia do antebraço de Cale.

— O que está fazendo? — disse Cale, afastando o braço.

— Fique calmo — disse o velho em um tom tranquilizador. — Você está com uma ferida feia no ombro e ela infeccionou. Precisar ser sangrado para o veneno poder sair. — Ele pegou o braço de Cale e tentou mantê-lo parado.

— Me solte, seu velhote maluco! — gritou Cale, embora estivesse tão fraco que não conseguiu produzir mais que um sussurro.

— Fique quieto, sua peste! — exclamou o médico e, felizmente, foi essa frase que atravessou a porta, alertando IdrisPukke.

— Qual o problema? — falou ele do umbral. E então, vendo Cale acordado: — Graças a Deus! — Ele andou até a cama e se inclinou para bem perto do menino. — Estou feliz em vê-lo.

— Diga para esse velho idiota ir embora.

— Ele é seu médico, está aqui para ajudá-lo.

Cale desprendeu o braço novamente. Então se encolheu diante da dor no seu ombro.

— Tire-o de perto de mim — disse Cale. — Ou juro por Deus que eu corto a garganta deste velho desgraçado.

IdrisPukke gesticulou para o médico ir embora, o que ele fez com uma demonstração considerável de orgulho ferido.

— Quero que você dê uma olhada no ferimento.

— Não sei nada de medicina. Deixe que o médico cuide de você.

— Eu perdi muito sangue?

— Perdeu.

— Então não preciso que nenhum cabeça-oca me ajude a perder mais ainda. — Ele se virou para o lado direito. — Diga-me de que cor ela está.

Com cuidado, mas não sem causar uma dor considerável em Cale, IdrisPukke afastou o curativo manchado e de aparência suja.

— Está cheio de pus verde-claro e as beiradas estão vermelhas. — Sua expressão estava carregada, ele já havia visto ferimentos mortais como aquele antes.

Cale suspirou.

— Preciso de vermes.

— O quê?

— Vermes. Eu sei o que estou fazendo. Preciso de uns vinte. Lave-os cinco vezes em água limpa, potável, e traga-os para mim.

— Deixe-me buscar outro médico.

— Por favor, IdrisPukke. Se você não fizer isso por mim, eu vou morrer. Por favor.

Então, cerca de vinte minutos depois, cheio de apreensão, IdrisPukke retornou com vinte vermes cuidadosamente lavados que havia retirado de um corvo morto caído em uma vala lá fora. Com a ajuda de uma criada, ele seguiu as instruções detalhadas de Cale.

— Lave bem as mãos, depois as lave novamente com água fervida... Jogue os vermes sobre a ferida. Use um curativo limpo e prenda as beiradas à pele... Garanta que eu fique sempre de barriga para cima. Me faça beber o máximo de água possível...

Com essas palavras, ele voltou a perder a consciência e não acordou por mais quatro dias.

Quando tornou a abrir os olhos, um IdrisPukke aliviado estava ao lado da sua cama.

— Como você está?

Cale inspirou fundo algumas vezes.

— Nada mal. Estou quente?

IdrisPukke colocou a mão sobre a sua testa.

— Nem tanto. Durante os dois primeiros dias, você ardeu em febre.

— Quanto tempo eu dormi?

— Quatro dias, mas não descansou durante a maior parte deles. Você ficou fazendo bastante barulho. Foi difícil mantê-lo de barriga para cima.

— Dê uma olhada debaixo do curativo. Está coçando.

Com alguma insegurança, IdrisPukke afastou a beirada do curativo, seu nariz se contraindo de nojo diante do que esperava encontrar. Ele gemeu de repulsa.

— Está feio? — perguntou um Cale ansioso.

— Deus do céu!

— O quê?

— O pus sumiu, e a vermelhidão também, quase toda, pelo menos. — Ele afastou um pouco mais o curativo, mas, desta vez, os vermes agora gordos caíram em dupla e de três em três sobre a roupa de cama. — Nunca vi coisa parecida.

Cale suspirou — que alívio imenso.

— Livre-se dos vermes. Então me traga mais. Faça tudo de novo. — E, com essas palavras, ele caiu em um sono profundo.

22

Três semanas depois, IdrisPukke e um Cale ainda um pouco amarelo se aproximavam da grande fortaleza de Memphis.

No seu íntimo, Cale havia esperado algum tipo de recepção oficial e, embora negasse isso para si mesmo, desejava uma. Tinha, afinal de contas, matado oito homens sozinho e salvado Arbell Pescoço de Cisne de uma morte horrenda. Não que exigisse muito por ter corrido um risco tão grande: uma parada com milhares de pessoas atirando flores e gritando seu nome, completada pelas boas-vindas lacrimosas da bela Arbell sobre um palco ornado de seda, ao lado de um pai desesperadamente agradecido e tão dominado pela emoção que não conseguia falar.

Em vez disso, não houve nada. Apenas Memphis seguindo em seu afã implacável de fazer e gastar dinheiro — naquele dia sob um céu nublado, pois uma tempestade se aproximava. Quando eles estavam prestes a atravessar os imensos portões da fortaleza, o coração de Cale saltou no peito ao ouvir um repicar sonoro e repentino de sinos vindo da grande catedral, que ecoou lindamente pela cidade à medida que as demais igrejas seguiam seu exemplo. Suas esperanças, no entanto, foram frustradas por IdrisPukke.

— Eles tocam os sinos — disse ele, apontando com a cabeça a tempestade iminente — para afastar os relâmpagos.

Dez minutos depois, estavam desmontando de seus cavalos diante da mansão senhorial de Lorde Vipond. Um criado solitário estava ali para recebê-los.

— Olá, Stillnoch — falou IdrisPukke para o criado.

— Bem-vindo de volta, senhor — disse Stillnoch, um homem tão idoso e com a pele tão repleta de linhas e vincos que fez Cale se lembrar do antigo carvalho em um dos cantos do campo de treinamento do Santuário, uma árvore tão velha que era difícil dizer o quanto dela estava viva e o quanto estava morta.

IdrisPukke se virou para o menino exausto, porém extremamente desapontado.

— Preciso entrar para ver Vipond. Stillnoch levará você para o seu quarto. À noite, teremos um jantar. Nos vemos lá. — E, com essas palavras, ele andou até a porta principal. Stillnoch o conduziu em direção a uma porta menor no lado oposto da mansão.

Um barraco miserável, aposto, pensou Cale com seus botões, seu rancor cada vez maior.

Mas, na verdade, o aposento — ou aposentos — acabou se mostrando bastante agradável. Havia uma sala de estar com um sofá macio e uma mesa de jantar de carvalho, um banheiro com latrinas próprias, algo de que tinha ouvido falar, mas que acreditava ser uma grande fantasia. E, é claro, um quarto com uma cama espaçosa e um colchão de penas.

— O senhor gostaria de algo para petiscar? — perguntou Stillnoch.

— Sim — disse Cale, uma vez que aquilo parecia comida. Stillnoch fez uma mesura. Quando ele retornou vinte minutos depois, trazendo uma bandeja com cerveja, torta de porco, ovo cozido e batatas fritas, Cale estava dormindo na cama.

Stillnoch tinha ouvido os boatos. Ele largou a bandeja e observou com atenção o menino adormecido. Com sua pele amarelada e feições abatidas por conta da infecção que chegara tão perto de matá-lo, ele não parecia grande coisa, pensou Stillnoch. No entanto, se ele tinha dado uma bela surra naquele bastardinho arrogante do Conn Materazzi, então merecia respeito e admiração. E, com esse pensamento, ele cobriu o garoto adormecido, fechou as cortinas e foi embora.

— Ele atravessou o acampamento dos Redentores como se fosse a própria Morte encarnada. Eu já vi alguns assassinos nesta vida, mas nada parecido com aquele garoto.

IdrisPukke estava sentado de frente para seu meio-irmão e, bebendo uma xícara de chá, mostrava-se um homem claramente perturbado.

— E isso é tudo que ele é? Um assassino?

— Para ser franco, se tudo o que tivesse visto dele fosse isso, bem, eu teria fugido o mais rápido possível. E lhe falaria para suborná-lo e se livrar dele.

Vipond pareceu surpreso.

— Deus do céu, a idade deixou você sentimental. Esse tipo de gente é útil, sem dúvida. Mas estou lhe perguntando se ele é mais do que um delinquente homicida.

IdrisPukke suspirou.

— Eu diria que ele é bem mais que isso. E, se você tivesse me perguntado isso antes da luta no desfiladeiro de Cortina, se é que podemos chamar aquilo de luta, eu teria lhe dito que ele era um achado. O menino sofreu bastante, mas é esperto e inteligente, embora seja lamentavelmente ignorante sobre certas coisas, e eu lhe diria também que, no fundo, ele tem um bom coração.

Mas fiquei chocado com o que aconteceu. Pronto, a questão é toda essa. Não sei o que pensar dele. Gosto daquele garoto, mas, para ser sincero, ele me dá medo.

Vipond recostou no seu assento, pensativo.

— Bem — disse ele por fim —, ele caiu nas suas graças independente das suas dúvidas e, para ser justo, você também caiu nas minhas. E, Deus é testemunha, elas lhe seriam muito úteis. O marechal Materazzi perdoou todos os seus pecados e agora pende a seu favor como um sincelo das barbas de um holandês. — Ele sorriu para IdrisPukke. — Na verdade, se não fosse necessário manter todo esse assunto em segredo, vocês dois teriam uma parada, uma banda e tudo o mais. — Vipond abriu outro sorriso, desta vez, zombeteiro. — Você teria gostado disso, não?

— Sim, teria — respondeu IdrisPukke. — E por que não? Só Deus sabe quanto tempo faz que ninguém fica feliz em me ver.

— E de quem é a culpa?

— Minha, querido irmão — falou IdrisPukke, rindo. — Toda minha.

— Você talvez devesse explicar ao garoto por que sua recepção foi tão silenciosa.

— Para ser sincero, acho que ele está pouco se lixando. Salvar Arbell Pescoço de Cisne foi apenas um meio de conseguir o que queria. Ele achou que poderia sair lucrando se arriscasse a própria vida, só isso. Nunca fez uma só pergunta a respeito dela. Apesar de todas as minhas dúvidas, elogiei sua coragem e, ainda assim, ele me olhou como se eu fosse um tolo. Ele quer dinheiro e um salvo-conduto para ir o mais longe possível de seus antigos mestres que os mares possam levá-lo. Não é do tipo que se importe com louvor ou injúria. Agradar ou desagradar dá na mesma para ele.

— Então — disse Lorde Vipond —, ele é mesmo um sujeitinho excepcional. — Ele se levantou. — Seja como for, esteja você certo ou não, o marechal gostaria de agradecer a ele pessoalmente hoje à noite e, obviamente, Arbell Pescoço de Cisne também. Embora, pela cara que fez quando eu lhe disse isso, ela preferisse comer uma doninha.

23

— Pelo amor de Deus! — disse o marechal para sua filha. — Anime-se.

— Ele me dá medo — disse a jovem pálida como a morte, porém linda.

— Medo? Ele salvou sua vida. Qual o seu problema?

— Eu sei que ele salvou minha vida, mas foi horrível.

O marechal arquejou de irritação.

— Suponho que tenha sido mesmo horrível. Matar é uma coisa horrorosa. Porém, ele fez o que era preciso e arriscou a própria vida, mais que arriscou, considerando as chances que tinha, e você fica aqui resmungando como foi ruim. O que você precisa é pensar como as coisas teriam sido terríveis se ele não tivesse feito o que fez.

Arbell Pescoço de Cisne, que não estava habituada a ser repreendida dessa forma, pareceu ficar mais angustiada ainda.

— Eu sei que ele salvou minha vida, mas isso não tira o meu medo. O senhor não viu como ele é. Eu vi, duas vezes. Nunca vi coisa parecida, ele não é humano.

— Isso é ridículo, a coisa mais ridícula que já ouvi na vida. Por Deus, é melhor ser cortês com ele, ou vai estar encrencada.

Além de não estar habituada a ameaças, Arbell estava prestes a trocar seu papel de garotinha assustada por algo mais impetuoso quando a porta da pequena sala de jantar se abriu e o anúncio de um criado a interrompeu.

— O chanceler Vipond e convidados, meu amo.

— Sejam bem-vindos, sejam bem-vindos — exclamou com entusiasmo o marechal, esforçando-se de tal forma para dispersar a frieza na atmosfera que tanto Vipond quanto IdrisPukke perceberam que havia algum mal-estar ali.

Cale não percebeu nada além da presença de Arbell Pescoço de Cisne, que estava parada diante da janela, linda e tentando, sem sucesso, não tremer. Cale, que se encontrava em estado de ansiedade e apreensão desde que ficara sabendo que ela estaria presente no jantar, também se esforçava para fazer o mesmo.

— Você deve ser Cale — falou o marechal, agarrando calorosamente sua mão. — Obrigado, obrigado. O que você fez jamais poderá ser retribuído. — Ele olhou em direção à filha. — Arbell. — Seu tom era ao mesmo tempo de incentivo e ameaça. Lentamente, a bela jovem, graciosa sem o menor esforço, alta e esguia, se aproximou de Cale e estendeu a mão.

Cale a apanhou como se mal soubesse o que fazer com ela. Não percebeu que o rosto de Arbell (de um modo que você nem imaginaria possível) ficou tão pálido quanto a lua ou a neve.

— Obrigada por tudo que fez por mim. Sou muito grata.

IdrisPukke ficou com a impressão de já ter ouvido mais vida e entusiasmo nas últimas palavras de um condenado a caminho da forca. O marechal lançou um olhar furioso para a filha — mas, ainda assim, pôde ver que ela sentia um medo profundo do menino à sua frente. À sua irritação pela falta de modos de Arbell, somava-se uma perplexidade genuína. Por maior que fosse sua gratidão — e ela era muito grande, pois o marechal adorava a filha —, ele ficou, na verdade, um pouco desapontado com Cale. Ele havia esperado... bem, não sabia ao certo o que havia esperado, mas obviamente visualizara, graças à reputação apavorante do convidado, alguém de presença majestosa, dotado do tipo de poder carismático que, de acordo com sua experiência, homens violentos sempre carregavam. Cale, no entanto, parecia um jovem camponês. Possuía até uma espécie de beleza rude, porém, estava embasbacado e desconcertado na presença da realeza, como geralmente acontece com os camponeses. Como uma criatura daquelas conseguiu dar uma surra nos melhores dentre os jovens Materazzi e matar tantos homens sozinho era um completo mistério.

— Vamos comer. Você deve estar faminto. Venha, sente-se do meu lado — disse ele, pegando Cale pelos ombros.

Logo que se sentou diante de Arbell, que mantinha os olhos baixados para o prato à sua frente, ele se deu conta das numerosas fileiras de talheres à sua espera, um pelotão de garfos de vários tamanhos, um esquadrão correspondente de facas, afiadas e sem fio. Porém, o mais desconcertante de tudo era um objeto que parecia servir para algum tipo de tortura especialmente dolorosa — a remoção de um nariz ou, digamos, de um pênis. Parecia uma pinça, mas as duas hastes se entrecruzavam e voltavam a se encontrar na ponta de uma maneira totalmente misteriosa.

Ele já se sentia mal o suficiente — uma mistura incompreensível de adoração e ódio pela mulher sentada à sua frente, que pegara sua mão com tanto entusiasmo quanto se fosse um peixe morto. Aquela cadela ingrata e maravilhosa. Agora ele certamente pareceria algo que não conseguia suportar: um idiota. Dores terríveis e até a própria morte não pareciam causar medo em Cale — quem, afinal de contas, poderia se valer dessas duas coisas com mais habilidade do que ele próprio? —, contudo, a possibilidade de se sentir ridículo o deixava quase fraco de tanta ansiedade.

Ele quase pulou de susto quando Stillnoch surgiu às suas costas tão silenciosamente que Cale não notou sua presença — uma façanha e tanto — até um prato ser colocado à sua frente e o solidário criado sussurrar: "Escargot!" no seu ouvido.

Ignorando seu status de herói aos olhos de Stillnoch, Cale pensou que "Escargot!" fosse algum tipo de insulto desmoralizante de um criado que não gostava da sua presença entre os notáveis e virtuosos. Por outro lado, pensou ele, tentando se acalmar, talvez fosse um alerta. Mas, se fosse o caso, de que tipo? Ele baixou os olhos para o prato e sua confusão aumentou. Havia seis objetos dispostos à sua frente que pareciam capacetes de soldados minúsculos e encaracolados, com uma gosma manchada horrorosa escorrendo de dentro deles. Sem dúvida pareciam algo contra o qual você precisava ser alertado.

— Ah! — disse IdrisPukke, cheirando o ar como o pior ator em uma peça teatral muda. — Excelente. Escargot em manteiga de alho! — Sentado ao lado de Cale, ele notou imediatamente o espanto do menino diante da vasta fileira de talheres à sua frente e sua expressão de horror diante das seis lesmas em suas conchas. Uma vez conquistada a atenção de Cale, e, diga-se de passagem, do restante da mesa, ele ergueu a pinça de aparência esquisita com a mão direita e a apertou. As duas pontas em forma de colher se abriram e ele as usou para aninhar a concha da lesma. Ele desapertou um pouco o cabo e as colheres se fecharam com firmeza em volta dela. Apanhando um espeto pequeno com cabo de marfim, ele o enfiou dentro da concha e, de forma hábil, embora um pouco teatral, para que Cale pudesse ver o que ele estava fazendo, retirou o que parecia ser (apesar do alho, salsa e manteiga em que estava afogado) um pedaço de cartilagem cinza-esverdeado do tamanho de um lóbulo auricular. Então o atirou na boca com outro arquejo igualmente teatral de prazer.

Embora a princípio aquela performance estranha tivesse deixado os demais ocupantes da mesa perplexos, eles logo perceberam o que IdrisPukke estava tentando fazer e evitaram deliberadamente olhar para Cale enquanto ele encarava com maldade seu primeiro prato.

Você pode achar surpreendente que um menino disposto a comer um rato sem titubear entortasse o nariz para comer uma lesma. No entanto, ele jamais tinha visto aquele animal na vida — e quem garante que, nas mesmas circunstâncias, você não preferiria comer um rato saudável, de pelo lustroso e bem alimentado, em vez de uma lesma que saísse debaixo de um tronco podre soltando sua gosma bexiguenta pelo caminho.

Examinando disfarçadamente seus companheiros de mesa à medida que eles atacavam seu jantar com capacete, Cale apanhou a pinça, agarrou a concha com ela e, usando o espeto, retirou a coisa mole, cinzenta e úmida lá de dentro. Ele se deteve por um instante, conscientemente não observado pelos demais, então a colocou na boca e começou a mastigar com o mesmo entusiasmo de um homem que estivesse comendo os próprios testículos.

Felizmente, os demais pratos lhe eram mais familiares, ou pelo menos se pareciam com algo que ele tivesse comido à mesa de IdrisPukke. Ficando de olho em seu mentor, Cale conseguiu utilizar os demais talheres de forma mais ou menos correta — embora lidar com os garfos sem se atrapalhar continuasse sendo um mistério. Os três homens foram os únicos a falar, sem abordar nenhum assunto sério: reminiscências e histórias sobre um ou outro episódio em comum do passado, embora não se tenha tocado no assunto delicado das antigas indiscrições e do banimento de IdrisPukke.

Durante todo o jantar, Arbell Pescoço de Cisne não desgrudou os olhos do seu prato nem uma vez, embora tampouco tenha comido muito. De vez em quando, Cale lançava-lhe um olhar e, a cada vez que fazia isso, ela lhe parecia mais bonita do que na anterior — os longos cabelos loiros, os olhos verdes e amendoados... e aqueles lábios! Vermelhos como um botão de rosa contra a pele branca, e um pescoço tão longo e esguio que palavras e descrições não lhe faziam justiça. Ele se voltou para o seu jantar, sua alma ressoando como um sino bem tocado. Contudo, aquele era um sino que repicava com algo mais que alegria e adoração — havia nele, também, o som da raiva e do ressentimento. Ela não se dignaria a olhar para ele porque não queria estar na sua presença. Ela o odiava, e ele (como poderia ser diferente?) a odiava em retribuição.

Assim que o último prato foi servido — morango com creme —, Arbell Pescoço de Cisne se deteve e falou:

— Perdão, não me sinto bem. Posso me retirar?

Seu pai a encarou, escondendo sua fúria apenas por causa dos convidados. Ele se limitou a assentir com a cabeça, na esperança de que aquele gesto irritado deixasse bem claro: *Conversaremos mais tarde*.

Ela correu os olhos pelos demais, embora sem passá-los por Cale, e então saiu. Cale ficou ali, fervendo de raiva. Imagine o maremoto de sentimentos — de amor, amargura e ira — que irrompeu e se chocou contra o rochedo da alma deste jovem.

No entanto, com a garota ausente, não havia necessidade de ser cauteloso a respeito do motivo do seu rapto e do seu propósito misterioso. E também ficou claro porque não tinha havido multidões clamando sua gratidão eterna pela extraordinária bravura de Cale ao resgatar Arbell Materazzi. Quase ninguém sabia do ocorrido. O marechal pediu desculpas a Cale, explicando que, se o sequestro tivesse sido divulgado, eles não teriam podido resistir às exigências de guerra. Ele e Lorde Vipond haviam concordado que precisavam saber o máximo possível sobre o gesto insondável dos Redentores antes de darem um passo tão drástico.

— Estamos às cegas — disse Vipond para Cale. — E, portanto, corremos o risco de fracassar se nos lançarmos em uma empreitada deste vulto. IdrisPukke me disse que você não faz ideia do que os levaria a fazer algo tão provocativo.

— Não.

— Tem certeza?

— Por que eu mentiria? Não faz mais sentido para mim do que faz para vocês. Os Redentores nunca falaram de nada que não fosse a guerra contra os Antagonistas. E, mesmo assim, tudo o que diziam era que eles adoravam o Antirredentor e eram hereges que deveriam ser varridos da face da Terra.

— Não falavam sobre Memphis?

— Com repulsa e quase nunca. Para eles, era um lugar de perversão e pecado onde absolutamente qualquer coisa poderia ser comprada e vendida.

— Pegaram pesado — disse IdrisPukke —, mas dá pra entender o raciocínio deles.

O marechal e Vipond o ignoraram solenemente.

— Então você não tem nada para nos dizer? — perguntou o doge.

Cale percebeu que estava prestes a ser descartado e que aquela era sua única chance de moldar seu futuro entre os poderosos.

— Só uma coisa. Se decidiram fazer algo, os Redentores não irão parar. Não sei por que eles querem sua filha, mas sei que continuarão vindo atrás dela custe o que custar.

Ao ouvir essas palavras, o marechal ficou lívido. Cale manteve sua vantagem.

— Sua filha, ela é uma pessoa de muito... — Cale fez uma pausa, como se buscasse a palavra certa — ... prestígio. — Ele gostara daquela palavra quando a ouviu, mas não tinha entendido muito bem o que significava. — Quero dizer, em toda parte do império eles a consideram, já ouvi as pessoas falando: sua joia mais preciosa. Tudo que ela possui de admirável é o mesmo que se admira nos Materazzi. Ela representa o senhor, não é?

— O que você quer dizer? — perguntou o marechal.

— Se eles quisessem enviar uma mensagem... — Ele deixou sua voz morrer no meio da frase.

— Que tipo de mensagem? — perguntou o marechal, cada vez mais ansioso.

— Raptar Arbell Materazzi e matá-la para mostrar aos seus súditos que os Redentores podem alcançar até mesmo a nata do império. — Ele fez outra pausa, apenas para causar efeito. — Eles provavelmente saberão que um segundo rapto seria quase impossível, porém, a meu ver, não darão isso por terminado. Os Redentores sempre acabam o que começam. É tão importante para eles deixar isso claro quanto lhe mostrar que podem chegar a quem quer que seja. Estão tentando dizer para o senhor que não irão parar sob hipótese alguma.

Àquela altura, o marechal estava branco como um lençol.

— Ela está segura aqui. Faremos um cerco ao redor dela. Ninguém conseguirá entrar.

Cale tentou parecer mais constrangido do que estava de fato.

— Ela estava protegida, pelo que fiquei sabendo, por uma guarda de quarenta homens quando foi raptada do castelo no lago Constanz. Houve algum sobrevivente?

— Não — disse o marechal.

— É só uma opinião, não posso ter certeza, mas desta vez eles virão apenas para matar. Oitenta ou até 180 homens conseguirão mesmo impedi-los?

— Se a história nos ensinou uma coisa, meu amo — disse IdrisPukke —, é que, se você está preparado para sacrificar sua própria vida, pode matar qualquer um.

Vipond jamais tinha visto o marechal tão apreensivo e alarmado em nenhum momento da sua vida.

— Você pode impedi-los? — perguntou o marechal a Cale.

— Eu? — Cale fez cara de que a ideia nem tinha lhe passado pela cabeça. Ele refletiu por um instante. — Melhor do que qualquer um, eu diria. E ainda tenho Henri Embromador e Kleist.

— Quem? — perguntou o marechal.

— Os amigos de Cale — observou Vipond, cada vez mais interessado no que Cale estava tramando.

— Eles têm os seus talentos? — perguntou o marechal.

— Eles possuem suas próprias habilidades. Juntos, podemos dar conta de qualquer coisa que os Redentores mandarem.

— Você tem bastante confiança nos seus poderes, Cale — falou Vipond. — Levando-se em conta que passou os últimos dez minutos nos dizendo como eles são invulneráveis.

Cale o encarou.

— Eu disse que os assassinos deles são invulneráveis a vocês. — Ele sorriu. — Não que eram invulneráveis a mim. Sou melhor do que qualquer soldado que os Redentores já tenham produzido. Não estou me gabando, é apenas um fato. Se o senhor não acredita em mim — disse ele, olhando para o marechal —, então pergunte para a sua filha e para IdrisPukke. E, se isso não bastar, então pergunte a Conn Materazzi.

— Cuidado com a língua, seu fedelho — disse Vipond, a raiva substituindo sua curiosidade. — Jamais se dirija ao marechal Materazzi dessa maneira.

— Já me disseram coisas piores — falou o marechal. — Se conseguir manter minha filha em segurança, eu o tornarei um homem rico e você poderá falar comigo em particular do jeito que bem entender. Mas é melhor que o que está dizendo seja verdade. — Ele se levantou. — Quero que me apresente, até amanhã à tarde, um plano por escrito para a proteção dela. Entendido?

Cale assentiu.

— Por ora, quero todos os soldados nesta cidade em serviço. Agora, se você puder nos deixar a sós. Você também, IdrisPukke.

Os dois se levantaram, assentiram com a cabeça e foram embora.

— Foi um espetáculo e tanto — falou IdrisPukke ao fechar a porta. — Alguma parte dele era verdade?

Cale riu, mas não respondeu.

Se tivesse dado uma resposta a IdrisPukke, ela teria sido que muito pouco daquele alerta tenebroso se baseava em algo que não fosse seu desejo de forçar Arbell Pescoço de Cisne a prestar atenção nele. Ele estava furioso com sua ingratidão e mais apaixonado do que nunca por ela. Porém, ela precisava ser punida por tratá-lo daquele jeito — e o que poderia ser melhor do que ser capaz de decidir quando ele preferia vê-la e ter oportunidades sem-fim de infernizar-lhe a vida na sua presença? É claro que o fato de sua presença lhe ser tão detestável era uma facada no peito, no entanto, ele era tão capaz de viver com uma contradição tão dolorosa quanto qualquer um.

A preocupação com a filha fazia o marechal temer o pior, tornando-o presa fácil para as previsões nefastas de Cale. Vipond não estava mais convencido do que IdrisPukke. Por outro lado, ele não via perigo na proposta de Cale. E estava claro que a ideia de que os Redentores poderiam tentar matá-la não era implausível. De qualquer forma, isso possibilitava ao marechal pensar que algo estava sendo feito enquanto Vipond trabalhava dia e noite para desvendar os motivos dos Redentores. Ele não tinha dúvidas de que algum tipo de guerra era inevitável e estava resignado a se preparar para ela, ainda que secretamente. No entanto, para Vipond, travar qualquer guerra sem saber o que exatamente seu inimigo quer é um desastre esperando para acontecer. Assim, ele ficou satisfeito ao ver Cale começar a tramar o que quer que estivesse tramando — embora não fosse difícil entender o que era. Estava claro que o menino não sabia nada sobre o motivo por trás do sequestro, mas tê-lo como guarda-costas de Arbell Materazzi a manteria em segurança. Ele era, à sua maneira menos paternal, tão grato a Cale por ele tê-la resgatado quanto o seu pai: as implicações políticas de se ter o membro mais adorado da família real nas mãos de um regime tão sanguinário e brutal quanto o dos Redentores eram impensáveis. As notícias que vinham do Front Ocidental sobre o grave impasse entre os Redentores e os Antagonistas eram terríveis, tão terríveis que eram difíceis de acreditar. No entanto, todos aqueles que conseguiam escapar pela fronteira para território Materazzi, em número lamentavelmente pequeno, contavam histórias de uma consistência alarmante, que emprestavam um tom de verdade aos relatos que seus agentes coletavam e transmitiam para ele. Se uma guerra contra os Redentores estava por vir, ela prometia ser diferente de qualquer outra.

24

— Diga-me o que você sabe a respeito da guerra dos Redentores contra os Antagonistas.

Vipond encarava Cale com uma expressão sombria do outro lado da sua grande mesa. IdrisPukke estava sentado mais longe, diante da janela, como se estivesse mais interessado no que estava acontecendo no jardim lá embaixo.

— Eles são os Antirredentores — respondeu Cale. — Odeiam o Redentor e todos que acreditam nele e querem destruí-lo e expurgar sua bondade da Terra.

— É nisso que você acredita? — perguntou Vipond, surpreso diante da mudança repentina de Cale do discurso comum para uma ladainha monótona.

— É o que fomos ensinados a recitar duas vezes por dia na Missa. Não acredito em nada que os Redentores dizem.

— Mas o que você sabe sobre os Antagonistas, sobre suas crenças?

Cale pareceu intrigado e refletiu por alguns instantes.

— Nada. Nunca nos disseram que os Antagonistas acreditavam em algo. Para nós, tudo que importava para eles era destruir a Única e Verdadeira Fé.

— E você nunca perguntou?

Cale riu.

— Você não fazia perguntas sobre a Única e Verdadeira Fé.

— Se sabia que os Antagonistas odiavam tanto os Redentores, por que não tentou fugir para o leste?

— Teríamos que viajar quase 2.500 quilômetros através do território dos Redentores e, depois, tentar cruzar outros mil e pouco de trincheiras no Front Ocidental. E, mesmo que tivéssemos sido idiotas o bastante de tentar, sempre nos diziam que os Antagonistas martirizariam um Redentor assim que botassem os olhos nele. Nos enchiam de histórias sobre como o Santo Redentor George foi fervido vivo em urina de vaca, ou sobre como viraram o Santo Redentor Paulus do avesso, enfiando um gancho pela sua goela abaixo e amarrando-o em seguida a um bando de cavalos. Eles falavam ou cantavam o tempo todo sobre masmorras, fogo e espadas. Como eu disse, nunca me passou pela cabeça que os Antagonistas pudessem acreditar em algo que não fosse matar Redentores e destruir a Única e Verdadeira Fé.

— Todos os seus colegas acólitos pensavam dessa maneira?

— Alguns pensavam com eu, a maioria, não. Nunca haviam conhecido nenhuma outra coisa, então jamais questionavam. Para eles, o mundo era assim e pronto. Achavam que seriam salvos se tivessem fé e, se não tivessem, então queimariam no inferno por toda a eternidade.

Vipond começou a perder a paciência.

— A guerra contra os Antagonistas vem sendo travada desde duzentos anos antes de você nascer. Você está me falando desde o início que, além de fazerem parte da Única e Verdadeira Fé, a única coisa para a qual vocês foram preparados, você especialmente, é para lutar. Ainda assim, não sabe nada a respeito das vitórias, derrotas, táticas, ou como esta ou aquela batalha foi ganha ou perdida. Custa-me crer nisso.

O ceticismo de Vipond era perfeitamente justificável. Cale repassara cada batalha e confronto envolvendo os Redentores e os Antagonistas diante do Redentor Bosco, que o batia com seu cinto sempre que ele errava em sua análise do que deu certo ou errado. Cale tinha comido e bebido as batalhas no leste quatro horas por dia durante dez anos. No entanto, por outro lado, era verdade que ele não sabia nada sobre as crenças dos Antagonistas. Sua decisão de mentir sobre o que sabia a respeito do conflito se baseava tanto em instinto quanto em uma decisão calculada: se uma guerra entre os Materazzi e os Redentores estava por vir, ela seria acompanhada por sofrimentos terríveis e morte. Ele não queria fazer parte de nada daquilo — e, se confessasse o que sabia, Vipond pagaria qualquer preço para tê-lo do seu lado.

— Eles nos contavam apenas sobre vitórias gloriosas e derrotas desleais. Eram somente histórias, sem nenhum detalhe. Você não fazia perguntas. Quanto a mim — ele continuou mentindo —, eu fui apenas treinado para matar pessoas. Não passa disso: combate mano a mano e assassinato em três segundos. É tudo que eu sei.

— O que diabos — perguntou IdrisPukke — é o assassinato em três segundos?

— O nome diz tudo — respondeu Cale. — Uma verdadeira luta até a morte é decidida em três segundos, e essa é a sua meta. Tudo o mais, toda essa lenga-lenga de arte na qual vocês treinam o Mond, é pura besteira. Quanto mais tempo dura a luta, maior é a interferência do acaso. Você pode tropeçar, seu oponente pode dar um golpe de sorte ou descobrir que você tem um ponto fraco enquanto ele tem um ponto forte. Então, você mata em três segundos ou sofre as consequências. Os Redentores no desfiladeiro de Cortina morreram como cães porque eu não lhes dei a chance de morrer de nenhuma outra forma.

Cale estava chocando deliberadamente seus ouvintes. Desde pequeno, sua capacidade de mentir era tão grande quanto, hoje em dia, a de matar. E pelo mesmo motivo: ela era necessária para a sua sobrevivência. Ele havia desviado a atenção deles de um lado de seu passado que não queria revelar confessando a verdade sobre outra parte. E, obviamente, para homens tão experientes quanto Vipond e IdrisPukke, quanto mais chocante, melhor. Se os Materazzi acreditavam que ele era apenas um jovem e impiedoso assassino e nada mais que isso, então encorajá-los nesse sentido seria interessante para Cale. Era verdadeiro o suficiente, o que o tornava persuasivo, mas não era, nem de longe, toda a verdade.

Vipond lhe fez mais algumas perguntas, porém, quer acreditasse totalmente em Cale ou não, tudo indicava que o menino não revelaria mais nada, de modo que ele passou a tratar dos seus planos para garantir a segurança de Arbell Pescoço de Cisne.

Suas providências por escrito para mantê-la segura e suas respostas às perguntas de Vipond deixaram claro que Cale era tão versado em evitar a morte quanto em possibilitá-la. Finalmente satisfeito com as respostas do menino, neste sentido pelo menos, Vipond apanhou uma pasta grossa da sua mesa e a abriu.

— Antes de você ir embora, quero lhe fazer uma pergunta. Tenho recebido uma série de relatórios de refugiados Antagonistas, agentes duplos e documentos capturados sobre uma política dos Redentores chamada por eles de a Dispersão. Você já ouviu falar disso?

Cale encolheu os ombros.

— Não.

Desta vez, Vipond foi convencido pela expressão intrigada no rosto de Cale.

— Estes relatórios — prosseguiu Vipond — são sobre algo chamado Atos de Fé. Você conhece esse termo?

— Execução por crimes contra a religião testemunhada pelos fiéis.

— Afirma-se que mais de mil Antagonistas capturados estão sendo levados por vez para os centros de cidades controladas pelos Redentores e queimados vivos. Os que abjuram sua heresia antagonista recebem misericórdia e são estrangulados antes de ir para a fogueira. — Ele fez uma pausa, analisando Cale com atenção. — Você acha que esses Atos de Fé são possíveis?

— Sim, são possíveis.

— Existem também outras afirmações sustentadas por documentos capturados de que essas execuções são apenas o começo. Esses documentos fazem referência à Dispersão de todos os Antagonistas. Alguns dos meus homens dizem que se trata de um plano, a ser executado após a vitória, de transferir todo o contingente de Antagonistas para a ilha de Malagasy. Porém, alguns dos refugiados afirmam que o plano por trás da Dispersão é, uma vez que eles sejam transferidos para a ilha, matar todos os Antagonistas para acabar de uma vez por todas com sua heresia. Acho isso difícil de acreditar, no entanto, você tem mais experiência do que qualquer um de nós no que tange à natureza dos Redentores. O que acha disso? É possível?

Cale ficou calado por um tempo, claramente dividido entre seu ódio pelos Redentores e a enormidade do que estava lhe sendo perguntado.

— Não sei dizer — falou ele por fim. — Nunca ouvi falar de coisa parecida.

— Veja bem, Vipond — disse IdrisPukke —, os Rendentores são obviamente um grupo brutal, porém, eu me lembro que vinte anos atrás, durante a insurreição em Mont, havia toda espécie de boatos sobre como, em cada cidade que capturavam, eles reuniam todos os bebês, os atiravam no ar diante das mães e os empalavam com suas espadas. Todos acreditavam, mas era uma mentira deslavada. Nada disso jamais aconteceu. Pela minha experiência, para cada atrocidade que acontece outras dez são inventadas.

Vipond assentiu. Não tinha sido uma reunião produtiva e ele se sentia ao mesmo tempo frustrado e pouco à vontade a respeito dos relatos que vinham do leste. Porém, outra coisa mais trivial o incomodava. Ele encarou Cale com suspeita.

— Você andou fumando. Consigo sentir no seu hálito.

— E qual o problema?

— Eu decido qual é o problema, seu fedelho insolente. — Ele voltou sua atenção para IdrisPukke, que ainda olhava pela janela com um sorriso no rosto. Vipond olhou de volta para Cale. — Achei que você teria o bom-senso de não imitar IdrisPukke em tudo. Deveria encará-lo com um exemplo do que não pode ser feito. Quanto a fumar, trata-se de uma afetação infantil: um hábito repugnante aos olhos, detestável para o nariz, prejudicial ao cérebro, perigoso para os pulmões, que causa mau hálito e deixa qualquer homem, que o tenha por muito tempo, efeminado. Agora saiam, vocês dois.

25

Quatro horas depois, Cale, Henri Embromador e Kleist se acomodavam em seus quartos confortáveis na parte do *palazzo* que cabia a Arbell Materazzi.

— E se eles descobrirem que não fazemos ideia de como ser guarda-costas? — perguntou Kleist enquanto se sentavam para comer.

— Bem, eu não vou falar nada — disse Cale. — Você vai? Além do mais, duvido que seja muito difícil. Amanhã damos uma geral no lugar e garantimos que ele esteja seguro. Então, impedimos qualquer um de entrar e um de nós a acompanha aonde quer que ela vá. Se ela sair daqui, o que iremos desencorajar, não poderá ir além da fortaleza e será escoltada por dois de nós e mais uma dúzia de guardas. É só isso.

— Por que simplesmente não embolsamos uma recompensa por tê-la salvado e damos o fora?

A pergunta de Kleist era boa, pois era exatamente o que Cale sabia que eles deveriam estar fazendo. E, não fosse pelos seus sentimentos por Arbell Pescoço de Cisne, era isso mesmo que teria feito.

— Estamos mais seguros aqui do que em qualquer outro lugar — foi tudo o que ele disse. — A gente vai receber a recompensa prometida e mais o dinheiro por cuidar deste problema. Esse trabalho é dinheiro fácil e a verdade é que temos um exército inteiro nos protegendo dos Redentores. Se você tiver algo melhor que isso, sou todo ouvidos.

E isso encerrou a questão. Naquela noite, Arbell Pescoço de Cisne dormiu com Kleist e Henri Embromador guardando sua porta.

— É melhor termos cuidado até traçarmos um mapa do local amanhã — disse Cale, planejando o tempo todo como faria sua entrada no dia seguinte como seu todo-poderoso protetor. Cale mostraria desdém por tudo relacionado a ela, que estaria acuada e temerosa, enquanto ele ficaria ao mesmo tempo satisfeito consigo mesmo e arrasado.

Eram nove da manhã do dia seguinte quando Arbell Pescoço de Cisne saiu dos seus aposentos privados, tendo sido informada pelas duas criadas que lhe trouxeram o café da manhã que havia dois guardas do lado de fora, acompanhados por dois zés-ninguém imundos que elas só haviam visto antes limpando os estábulos.

Adotando sua expressão mais gélida, ela ficou irritada ao se ver, além dos dois guardas parados em posição formal de sentido um de cada lado da porta, diante não de Cale, mas de dois meninos que também nunca tinha visto na vida.

— Quem são vocês e o que estão fazendo aqui?

— Bom dia, senhorita — disse Henri Embromador em um tom afável.

Ela o ignorou.

— E então? — disse ela.

— Somos os seus guarda-costas — falou Kleist, controlando o impulso de cair de quatro diante da sua beleza estonteante e mascarando-o com uma expressão de quem já havia visto inúmeras beldades aristocráticas na vida e não estava impressionado, especialmente por aquela.

— Onde está o seu... — Arbell não conseguia pensar em uma palavra insultante o suficiente — ... mandante? — disse ela por fim, insatisfeita.

— Procurando por mim? — falou Cale, dobrando a curva de um corredor próximo dali, acompanhado por dois homens que carregavam vários rolos longos de papel.

— Quem são essas pessoas?

— São seus guarda-costas. Esse é Henri e aquele outro é Kleist. Eles têm a mesma autoridade que eu e a senhorita fará a gentileza de obedecer-lhes.

— Então, eles são os seus diabretes — falou ela, torcendo para soar o mais ofensiva possível.

— Diabretes, o que é isso?

— Demônios subalternos — respondeu ela, triunfante. — Como as moscas que acompanham Belzebu sempre que ele sai do inferno.

De forma nada surpreendente, isso irritou Henri e Kleist, enquanto Cale achou divertidíssimo.

— Sim — disse ele, sorrindo com malícia para os dois. — Eles são sem dúvida meus diabretes.

— Você não diria que eles são um pouco fracotes para serem guarda-costas?

Cale olhou para eles com pesar.

— Sinto muito pela aparência deles. Também não gostaria de ter que ficar olhando para esses dois o dia inteiro. Mas quanto a serem fracotes... Talvez a senhorita prefira mandar uns dois Materazzi para cima deles, então verá como são fracotes.

— Então eles são assassinos, como você?

Henri ficou profundamente ofendido com aquilo, porém, Kleist claramente gostou do insulto.

— São, sim — respondeu Cale com tranquilidade. — Assassinos exatamente como eu.

Incapaz de pensar em uma resposta, Arbell Pescoço de Cisne se encaminhou de volta para os seus aposentos e fechou a porta às suas costas.

Dez minutos depois, ouviu-se uma batida na porta e ela fez sinal para sua criada particular atendê-la. Quando fez isso, a criada ficou satisfeita ao ver os olhos de Cale se arregalarem de espanto. Era Riba.

A ascensão de Riba a um posto tão elevado foi, à sua maneira, tão estranha quanto a de Cale. Assim que Anna-Maria terminou de supervisionar a expulsão de Riba dos aposentos de mademoiselle Jane, a velha criada seguiu rapidamente para o *palazzo* ocupado pela Honorável Edith Materazzi, mãe de Arbell Pescoço de Cisne e esposa do marechal, embora os dois vivessem separados. Vale notar que, desde o casamento arranjado de vinte anos atrás, marido e mulher não tinham sido outra coisa senão completos estranhos, e a concepção de Arbell Pescoço de Cisne foi provavelmente uma das uniões mais frias da história da realeza. As tentativas do marechal de evitar sua esposa a qualquer custo eram geralmente bem-sucedidas, embora tivesse muito menos sucesso em negar a ela todo o seu poder ou sua influência sobre a condução dos assuntos políticos de Memphis. A Honorável Edith Materazzi era uma mulher que conhecia segredos comprometedores, e eram poucas as atividades escusas ou ilegais ocorridas em Memphis que não chegavam, de uma maneira ou de outra, aos seus ouvidos — sendo que, quando a situação pedia, a própria estava por trás delas. Apesar de não ter nenhuma espécie de poder oficial — algo de que o marechal havia cuidado explicitamente —, a influência da Honorável Edith Materazzi era sustentada, no mais das vezes, por seu conhecimento dos esqueletos no armário e deslizes propensos a existir em qualquer família, por mais orgulhosa e nobre que ela seja. Assim, trinta minutos depois do ataque de pelancas de mademoiselle Jane para cima de Riba, a Honorável Edith Materazzi foi informada do ocorrido por Anna-Maria, sua espiã, e tomara providências para que um quarto fosse arrumado para a irritada e confusa Riba em seu próprio *palazzo*.

Quando Vipond ficou sabendo do episódio e que Riba se encontrava nas garras da Honorável Edith Materazzi, convocou mademoiselle Jane imediatamente e deu uma bronca de gelar o sangue na sobrinha. Ela saiu do seu gabinete aos soluços, em um pranto horrorizado, mas não havia nada a fazer além de esperar e ver o que a bruxa velha estava tramando.

A Honorável Edith Materazzi não perdeu tempo. Ela sabia que alguma coisa estava acontecendo — e que envolvia sua filha. Havia boatos estapafúrdios sobre seu desaparecimento após visitar o lago Constanz três semanas atrás, que incluíam um casamento e um filho secretos. Nenhum deles tão estapafúrdio, no entanto, quanto a própria verdade. A Honorável Edith Materazzi havia gastado muito tempo e dinheiro para desvendar o que aconteceu sem muito sucesso — e pouco sucesso não era algo que ela estivesse preparada para tolerar.

— Você está sendo bem tratada? — perguntou a Honorável Edith Materazzi enquanto dava tapinhas no sofá, indicando com um sorriso caloroso que Riba deveria se sentar ao seu lado. Nervosa, mas também desconfiada, Riba obedeceu. Já era bem versada na discriminação social existente em Memphis para perceber que havia algo estranho ali — o respeito pela menor diferença de hierarquia era uma exigência, como se tivesse sido ordenado pelo próprio Deus, e quem vinha de fora era ridicularizado independentemente de seu status nas províncias. Riba tinha ouvido falar diversas vezes sobre a condessa de Karoo, que chegara a Memphis há mais de dez anos e tinha pagado a viagem com o dinheiro da venda do seu chiqueiro. Isso era uma injúria grotesca, como todos sabiam muito bem, pois o povo de Karoo considerava os porcos criaturas sujas. Por que, então, perguntou-se Riba ao se sentar, uma mulher tão eminente a estava tratando com tanta gentileza?

— Antes de tudo, minha querida — disse a Honorável Edith Materrazzi —, sinto muito que Jane tenha lhe causado tanto aborrecimento. Não é desculpa, obviamente, mas fui amiga da falecida mãe dela e não há outra maneira de colocar a questão: ela foi mimada, sempre lhe obedeceram todas as vontades. Porém, é assim que as coisas são hoje em dia, os pais dão tudo que as crianças pedem e o resultado você já viu. Mas não tem jeito — falou ela, suspirando e afagando a mão de Riba. — E eu sinto muito.

Riba não sabia ao certo o que dizer.

— Entendo, senhora.

— Ótimo — falou a Honorável Edith Materazzi, como se a resposta a tivesse agradado. — Agora, quero lhe pedir um grande favor.

Riba mal conseguia acreditar no que estava ouvindo.

— Eu também tenho uma filha — disse a mulher com pesar. — E estou preocupada com ela. — Ela se voltou para Riba. — Você já teve a oportunidade de vê-la?

— A mademoiselle Arbell? Sim, senhora.

— Ah — suspirou baixinho a Honorável Edith Materazzi, como se uma lembrança distante lhe viesse à mente. — Ela é linda, não é?

— Sim, senhora.

Então a Honorável Edith Materazzi pegou a mão de Riba.

— Agora eu quero lhe fazer uma confidência e também ajudá-la, pois sinto que você é uma menina de bom coração, com a qual uma mãe pode dividir suas preocupações. Estou certa, Riba?

— Sim, senhora, espero que sim — respondeu a menina espantada.

— É o que me parece — falou a Honorável Edith Materazzi, como se tivesse olhado dentro da alma de Riba e visto apenas bondade e uma consideração profunda pelas inquietações maternas.

— Devemos conversar sobre coisas que são difíceis para mim... porém, ser mãe vem antes que o orgulho, como estou certa de que você descobrirá um dia. — Ela suspirou. — Meu marido me odeia e faz de tudo para me impedir de ver minha filha. O que você acha disso?

Os olhos de Riba se arregalaram de perplexidade.

— Acho muito triste, senhora.

— E é mesmo. Ele me impede de vê-la e faz sua cabeça contra mim. Mas não posso me defender, pois, se ela se voltasse contra o marechal, suas chances no futuro seriam arruinadas. Isso eu não posso fazer. Então, Riba, devo suportar. Preciso tolerar que minha própria filha, a quem eu amo, acredite que eu sou fria e distante e não me importo nem um pouco com ela. O que você acha disso?

— Eu... — Riba hesitou. — Eu acho que deve ser terrível para a senhora.

— E é. Mas você pode me ajudar.

Os olhos de Riba se arregalaram mais ainda, mas ela foi incapaz de pensar em uma resposta.

— Ouvi dizer que você é uma excelente companhia e uma embelezadora muito habilidosa.

— Obrigada, senhora.

— Estão todos falando como os seus talentos transformaram aquela ingrata da Jane. Ela não é nenhuma beldade, para ser franca, mas você deve tê-la transformado em uma.

— Obrigada, senhora.

Fez-se uma pausa.

— Agora, quero lhe pedir uma coisa que, além do mais, irá ajudá-la a alcançar uma posição invejável. Eu tomei providências para que você seja a embelezadora da minha filha.

— Oh! — exclamou Riba.

A Honorável Edith Materazzi sorriu.

— E põe "oh!" nisso. Não é uma maravilha?

— Sim, senhora.

— Tenho certeza de que você se sairá bem. Tudo o que peço, no entanto, são duas coisas. Você terá dificuldade em fazer uma delas, pois vejo que é uma menina boa e honesta. — Ela encarou Riba, que já estava esperando a pegadinha por trás daquilo. — Peço-lhe que não revele a minha filha que chegou a ela através de mim. — Ela agarrou a mão de Riba com força, como se estivesse sufocando desesperadamente um protesto mais do que natural. — Sei que parece errado e compreendo a sua posição, mas faço esse pedido apenas porque, de outra forma, ela irá recusá-la. Para se fazer uma coisa nobre, às vezes é preciso cometer um pequeno pecado. Quero apenas que você, de vez em quando, venha me dizer como ela está, sobre o que costuma falar, se algo a preocupa. Coisas pequenas, do tipo que uma filha contaria a uma mãe que a ama. Você poderia fazer isso, Riba?

É claro que poderia. E, além disso, o que mais lhe restava? Ela firmou aquele acordo com a Honorável Edith Materazzi e, mesmo que não acreditasse totalmente nela, que diferença fazia? Na verdade, Riba não tinha escolha — e as duas sabiam disso.

Sua Santidade o Redentor Bosco se acomodou em sua sacada e baixou os olhos para os soldados que se moviam mais abaixo, até onde a vista alcançava, preenchendo a vastidão do Santuário. Homens gritavam, mulas zurravam, cavalos bufavam e eram xingados por seus domadores. As visões e os sons de tantos preparativos o agradavam — afinal, era o começo daquilo que mais ambicionara vida. Ele deu outro gole na sopa, uma de suas favoritas: pé de galinha com uma verdura que era conhecida em Memphis como papel higiênico, onde era valorizada apenas por sua utilidade, e não como comida.

Ouviu-se uma batida na porta.

— Entre.

Era o Redentor Stape Roy.

— O senhor me chamou, Digníssimo?

— Quero que o senhor reúna vinte Redentores e tente matar Arbell Pescoço de Cisne.

— Mas, Sua Santidade, isso é impossível! — protestou Roy.

— Sei muito bem disso. Se fosse possível, não o estaria enviando.

Irritado e com medo, Roy ainda assim conteve o impulso de perguntar a Bosco o que diabos ele queria dizer com isso.

— O senhor está irritado comigo, Redentor Roy Stape.

— Eu sirvo ao senhor como bem lhe aprouver, Digníssimo.

Bosco se levantou e fez sinal para o Redentor vir até uma mesa sobre a qual um mapa das fortificações de Memphis estava estendido.

— O senhor participou do cerco a Voorheis, não foi?

— Sim, Digníssimo.

— Quanto tempo a cidade demorou a ser tomada?

— Quase três anos.

Bosco gesticulou em direção ao mapa das fortificações de Memphis.

— Quanto tempo, em sua opinião de homem experiente, o senhor acha que levaríamos para destruir Memphis?

— Mais que isso.

— Quanto mais?

— Muito mais.

Bosco se virou para encará-lo.

— Nós poderíamos nos arruinar, por mais poderosos que sejamos, tentando tomar Memphis pela força... e é por isso que não vai acontecer. O senhor ouviu os boatos sobre por que tentamos raptar Arbell Materazzi?

O Redentor Stape Roy pareceu desconfortável.

— É pecado escutar fofocas e outro maior ainda passá-las adiante, Digníssimo.

Bosco sorriu.

— É claro, porém, neste caso, estou isentando o senhor. O pecado de espalhar boatos já lhe foi perdoado.

— No geral, dizia-se que ela havia se convertido secretamente aos Antagonistas e estava espalhando sua palavra, além de ser uma bruxa que realizava orgias, corrompia homens aos milhares e fazia Redentores capturados se perverterem, obrigando-os a comer camarões sob tortura.

Bosco assentiu.

— Uma pecadora formidável, se for tudo verdade.

— Eu apenas repeti os boatos, não disse que acreditava neles.

— Bom para o senhor, Redentor. — Bosco sorriu. — Eu mandei que ela fosse sequestrada porque queria forçar os Materazzi a saírem de trás dos muros de Memphis. Para todos os cidadãos do império, ela é uma rainha, idolatrada por sua juventude e beleza, uma estrela no firmamento. Em toda parte, mesmo no mais sórdido conjunto de barracos do império, eles falam sobre suas proezas; não é de se espantar que muitos as inventem ou exagerem. Ela é adorada, Redentor, e especialmente pelo próprio pai. Quando fui informado de que seu rapto havia fracassado não fiquei, no entanto, muito preocupado. Assim que a notícia de que fizemos algo tão abominável se espalhasse, meu objetivo teria sido cumprido. Os Materazzi sairiam aos pulos de Memphis, transbordando de ódio e prontos para nos varrer da face da Terra. — Bosco se sentou e olhou firme para o homem de aparência dura à sua frente. — Isso não aconteceu, é claro, deve estar pensando o senhor, de modo que só posso estar enganado. É apenas educado demais para dizê-lo. Porém, Redentor, o senhor também se engana. O marechal Materazzi, por outro lado, concorda comigo. Acontece que ele pode ser um pai amoroso, mas não é um sentimental. Decidiu manter o rapto em segredo, exatamente por saber que não conseguiria resistir ao desejo de vingança de seu povo. O que me leva ao senhor, Redentor. Uma vez que tem uma relação tão boa com aquela *coisa* em...

— Kitty Town, Sua Santidade.

— Quero que o senhor o convença a ajudá-lo a lançar um ataque utilizando um certo número de soldados... trinta, talvez cinquenta... como achar melhor. O senhor informará a esses soldados que os boatos já disseminados entre os Redentores sobre a apostasia repugnante e pecaminosa de Arbell Pescoço de Cisne são verdadeiros, e que eles serão considerados mártires se morrerem... como de fato morrerão. O senhor se certificará de que cada um dos capitães de sua escolha carregará um certificado de martírio explicando por que eles estão executando a obra do Senhor. Com sorte, alguns sobreviverão por tempo o bastante para os Materazzi arrancarem a verdade deles através da tortura. Desta vez, não quero que haja possibilidade alguma de nossa ação ser ocultada. Fui claro?

— Sim, Digníssimo — respondeu um Redentor Roy descorado.

— O senhor ficou bastante pálido, Redentor. Devo lhe informar que a sua morte não é necessária. Muito pelo contrário. O senhor também deve usar soldados que foram desonrados de alguma maneira. O que estou lhe pedindo é uma coisa diabólica, porém, necessária.

Quando descobriu que o sacrifício da sua própria vida imprestável não era necessário, a cor voltou às faces do Redentor Roy.

— Kitty das Lebres — disse ele — vai querer saber no que está se metendo. Ele provavelmente não achará que é de seu interesse se envolver em algo tão ambíguo quanto isso.

Bosco o dispensou com um gesto.

— Prometa o que quiser para ele. Diga-lhe que, quando vencermos, eu o tornarei o sátrapa de Memphis.

— Ele não é tolo, Sua Santidade.

Bosco deu um suspiro e refletiu por um instante.

— Leve para ele a estátua de ouro da Vênus Luxuriosa de Strabo.

O Redentor Roy pareceu abismado.

— Eu achei que ela havia sido quebrada em dez pedaços e atirada pela cratera do vulcão de Delphi.

— Foi apenas um boato. Por mais blasfema e obscena que seja, a estátua vai encher os ouvidos dessa sua criatura e deixá-lo surdo para qualquer dúvida que tenha, quer ele seja tolo ou não.

26

No decorrer das semanas seguintes, Cale sentiu todos os prazeres autodestrutivos de se infernizar a vida de alguém que você ao mesmo tempo adora e odeia. Para ser sincero — embora ele não fosse — Cale já estava ficando farto deles.

Ele nunca havia encarado de fato o que estava esperando ao se tornar o guarda-costas de Arbell Pescoço de Cisne. Os sentimentos que nutria por ela — desejo e rancor em igual intensidade — teriam sido difíceis de conciliar para qualquer um, quanto mais para alguém que fosse uma mistura tão estranha de experiência brutal e completa inocência. Talvez um pouco de charme pudesse ter ajudado a evitar que ela se retraísse quando ouvia sua voz — porém, de onde um garoto daqueles tiraria charme? A repulsa física que Arbell sentia na sua presença era, compreensivelmente, uma grande ofensa para ele, no entanto, tudo que Cale sabia fazer em resposta era tratá-la com mais hostilidade ainda.

Essa atmosfera estranha entre Cale e sua patroa era fonte de grande inquietação para Riba. Ela gostava de Arbell Pescoço de Cisne, embora tivesse ambições de se tornar mais do que uma dama de companhia, por mais ilustre que fosse a dama. Arbell era gentil, atenciosa e, assim que descobriu como sua criada era inteligente, muito tranquila e franca com ela. Não obstante, Riba era fiel a Cale ao ponto da adoração. Ele havia arriscado a própria vida para salvá-la de algo terrível, que geralmente não era para ser lembrado exceto em pesadelos. Ela não conseguia entender a frieza de Arbell em relação a ele e estava determinada a colocar juízo na cabeça da patroa.

A maneira como ela fez isso poderia ter parecido estranha para alguém de fora: fingindo ter tropeçado, ela derramou de propósito uma xícara de chá em cima de Cale, tomando o cuidado de acrescentar água gelada ao plano para garantir que a queimadura não fosse grave demais. Mas o chá estava bem quente. Com um grito de dor, Cale arrancou a túnica de algodão que estava vestindo.

— Oh, me desculpe, me desculpe — alvoroçou-se Riba, apanhando uma caneca de água gelada que havia deixado intencionalmente ao alcance da mão e derramando-a em cima dele também. — Você está bem? Me desculpe.

— Qual é o seu problema? — disse ele, mas sem irritação. — Primeiro você tenta me escaldar, depois tenta me afogar.

— Oh — arquejou Riba. — Sinto muito. — Ela continuou pedindo desculpas, entregando-lhe uma pequena toalha e paparicando-o de forma geral.

— Tudo bem. Eu vou sobreviver — disse ele enquanto ia embora. Ele meneou a cabeça na direção de Arbell. — Preciso trocar de roupa. Por favor, não deixe seus aposentos até eu voltar. — E, com essas palavras, ele saiu. Riba então se virou para ver se sua artimanha havia dado certo. Porém, como geralmente acontece com artimanhas complexas, seu resultado foi igualmente complexo. O que fez Arbell sentir pena, e do tipo que jamais imaginara poder sentir por Cale, era que suas costas fossem cobertas de vergões e cicatrizes. Quase não havia centímetro na sua pele que não carregasse as marcas do seu passado brutal.

— Você fez aquilo de propósito.

— Fiz — disse Riba.

— Por quê?

— Para que a senhora pudesse ver o quanto ele sofreu. E então, com todo o respeito, deixar de ser tão cruel.

— Do que você está falando? — disse uma Arbell estupefata.

— Posso ser franca?

— Não, não pode!

— Vou ser de qualquer forma, já que cheguei até aqui.

Para os padrões da aristocracia, Arbell não era uma aristocrata pomposa, no entanto, ninguém — não apenas uma criada, mas *ninguém* — jamais havia falado com ela daquela maneira, com exceção de seu pai. Seu assombro a deixou muda.

— Você e eu, mademoiselle — falou Riba depressa —, podemos não ter muito em comum, mas uma vez eu tive de bandeja absolutamente quase tudo o que quis e imaginava apenas uma vida de dar e receber prazer. Bem, tudo isso acabou em apenas uma hora e eu descobri como a vida é terrível, cruel e inacreditável.

Ela então contou os detalhes para sua patroa de olhos arregalados, sem omitir nada sobre o destino de sua amiga e sobre como Cale se arriscara a tudo, inclusive uma morte ainda mais cruel, para salvá-la.

— Enquanto atravessávamos as Terras Crestadas, ele sempre me dizia que me salvar foi a coisa mais idiota e insensata que fez na vida.

— E você acredita nele? — A pergunta foi feita, na verdade, em tom de espanto. Riba soltou uma risada.

— Não sei direito. Às vezes acho que ele está falando sério, outras não. Mas eu vi as costas dele quando estávamos nos lavando em uma das lagoinhas das Terras Crestadas, só Deus sabe como ele conseguiu encontrá-la naquele lugar terrível. Porém, Henri me disse o que eles fizeram com Cale. Desde que ele era pequeno, esse tal de Redentor Bosco jogava qualquer coisinha nas suas costas. Ele o acusava de tudo, quanto mais banal, melhor: rezar com os polegares cruzados, não escrever o número nove do jeito que ele queria. Então, o arrastava para a frente dos outros e lhe aplicava uma surra violenta. Socava-o até ele cair no chão e o enchia de chutes. Daí, o transformou em um assassino.

Àquela altura, Riba já havia se colocado em um estado de indignação profunda — e não só contra os Redentores.

— Então, me parece surpreendente que ele não nos ache o cocô do cavalo do bandido... quanto mais que arrisque a própria vida para nos salvar.

Os olhos de Arbell Pescoço de Cisne, embora fosse quase impossível, se arregalaram ainda mais diante daquela surpreendente figura de linguagem.

— Então, mademoiselle, acho que está na hora de a senhora parar de erguer o nariz para ele e lhe mostrar a gratidão e a compaixão que ele merece.

Riba já havia perdido algo da pureza de intenções com a qual começara sua bronca e passado a tirar prazer da própria indignação e do constrangimento da sua patroa. Porém, não era boba e viu que estava na hora de parar. Fez-se um longo silêncio e Arbell piscou várias vezes enquanto tentava não chorar. Ela correu os olhos marejados pelo quarto, voltou a encarar Riba e então olhou à sua volta novamente. Por fim, soltou um longo suspiro.

— Eu não sabia. Até agora nunca tinha percebido.

Logo em seguida, ouviu-se uma batida na porta e Cale entrou. Apesar de a atmosfera estar totalmente alterada ali dentro, ele não notou nada da mudança que havia ocorrido desde sua saída. Ela, no entanto, era maior do que Riba imaginava ou do que a jovem que a sentia se dava conta. Arbell Pescoço de Cisne, a bela e mais desejada dentre todas as desejadas, foi invadida pela compaixão ao ver as cicatrizes terríveis nas costas de Cale; contudo, também foi invadida por algo menos nobre: um desejo tão intenso quanto inesperado. Nu até a cintura, Cale representava um contraste absoluto em relação aos corpos esguios dos Materazzi, por mais fortes e ágeis que eles fossem. Cale era espadaúdo, com uma cintura extraordinariamente fina. Não havia nada de elegante nele. Ele era todo músculos e força, como um touro. Não havia graciosidade ali, ninguém jamais teria feito uma escultura daquela massa de músculos e cicatrizes. Porém, o simples fato de vê-lo daquele jeito fez algo dentro de Arbell Materazzi se descompassar — e não foi apenas seu coração.

27

— Bem, Redentor — arrulhou Kitty das Lebres, as unhas de sua mão acariciando a madeira da mesa sobre a qual estava a estátua dourada da Vênus Luxuriosa de Strabo. O som lânguido de sua voz fazia o Redentor Stape Roy se sentir como se algo pior do que você poderia imaginar estivesse prestes a entrar rastejando no seu ouvido. — Tudo isso é muito estranho — prosseguiu Kitty das Lebres, olhando para a estátua. Ou pelo menos era o que achava o Redentor Roy. Como sempre, o rosto do seu anfitrião estava coberto por um capuz cinza, coisa pela qual o Redentor se sentia muito grato.

— A estátua é sua, se o senhor nos ajudar. De que importam nossos motivos?

O arranhar baixinho das unhas contra a madeira continuava, de modo que o Redentor quase deu um pulo quando ele finalmente parou e o braço coberto se estendeu para frente em direção à estátua, o hábito cinza deslizando de cima da mão de Kitty das Lebres — só que não se podia chamar aquilo de mão. Pense em algo cinza e peludo, mas não muito, como uma pata de cachorro, porém muito mais longa e com unhas mosqueadas — contudo, nem mesmo essa descrição é precisa o bastante. Gentilmente, como uma mãe afagando o rosto de um bebê, as unhas acariciaram a estátua por alguns instantes, recolhendo-se em seguida.

— Uma bela peça — murmurou Kitty das Lebres. — Mas eu tinha ouvido falar que ela havia sido quebrada em dez pedaços e atirada dentro do vulcão de Delphi.

— Está claro que não.

Ouviu-se um longo suspiro que o Redentor conseguiu sentir contra o seu rosto, como o mau hálito quente e úmido de um cachorro grande e hostil.

— Vocês não terão sucesso — arrulhou Kitty das Lebres.

— Isso é uma questão de opinião.

— É um fato — disse Kitty das Lebres com rispidez.

— O problema é nosso.

— Vocês estão tentando começar uma guerra, então também é problema meu.

Fez-se uma longa pausa.

— No entanto — prosseguiu Kitty das Lebres —, não faço objeções a uma guerra. Elas sempre foram proveitosas para mim no passado. O senhor ficaria surpreso, meu caro Redentor, com a quantidade de dinheiro que se pode fazer fornecendo comida, bebida de má qualidade, caçarolas e panelas mesmo para o mais ínfimo dos conflitos. Quero uma garantia por escrito de que, caso vocês vençam, nenhuma das minhas propriedades será danificada e eu terei proteção para transitar por onde bem quiser.

— Fechado.

Nenhum dos dois acreditava no que o outro dizia. Kitty das Lebres certamente ficaria feliz em fazer dinheiro com uma guerra, porém, seus planos iam bem além disso.

— Vai demorar um pouco — disse Kitty das Lebres com um suspiro, soltando outra lufada de hálito quente e úmido. — Mas os planos estarão prontos daqui a três semanas.

— Isso é tempo demais.

— Pode ser, mas é o tempo que vai levar. Adeus.

Após essas palavras, o Redentor Roy foi convidado a sair dos aposentos privados de Kitty das Lebres, conduzido até um pátio e, em seguida, até a cidade propriamente dita. Uma multidão havia se reunido para observar dois rapazes de no máximo 16 anos de idade sendo enforcados em um patíbulo. Em volta dos pescoços aterrorizados de ambos, uma placa dizia: ESTUPRADOR.

— O que é um estuprador? — perguntou o Redentor Roy ao guarda que o escoltava, inocência e maldade convivendo de forma bastante pacífica dentro dele.

— É um sujeito que tenta ir embora sem pagar — foi a resposta.

Um Cale pensativo se encaminhava para os aposentos já cuidadosamente isolados de Arbell Pescoço de Cisne. Apesar da desconfiança e do rancor profundos que sentia, Cale havia começado a detectar um abrandamento da parte dela em relação a ele. Ela já não o fuzilava com os olhos ou se encolhia sempre que ele se aproximava. Às vezes, Cale chegava até a se perguntar se a expressão nos seus olhos (embora não pudesse, é claro, reconhecê-la como compaixão ou desejo) não poderia significar alguma coisa. No entanto, ele logo descartava esse tipo de ideia, pois não fazia sentido. Ainda assim, algo intrigante estava acontecendo. Imerso nesses pensamentos, ele mal notou um grupo de meninos com cerca de 10 anos de idade à beira do campo de treinamento, parecendo suspeitos e atirando pedras uns contra os outros. Ao se aproximar, percebeu que um deles era muito mais velho, com uns 14 anos mais ou menos, tão alto, esbelto e bonito quanto os Materazzi do sexo masculino costumavam ser naquela idade. O mais estranho era que os meninos mais jovens não estavam jogando pedras uns contra os outros, mas sim contra o garoto mais velho, enquanto gritavam com ele: "Retardado! Cabeça-oca! Imbecil! Zé-roela!" E então as pedras. Porém, apesar do seu tamanho, o garoto maior simplesmente rodopiava assustado e confuso à medida que pedra atrás de pedra o atingia. Então uma delas bateu na sua testa e ele desabou. Quando os meninos já estavam correndo para frente para chutá-lo, Cale chegou, agarrou um deles pela orelha, derrubou outro e lhe deu um chute de leve enquanto ele se estirava no chão. Em questão de segundos, o bando estava fugindo, gritando insultos no caminho.

— Se eu vir vocês novamente, seus pivetes — gritou Cale enquanto eles corriam —, vocês vão ter o privilégio de sentir minha bota inteira rosca adentro!

Cale se agachou sobre o garoto caído.

— Está tudo bem, eles já foram embora — disse ele para o monte choroso ao seu lado, que cobria o rosto com as mãos e estava abraçando os joelhos contra o peito. Não houve reação. O menino apenas continuou choramingando. — Não vou machucar você. Eles já foram. — Ainda nenhuma reação. Já um pouco irritado, Cale tocou seu ombro. O menino ganhou vida de repente, desferindo um golpe tão rápido que sua mão estalou contra a testa de Cale. Com um grito de susto e dor, Cale saltou para trás enquanto o menino o encarava totalmente perplexo, arrastando-se para trás em direção a um muro e olhando em volta, aterrorizado, em busca dos seus carrascos.

— Merda! — disse Cale. — Merda! Merda! Merda! — O menino tinha punhos de ferro e parecia que ele tinha levado uma marretada. — Qual é o seu problema seu doido maldito! — gritou ele para o menino de olhos esbugalhados. — Eu estava tentando ajudá-lo e você quase arrancou minha cabeça.

O menino continuou a encará-lo, mas finalmente falou; porém, não era um discurso articulado, mas uma série de grunhidos.

Não estando habituado aos aleijados e deficientes — eles não duravam muito no Santuário —, Cale demorou um pouco para perceber que o rapaz era mudo. Ele estendeu a mão. Lentamente, o menino a apanhou e Cale o ajudou a se levantar.

— Venha comigo — falou ele. O menino continuou olhando. Além de mudo, era surdo. Cale gesticulou para que ele o acompanhasse e, a passos lentos, choramingando de dor e vergonha, o garoto obedeceu.

Dez minutos depois, Cale estava limpando as feridas do rapaz na guarita provisória no terreno de Arbell Pescoço de Cisne quando ela veio correndo, acompanhada de Riba. Ela levou um susto ao ver o menino que sangrava diante de Cale e exclamou:

— O que você fez com ele?

— Como assim, sua louca? — gritou ele de volta. — Ele estava levando uma surra de um bando dos seus queridinhos antes de eu botá-los para correr.

Ela o encarou cheia de remorso por ter arruinado todo o bom trabalho que vinha fazendo nos últimos dias.

— Sinto muito, sinto muito — falou ela, de forma tão lastimosa e claramente aflita que Cale sentiu um intenso prazer. Pela primeira vez, estava em vantagem na sua presença. No entanto, deu apenas um suspiro de repúdio. — Sinto muitíssimo — repetiu ela. Então, andou até o menino, transbordando ansiedade e preocupação, e o beijou. Cale nunca a havia visto mostrar aquele tipo de consideração por ninguém. Ele ficou observando, estupefato, a cena. O menino começou a se acalmar quase no mesmo instante. Arbell Pescoço de Cisne olhou para Cale enquanto acariciava o cabelo do rapaz.

— Este é o meu irmão, Simon — disse ela. — A maioria das pessoas o chama de Simon Cabeça-Oca, embora nunca na minha frente. Ele é surdo-mudo. O que aconteceu?

— Ele estava no campo de treinamento. Um grupo de meninos mais novos estava jogando pedras nele.

— Monstros! — disse ela, virando-se de volta para o irmão. — Eles acham que podem se safar de qualquer coisa porque Simon não pode denunciá-los.

— Ele não tem um protetor?

— Tem, mas meu irmão gosta de ficar sozinho e está sempre escapando para o campo de treinamento porque quer ser como os outros. Mas eles o odeiam e temem por ele ser devagar. Dizem que ele está possuído por um demônio.

Mais feliz àquela altura, Simon começou a apontar para Cale e grunhir, encenando o incidente com as pedras e seu resgate.

— Ele quer lhe agradecer.

— Como você sabe? — respondeu Cale, um pouco ríspido demais.

— Bem... eu não sei, mas ele tem bom coração, por mais simplório que seja. — Ela apanhou a mão de Simon e abriu-lhe a palma e a estendeu para Cale apertar. Assim que ele percebeu o que deveria fazer, Cale levou algum tempo para conseguir pará-lo de sacudir com energia sua mão. Enquanto isso, o sangue encharcava a atadura temporária que Cale havia colocado em volta da cabeça de Simon. Ele fez sinal para o menino se sentar e, sob o olhar preocupado de Arbell, desfez o curativo. Era um corte feio de quase 5 centímetros.

— Aqueles desgraçados poderiam ter arrancado o olho dele fora. Vai precisar de pontos.

Arbell Pescoço de Cisne o encarou com espanto.

— Como assim?

— Vai precisar de pontos, igual quando você remenda uma camisa ou uma meia. — Cale riu do que acabara de dizer. — Não que *você* faça isso, é claro.

— Vou chamar um dos nossos médicos.

Cale riu de desdém.

— O último médico dos Materazzi que me tratou só não me matou porque eu não dei chance. Não é só porque vai ficar uma cicatriz enorme, um ferimento irregular desses não sara sozinho. É quase certo que vá infeccionar e aí, só Deus sabe. Três ou quatro pontos bastam para fechar o corte e você mal vai notar que ele está ali.

Arbell Pescoço de Cisne o encarou, totalmente perdida.

— Deixe-me chamar um médico para dar uma olhada nele antes. Por favor, tente entender.

Cale deu de ombros.

— Como quiser.

Uma hora depois, dois médicos haviam sido chamados e, depois de discutirem acirradamente, não conseguiram estancar o sangramento, chegando até a piorá-lo de tanto cutucar e mexer nele. Àquela altura, Simon estava tão confuso e sentindo tanta dor que se fartou daquilo, recusando-se a deixar os médicos chegarem perto. Durante todo esse tempo, o ferimento em sua cabeça sangrava aos borbotões.

Depois de assistir àquilo por alguns minutos, Cale foi embora, retornando meia hora depois para se deparar com Simon sentado em um canto, sem deixar que ninguém o tocasse, nem mesmo sua irmã.

Cale puxou uma Arbell perturbada de lado.

— Olhe só — disse ele —, eu comprei um pouco de aquileia no mercado para estancar o sangramento. — Ele meneou a cabeça para o drama que estava sendo encenado lá no canto. — Isso não está adiantando nada. Por que não pergunta ao seu pai o que ele acha?

Arbell Pescoço de Cisne suspirou.

— Meu pai se recusa a ter qualquer tipo de envolvimento com ele. Você precisa entender, é uma vergonha terrível ter um filho como esse. Posso decidir eu mesma.

— Então decida.

Dali a alguns minutos, os médicos haviam sido dispensados, de modo que apenas Cale e Arbell continuavam na guarita. Simon parou de gritar, mas ficou encarando os dois com desconfiança do seu canto. Cale fez questão de que Simon o visse abrir o pacotinho dobrado contendo o pó de aquileia e derramar um pouco dele na palma da mão. Cale apontou o pó, depois a ferida de Simon e, por fim, a própria testa. Ele se deteve por um instante e então se aproximou com cautela do menino, ajoelhando-se enquanto lhe mostrava a palma aberta com o pó de aquileia. Simon o encarou, a desconfiança se transformando em receio. Cale apanhou uma pitada do pozinho e a ergueu devagar até a cabeça do menino. Ele então inclinou a cabeça para trás, gesticulando para Simon fazer o mesmo.

Da forma mais ressabiada que você possa imaginar, o menino obedeceu e Cale salpicou o pozinho sobre a ferida que ainda sangrava, repetindo o processo seis vezes. Em seguida, se afastou e deixou Simon relaxar.

Dez minutos depois, o sangramento havia parado. Mais calmo, Simon deixou Cale se aproximar dele outra vez para ele poder limpar o pó de aquileia da ferida. Embora aquilo fosse claramente doloroso, Simon foi paciente enquanto Cale fazia seu trabalho com delicadeza, observado o tempo todo por Arbell Pescoço de Cisne. Quando acabou, ele atraiu Simon de volta para o meio da guarita, fazendo-o se sentar à mesa. Então, ainda espiado com desconfiança pelo menino, Cale sacou um estojinho de seda de um bolso interno e o abriu sobre a mesa. Ele consistia em várias agulhas, algumas curvadas de diversas maneiras, com pedacinhos de linha já passados pelos buracos. A desconfiança retornou aos olhos de Simon à medida que Cale pegava uma das agulhas com sua linha e a erguia para lhe mostrar. Ele tentou várias vezes explicar através de mímica o que queria fazer, porém, tudo que aquilo conseguiu foi agravar a expressão de temor no rosto de Simon. A cada vez que ele tentava começar a dar pontos na ferida, Simon soltava um grito de horror, sem entender nada.

— Ele não vai deixar. Tente outra coisa — disse Arbell, perturbada.

— Olha — falou um Cale aborrecido e cada vez mais irritado —, o corte é fundo demais. Já disse que vai infeccionar... daí seu irmão vai ter mesmo motivo para gritar, isso se a infecção não calar a boca dele para sempre.

— Simon não tem culpa, ele não consegue entender.

Era impossível discordar, de modo que Cale simplesmente se afastou com um suspiro. Então, se aproximou de volta, sacou uma pequena faca do seu bolso interno e, antes que Simon ou Arbell Pescoço de Cisne pudessem reagir, abriu um talho profundo na própria mão esquerda, bem na parte carnuda que subia até o polegar.

Pela primeira vez em vários minutos, houve silêncio. Tanto Simon quanto sua irmã ficaram chocados e aterrorizados diante da cena a que tinham acabado de assistir. Cale guardou a faca e, à medida que o sangue jorrava da ferida, apanhou uma atadura da mesa e a pressionou contra o corte. Durante os cinco minutos seguintes, ele não falou nada e os outros dois se limitaram a encará-lo. Então, retirou com cuidado a atadura e viu que a hemorragia tinha parado um pouco. Ele se encaminhou devagar até a mesa, apanhou a agulha e a linha que havia mostrado a Simon como se fosse executar um truque de mágica. Em seguida, pousou a agulha com cuidado próximo da ferida e começou a puxá-la de um lado do corte para o outro. Ele apertou a linha com uma expressão concentrada no rosto, como se estivesse remendando uma meia. Daí a amarrou com um nó e, apanhando a outra agulha preparada no seu estojo, repetiu o processo outras três vezes até a ferida estar bem fechada. Por fim, ergueu a mão costurada diante do rosto de Simon, para que ele pudesse examiná-la com atenção. Quando o garoto acabou de fazê-lo, Cale fitou dentro dos seus olhos, assentiu e esperou. Simon, pálido de apreensão àquela altura, respirou fundo e então assentiu de volta. Cale pegou outra agulha do estojo, levou-a até a ferida do menino (Cale pensava nele como um menino, embora tivessem a mesma idade) e a enfiou sob a pele.

Os cinco pontos foram feitos depressa, porém, compreensivelmente, não sem uma boa quantidade de berros e gritos por parte de Simon. Quando terminou, Cale sorriu e balançou a cabeça — embora tivesse ficado branco feito um lençol, Simon havia suportado uma dor dos infernos. Cale se voltou para Arbell Pescoço de Cisne, àquela altura tão branca e trêmula quanto o irmão.

— Ele tem tutano — disse-lhe Cale. — Seu irmão tem mais para mostrar do que as pessoas pensam.

O exibicionismo desavergonhado de Cale estava surtindo o efeito que ele queria. À medida que encarava a criatura extraordinária à sua frente, Arbell Materazzi — deslumbrada, chocada, temerosa e perplexa — já estava praticamente a meio caminho de ficar apaixonada.

Os guelfos — um povo famoso por sua mesquinhez — possuem um ditado: nenhuma boa ação fica impune. Cale logo descobriria a verdade que podia haver por trás deste infeliz provérbio. Para o seu azar, no entanto, ele não havia sido criado para policiar o comportamento de garotinhos encapetados com seus modos cruéis e imaturos — havia sido criado para matar. Cale desconhecia totalmente a noção de violência moderada e, infelizmente, o chute que havia dado em um dos carrascos de Simon tinha sido mais forte do que a encomenda e quebrara duas das costelas do menino. Por um capricho do destino, o pai do garoto era Solomon Solomon, que já queria se vingar de Cale por ele ter dado uma surra em seis dos seus melhores alunos e que agora estava se mordendo de raiva pela contusão do filho. Como geralmente acontece com brutos homicidas, Solomon Solomon era um pai bondoso e condescendente. Não obstante, sua ira — que àquela altura estava inflamada — precisava ser contida. Não era possível desafiar Cale para um duelo quando o motivo para tanto era que seu filho havia sido ferido enquanto o monstrinho atacava o filho do marechal Materazzi. Por mais humilhado que o marechal se sentisse por ter um retardado como herdeiro homem, ele ficaria furioso diante daquela afronta à honra de sua família e, apesar de todo o seu vulto e de sua habilidade militar, Solomon Solomon se veria despachado para algum buraco no Oriente Médio para supervisionar enterros em leprosário. À raiva fervorosa que já sentia de Cale somou-se um ódio assassino à espera de uma só oportunidade. E ela não tardaria a chegar.

Não era de se surpreender que Simon Cabeça-Oca, como ele era universalmente conhecido quando seu pai ou sua irmã não estavam por perto para ouvir, tenha começado a passar o máximo de tempo possível na companhia de Cale, Kleist e Henri Embromador. Surpreendente, no entanto, foi o fato de a companhia de alguém que não podia falar ou ouvir não fosse tão irritante para os três conforme se podia esperar. Como eles, Simon era um intruso geralmente maltratado, no entanto, os três meninos também sentiam pena dele por estar tão perto de tudo que lhes parecia o paraíso — dinheiro, prestígio, poder — e ao mesmo tempo tão incrivelmente longe. Além disso, Cale e companhia não permitiam que ele se tornasse um estorvo. Verdade que seu comportamento era errático e emocionalmente descontrolado, porém, isso se dava apenas porque ninguém se dera ao trabalho de incutir nele o que os meninos consideravam uma boa educação. De modo que eles fizeram isso, gritando com Simon sempre que ele os importunava — o que, por ser surdo, não adiantava nada — e dando-lhe um belo chute no traseiro, o que adiantava. O método mais útil de todos, como eles logo perceberam, era ignorá-lo redondamente quando ele entrava em um de seus surtos ininteligíveis ou se comportava mal de alguma outra forma. Ele odiava isso mais que tudo e logo aprendeu as habilidades sociais básicas de um acólito dos Redentores. Estas, embora pudessem não ser muito proveitosas socialmente nas salas de estar de Memphis, ainda eram as únicas regras de conduta que alguém havia lhe ensinado.

Arbell dissera a Cale que Simon havia tido os melhores professores, mas sem resultado algum — contudo, os meninos tinham uma vantagem sobre até mesmo os melhores professores de Memphis. Os Redentores haviam desenvolvido uma linguagem de sinais simples para os vários dias e semanas durante os quais não lhes era permitido falar. Os acólitos, que não tinham permissão para tanto com mais frequência ainda, haviam aprimorado essa linguagem. Depois de tentar fazer, sem sucesso, com que Simon falasse algumas palavras, Cale começou a lhe ensinar alguns dos sinais, que ele aprendeu depressa: água, pedra, homem, pássaro, céu e assim por diante. Três dias depois de começarem, Simon puxou a manga de Cale enquanto eles andavam por um jardim com um grande lago e um casal de patos e feito "pássaro-água" com as mãos. Foi então que Cale começou a pensar que talvez Simon não fosse tão tapado, afinal. No decorrer da semana seguinte, Simon absorveu a linguagem de sinais dos Redentores como se ela fosse água derramada em uma esponja seca. Longe de ser um cabeça-oca, ele acabou se mostrando tão afiado quanto uma tachinha.

— Simon precisa de alguém — disse Cale enquanto os quatro estavam sentados na guarita, jantando — que invente mais palavras para ele.

— E de que adianta isso — falou Kleist —, se ninguém sabe o que ele está sinalizando? De que vai servir pra ele?

— Mas Simon não é um sujeitinho qualquer, é? Ele é o filho do marechal. Eles podem pagar alguém para ler seus sinais e falá-los em voz alta.

— Pescoço de Cisne pagaria — disse Henri Embromador.

Mas isso não estava nos planos de Cale.

— Ainda não — falou ele, olhando para Simon. — Acho que ele merece se vingar do pai e de todos os outros com exceção da Pescoço de Cisne. Precisa fazer algo grande, algo que dê uma lição neles. Vou encontrar alguém e pagar do meu bolso.

Embora essa fosse sem dúvida uma explicação verdadeira dos seus motivos, não era a verdade completa. Cale sabia muito bem que Arbell Pescoço de Cisne havia mudado bastante sua conduta em relação a ele, mas não sabia o quanto. Afinal, ele não era (e por que deveria ser?) muito versado em assuntos como os sentimentos de uma bela e muito desejada jovem por alguém que ainda a apavorava. Cale sentia a necessidade de fazer algo dramático para impressioná-la e, quanto mais formidável, melhor.

Foi assim que, no dia seguinte, juntamente com IdrisPukke, seu conselheiro para aquele assunto, Cale se viu no escritório do superintendente do Gabinete dos Acadêmicos, uma instituição popularmente conhecida como o Cérebro. Nele, eram treinados os vários burocratas necessários para a administração do império. Os postos mais importantes do governo eram, obviamente, reservados para os Materazzi — não só os de governador desta ou daquela província, como qualquer cargo de poder e influência. No entanto, todos sabiam, embora não fosse reconhecido publicamente, que poucos deles tinham inteligência ou bom-senso suficientes para gerir um domínio tão vasto de forma eficiente, ou de sequer geri-lo. E foi isso que levou à fundação do Cérebro, um lugar que operava estritamente sob os princípios do mérito, para que a administração não desandasse a passos rápidos rumo à incompetência e ao caos. Sempre que um filho idiota ou um sobrinho corrupto dos Materazzi era nomeado governador de um estado conquistado qualquer, um número considerável de graduados do Cérebro entrava em cena para estabelecer um limite para o estrago que ele pudesse fazer. Foi, portanto, apenas para suprir os interesses da aristocracia que se possibilitou o nascimento daquela sabedoria, que garantia aos filhos inteligentes e ambiciosos dos comerciantes (embora não aos pobres brilhantes) a oportunidade de dar vazão à sua ganância e que participassem do futuro de Memphis. Isso evitava que se envolvessem no tipo de conspiração contra o estado de coisas que havia arruinado tantas aristocracias passadas e presentes.

O superintendente olhou para IdrisPukke, um homem precedido de longe por sua reputação oscilante, com certa desconfiança. Desconfiança esta que não era atenuada pelo jovem rufião mal-encarado que o acompanhava e cuja reputação era pior ainda — se não um pouco mais misteriosa.

— Como posso ajudá-los? — perguntou ele da forma menos prestativa possível.

— Lorde Vipond — falou IdrisPukke, retirando uma carta de um bolso interno e colocando-a sobre a mesa diante do superintendente — pediu que recebêssemos a melhor assistência que vocês puderem oferecer.

O superintendente olhou desconfiado para a carta, como se ela talvez não fosse totalmente autêntica.

— Precisamos do seu melhor acadêmico para ser camarista de um importante membro da família do marechal.

O superintendente se animou — aquilo poderia ser útil.

— Compreendo. Porém, esse tipo de função não é geralmente reservada a alguém de dentro dos Materazzi?

— Geralmente, sim — concordou IdrisPukke, como se essa tradição total e irrevogavelmente gravada em pedra não tivesse a menor importância. — Neste caso, precisamos de um camarista inteligente e instruído, ou melhor, instruído em línguas. Uma pessoa flexível, capaz de pensar por si mesma. O senhor tem alguém desse tipo?

— Temos várias pessoas desse tipo.

— Então nós ficaremos com a melhor delas.

E foi assim que, duas horas depois, um Jonathan Koolhaus aturdido, mal acreditando na própria sorte, se encaminhou para a fortaleza e foi conduzido, com toda a deferência devida a um camarista dos Materazzi, até a área do *palazzo* reservada a Arbell Pescoço de Cisne e, em seguida, até a guarita.

Caso Jonathan Koolhaus não tivesse escutado o ditado do grande general Void — "Nenhuma notícia é tão boa ou tão ruim quanto parece em um primeiro momento" —, estava prestes a aprender a verdade que ela continha. Ele havia esperado se ver em um aposento luxuoso, na antessala de uma vida majestosa, algo que achava ser exatamente o que seus talentos mereciam. Em vez disso, se viu em uma guarita amontoada de camas encostadas contra a parede e com um número igualmente grande de armas de aparência perigosa de todos os tipos. Algo estava errado ali. Meia hora depois, Cale chegou com Simon Materazzi. Cale se apresentou e Simon grunhiu para o acadêmico estupefato. Então, Jonathan foi informado do que se esperava dele: ele deveria usar seu conhecimento para desenvolver uma linguagem de sinais adequada para Simon e, então, o acompanharia por toda parte para ser seu tradutor. Imagine a revoltante decepção do pobre Jonathan. Ele, que vinha esperando um futuro glorioso no topo da sociedade de Memphis, acabava de descobrir que, na verdade, seria o porta-voz do Materazzi equivalente ao idiota do vilarejo. Sentiu-se tão mal que, se tivesse guelras, elas estariam verdes.

Cale mandou um criado lhe mostrar seu quarto, que não era muito melhor do que aquele que ocupava no Cérebro. Então, ele foi conduzido até os aposentos de Simon, onde Henri Embromador estava esperando para lhe mostrar o bê-á-bá da língua de sinais dos Redentores. Isso pelo menos serviu para tirar a cabeça do desanimado Koolhaus da sua própria frustração. Sua reputação de possuir um talento natural para línguas era merecida e ele logo percebeu que não havia mistério naquele negócio de língua de sinais. Em duas horas, já havia anotado todos os gestos. Aos poucos, foi ficando intrigado. Inventar, em vez de aprender, uma nova língua poderia ser interessante. Nenhuma notícia é tão boa ou tão ruim quanto parece em um primeiro momento. De qualquer forma, não havia nada a fazer além de entrar no jogo, por mais que ele lamentasse o fato de que sua única ferramenta de trabalho fosse um tapado.

Com o passar dos dias, Koolhaus começou a rever sua opinião: Simon tinha sido mais ou menos deixado à própria sorte durante toda a vida e era totalmente indisciplinado, uma vez que jamais estivera sob o controle de nenhum sistema educacional ou de boas maneiras. Duas coisas possibilitaram a Koolhaus ensiná-lo. O medo e a adoração que Simon sentia por Cale e seu próprio desejo ardente de aprender a se comunicar com os outros, agora que havia descoberto aquele prazer maravilhoso, mesmo dentro do nível simples permitido pela língua de sinais limitada dos Redentores. Essa combinação tornou Simon um aluno mais promissor do que parecia à primeira vista e eles avançaram rapidamente, embora fossem interrompidos pelo menos duas vezes por dia pelos acessos de raiva causados pela frustração de Simon quando não conseguia entender o que Koolhaus estava fazendo. Na primeira vez que Simon teve um desses ataques, um Koolhaus alarmado mandou chamar Cale, que fez Simon calar a boca ameaçando-lhe com uma bela surra caso ele não se comportasse. Simon, que depois do incidente dos pontos, achava Cale capaz de tudo, obedeceu. Fazendo um escarcéu, Cale transmitiu a Koolhaus a autoridade para aplicar castigos terríveis, porém não especificados, a Simon e o assunto foi resolvido. Koolhaus continuou ensinando, e Simon, que acima de tudo queria agradar a Cale, continuou aprendendo. Koolhaus não deveria, sob hipótese alguma, contar a ninguém sobre o que estava fazendo e sua presença foi explicada com o pretexto de que ele era o guarda-costas provisório de Simon.

Embora ignorasse as ambições mais ousadas de Cale para com seu irmão, Arbell Pescoço de Cisne estava muito ciente das outras coisas que ele fazia por Simon. Não havia jogos no Santuário — divertir-se era uma atividade pecaminosa. A coisa mais perto disso era um exercício de treinamento em que dois lados, separados apenas por uma linha que nenhum dos dois podia cruzar, tentavam acertar os membros do grupo oposto com um saco de couro atado a uma corda. Se isso lhe parece inofensivo, você deveria saber que o saco de couro era cheio de pedregulhos. Ferimentos graves eram comuns; mortes, raras, porém não inauditas. Ao perceber que os três estavam amolecendo por conta da vida fácil que estavam levando em Memphis, Cale ressuscitou o jogo, mas com areia em vez de pedras. Ainda feito para ser apenas um exercício de treinamento, os meninos ficaram impressionados ao ver como, sem a ameaça de contusões graves constantes, eles estavam rindo e se divertindo com aquilo. Na falta de um jogador, eles deixaram Simon participar. Ele era desajeitado e não tinha a elegância dos demais Materazzi, porém, esbanjava energia e tanto entusiasmo que se machucava com frequência. Contudo, nunca parecia se importar com isso. Eles faziam tanto barulho, rindo e zombando do fracasso e incompetência uns dos outros, que Arbell não podia deixar de ouvi-los. Muitas vezes, ela ficava olhando pela janela bem acima do jardim enquanto seu irmão ria, brincava e se sentia parte de um grupo pela primeira vez na vida.

Isso também calou fundo no seu coração — junto, é claro, com o estranho poder e a força de Cale, seus músculos e suor enquanto ele corria, atirava o saco, perseguia os outros e gargalhava.

Mais tarde, depois de ele esperar mais ou menos uma hora em frente ao quarto dela, Riba o chamou para entrar. Embora Arbell tivesse se preparado com todo o cuidado em seu quarto para parecer casualmente bonita, Cale ficou aguardando no salão principal. Como aquela era a sua primeira oportunidade de vasculhar os arredores sozinho, ele começou a conferir sistematicamente tudo, desde os livros sobre as mesas até as tapeçarias e o quadro grande de um casal que dominava o salão. Estava analisando-o com atenção quando Arbell entrou atrás dele e falou:

— Este é o meu bisavô e sua segunda esposa. Eles causaram um enorme escândalo por estarem realmente apaixonados um pelo outro.

Cale estava prestes a perguntar por que ela tinha um retrato daqueles dois na parede quando Arbell mudou de assunto.

— Eu queria — disse ela, em um tom muito baixo e acanhado — lhe agradecer por tudo que você tem feito por Simon.

Cale não respondeu porque não sabia como e porque aquela era a primeira vez que o objeto de sua confusa adoração lhe dirigia a palavra de forma tão gentil desde que ele a vira pela primeira vez e se apaixonara perdidamente.

— Eu vi vocês jogando lá embaixo hoje. Ele está tão feliz por ter alguém para... — ela iria dizer "brincar", porém, percebeu que aquele rapaz que alternava momentos de brutalidade e gentileza talvez interpretasse aquilo da maneira errada — ... chamar de amigo. Estou muito grata.

Cale gostou bastante de ouvir aquilo.

— Não tem de quê — disse ele. — Ele aprende rápido, é só você explicar o que está acontecendo. A gente vai dar uma endurecida nele. — Assim que as palavras saíram da sua boca, Cale percebeu que aquilo não era bem a coisa certa a dizer. — Quer dizer, vamos ensiná-lo a se defender sozinho.

— Não vão ensinar nada muito perigoso para ele, não é? — disse ela.

— Não vou ensiná-lo a matar ninguém, se é isso que está perguntando.

— Me desculpe — falou ela, desapontada por tê-lo ofendido. — Não quis ser indelicada.

Cale, no entanto, já não estava tão melindrado na sua presença quanto antes. Percebia que Arbell havia ficado consideravelmente mais afetuosa em relação a ele.

— Não, você não foi indelicada. Eu que peço desculpas por sempre me ofender com tanta facilidade. IdrisPukke já falou para eu me lembrar de que sou apenas um arruaceiro e que devo ter mais cuidado diante de pessoas que tiveram uma criação decente.

— Jura que ele disse isso? — falou ela, rindo.

— De pés juntos. Ele não tem muito respeito pelo meu lado sensível.

— E você tem um?

— Não sei. Você acha que seria uma boa coisa?

— Acho que seria uma coisa maravilhosa.

— Então eu vou tentar... embora não saiba como. Talvez você pudesse me avisar quando eu estiver me comportando feito um arruaceiro e me dar uma bronca.

— Eu teria medo demais — disse ela, seus cílios adejando lentamente para cima e para baixo.

Ele riu.

— Sei que todo mundo pensa que eu não sou mais bem intencionado que um gambá, mas não chegaria a matar uma pessoa só porque ela me censurou por ser um brutamontes.

— Você é muito mais do que isso. — Seus olhos continuavam adejando.

— Mas, assim mesmo, não deixo de ser um.

— Agora você está sendo sensível demais outra vez.

— Está vendo? Você me censurou e eu não matei ninguém... e vou continuar tentando melhorar.

Ela sorriu e ele gargalhou, e outro passo foi dado em direção às profundezas do seu coração perplexo.

Kleist estava ensinado a Simon e Koolhaus como emplumar uma flecha com penas de ganso. Aquela era a terceira tentativa frustrada de Simon e ele ficou tão furioso que quebrou a flecha e atirou as duas metades pela sala. Kleist o encarou com calma e fez sinal para Koolhaus traduzir.

— Se fizer isso de novo, Simon, você vai sentir minha bota rosca adentro.

— Rosca? — perguntou Koolhaus, querendo mostrar sua repulsa diante de tanta grosseria.

— Você não é tão esperto? Descubra sozinho.

— Adivinhem o que eu encontrei no porão aqui debaixo? — falou Henri Embromador, entrando na sala como se alguém tivesse colocado geleia além de manteiga no seu pão.

— Como diabos — disse Kleist, sem erguer os olhos da mesa — eu vou saber o que você encontrou no porão?

Henri Embromador se recusou a deixar seu entusiasmo ser diminuído.

— Venham ver. — Sua alegria era tão óbvia que Kleist ficou curioso. Henri os conduziu até o piso que havia debaixo do *palazzo* e ao longo de um corredor cada vez mais escuro, até chegarem a uma porta que ele abriu com dificuldade. Uma vez lá dentro, uma janela de batente bem lá no alto lhes forneceu toda a luz de que precisavam.

— Eu estava conversando com um dos velhos soldados, que estava me contando um monte de histórias de guerra, interessantes, por sinal, daí ele mencionou que, uns cinco anos atrás, eles estavam em uma missão de busca nas Terras Crestadas atrás de Gurriers e toparam com uma carreta dos Redentores que tinha se separado do comboio. Tinha só uns dois Redentores por perto, então eles os enxotaram dali e confiscaram a carreta. — Ele andou até onde estava uma lona e a puxou para o lado. Debaixo dela, havia uma enorme coleção de relíquias: forcas sagradas de vários tamanhos feitas de madeira e metal; estátuas da Sagrada Irmã do Redentor Enforcado; os dedos das mãos e dos pés enegrecidos de diversos mártires preservados em pequenos recipientes decorados com motivos elaborados... um chegava a ter até um nariz, ou pelo menos era o que Henri Embromador achava... depois de setecentos anos, não dava para saber direito. Havia o antebraço direito de São Estevão da Hungria e também um coração em perfeito estado de conservação.

Koolhaus olhou para Henri Embromador.

— O que é tudo isso? Não entendo.

Henri Embromador ergueu um pequeno frasco três quartos cheio e leu o rótulo:

— Isto aqui é "óleo santo que pingou do caixão de São Walburga".

Kleist perdeu a paciência, uma vez que a pilha de relíquias reavivara más lembranças.

— Não me diga que você trouxe a gente até aqui para isso.

— Não. — Ele seguiu até uma lona menor e, desta vez, afastou-a como no clímax do truque do mágico que eles tinham visto no *palazzo* na semana anterior.

Kleist riu.

— Bem, agora pelo menos você vai deixar de ser inútil.

Espalhado pelo chão havia uma série de bestas leves e pesadas. Henri Embromador apanhou uma com um sistema de engrenagem dentada.

— Olha só, uma balista. Aposto que dá pra fazer algo especial com isso. E isto aqui... — Ele apanhou uma besta pequena com o que parecia uma caixa em cima. — Acho que esta aqui é uma arma de repetição. Já ouvi falar delas, mas nunca tinha visto uma antes.

— Parece um brinquedo de criança.

— Vamos ver depois que eu fizer uns dardos. Elas estão todas sem. Os Materazzi provavelmente os deixaram para trás... não sabiam o que eram.

Simon fez alguns gestos com os dedos para Koolhaus.

— Ele está preocupado com o que você disse sobre Henri.

Kleist pareceu confuso.

— Eu não falei nada.

— Sobre ele ser um inútil. Simon quer que você peça desculpas ou vai sentir a bota dele rosca adentro.

Era comum Simon não entender a maneira como os meninos se comunicavam. Antes de conhecê-los, estava habituado apenas a insultos diretos ou bajulações diretas. Kleist encarou Simon. Os dedos de Koolhaus corriam enquanto ele falava.

— Henri Embromador é o que os Materazzi chamam... — Ele se esqueceu qual era a palavra e começou a buscá-la de volta. — Um *cechino*... um atirador. A única arma que ele usa é a besta.

Duas horas depois, Cale apareceu na guarita e a notícia das bestas o colocou imediatamente de mau humor.

— Vocês mandaram Simon e Koolhaus não saírem falando por aí?

— E por que precisaríamos fazer isso? — perguntou Kleist.

— Porque — respondeu Cale, já irritado de verdade — eu não vejo nenhum bom motivo para alguém ficar sabendo que Henri é um atirador.

— E tem algum mau motivo?

— O que eles não sabem não pode nos prejudicar. Quanto menos souberem sobre a gente, melhor.

— Essa é boa, vindo de alguém que se exibiu daquele jeito no jardim de verão — falou Kleist.

— Cale — disse Henri —, como eu posso tirar as bestas lá debaixo ou fazer qualquer coisa com elas sem ninguém saber? Preciso fazer os dardos e preciso praticar.

Mas, de qualquer forma, já era tarde demais. Dois dias depois, os três foram convocados para uma audiência com o capitão Albin. Ele parecia estar mais achando graça do que qualquer outra coisa.

— Você não me parece fazer o tipo assassino, Henri.

— Não sou um assassino, sou apenas um atirador.

— Jonathan Koolhaus disse que você era um *cechino*.

— Não dá para levar Koolhaus a sério.

— Então você é um atirador que não mata gente. Para que serve você, então?

Ofendido, Henri Embromador se recusou a cair naquela armadilha, mas o resultado daquilo tudo foi que Albin exigiu uma demonstração.

— Fui informado de um certo dispositivo. Gostaria de vê-lo em ação.

— Não é só um. São seis deles.

— Que seja, seis. O Campo dos Sonhos seria um local adequado?

— Qual o tamanho dele?

— Uns 300 metros.

— Não.

— De que você precisa?

— De uns 600.

Albin riu.

— Você está me dizendo que pode atingir um alvo a 600 metros de distância com essas coisas?

— Só com uma delas.

Albin fez cara de desconfiado.

— Imagino que possamos fechar a extremidade ocidental do Royal Park. Daqui a cinco dias, então?

— Preciso de oito. Tenho que fazer alguns dardos, e as bestas precisam de cordas novas.

— Muito bem. — Ele olhou para Kleist. — Koolhaus me disse que você é um arqueiro.

— Ele tem a boca grande demais, esse Koolhaus.

— Independente do tamanho da boca dele, é verdade?

— Sou melhor do que qualquer um que o senhor já tenha visto.

— Então também teremos uma demonstração sua. E quanto a você, Cale, tem mais alguns truques escondidos debaixo da cartola?

Oito dias depois, um pequeno grupo de generais Materazzi, o marechal, que havia convidado a si mesmo, e Vipond se encontraram atrás das grandes telas de lona geralmente usadas para arrebanhar cervos na frente de damas da sociedade que querem caçar um pouco. Albin, tão incansavelmente cauteloso quanto Cale, havia decidido que seria melhor manter a demonstração em segredo. Ele não saberia dizer por que, mas os três meninos estavam sempre escondendo alguma coisa e eram, portanto, imprevisíveis. E havia algo naquele menino Cale que sempre prometia caos. Melhor prevenir do que remediar.

Cinco minutos depois do início da demonstração, Albin percebeu que havia cometido um erro terrível. Não é fácil aceitar, não nos recônditos mais profundos da alma, que, por motivos de nascimento, outras pessoas menos capazes, trabalhadoras, inteligentes e dispostas a aprender devam sempre ter precedência no que o poeta Demidov chama de "a grande pocilga da vida".

Uma vez que sempre esteve tão próximo de Vipond — um homem trabalhador, inteligente e de talento extraordinário —, a sensação de justiça pueril que ainda se escondia na alma de Albin havia ignorado conscientemente o fato de que aquele aristocrata poderia facilmente ter sido chanceler caso fosse um completo imbecil. Os generais que aguardavam o início da demonstração eram mais ou menos competentes como tais do que qualquer outro grupo selecionado por virtude de seus parentes. Em Memphis, padeiros, cervejeiros, pedreiros todos respeitavam o direito de nascença com tanta rigidez quanto qualquer duquesa Materazzi. *Você é um idiota*, pensou Albin com seus botões, *e merece essa humilhação*. O problema não era apenas os três serem crianças — e muito estranhas, por sinal —, mas também o fato de não serem nem mesmo comuns. Era possível respeitar um pedreiro ou um ferreiro; até mesmo ser rude com um criado era considerado vulgar pela maioria dos Materazzi. Porém, aqueles meninos não possuíam identidade, não faziam parte de nada. Eram migrantes e, pior ainda, um deles tinha ido longe demais. Não que os generais fizessem vistas grossas à questão dos abusos do Mond e de Solomon Solomon — considerado por todos um brutamontes; mas corrigir esses desvios era da alçada dos próprios Materazzi. Questões como injustiças contra os membros das classes inferiores deviam ser resolvidas com discrição, porém, se não fossem, paciência. Não cabia à parte ofendida fazer justiça com as próprias mãos de forma tão eficaz e humilhante. O fato de Cale ter sanado seu próprio problema era uma ameaça inquietante. E talvez eles tenham razão, pensou Albin.

O primeiro foi Kleist. Doze soldados de madeira, geralmente usados para treino com espada, haviam sido posicionados a 300 metros de distância. Os Materazzi estavam habituados a arcos, contudo, os utilizavam essencialmente para caça; eram artefatos elegantes e bonitos importados a custos exorbitantes. O de Kleist era a coisa mais próxima de um cabo de vassoura que tinham visto na vida. Parecia impossível vergar algo tão feio. Ele apoiou a parte de baixo do arco no chão, firmando-o com o peito do pé esquerdo. Segurando a corda logo antes do laço na ponta, começou a vergá-lo. Mais grosso do que o polegar de um homem gordo, ele se curvou lentamente sob a força incrível de Kleist, que por fim prendeu o laço ao ilhó. Tentou, é claro, demonstrar o mínimo de esforço possível ao vergar um arco que só poderia ser subjugado pelo mais forte dos homens. Voltando-se para o semicírculo de flechas enfiadas no chão às suas costas, ele puxou uma, enfiando-a na corda do arco, puxando-a para trás na direção da bochecha, apontando e disparando. Tudo isso foi feito em um só movimento gracioso, com uma flecha sendo atirada a cada cinco segundos. Ouviu-se 11 baques idênticos à medida que as flechas atingiam seus alvos — e um erro silencioso. Um dos homens de Albin saiu correndo de trás de um muro protetor de traves de madeira e confirmou o placar balançando duas bandeirolas: 11 de 12. O marechal aplaudiu com entusiasmo, ao que os generais seguiram sua deixa, nem tão entusiasmados assim.

— Ah, muito bem! — falou o doge. Irritado com a reação chocha dos generais, Kleist agradeceu com um menear ressentido da cabeça e se afastou para que Henri Embromador mostrasse o que ele podia fazer.

— Existem três tipos básicos de bestas — começou ele alegremente, convencido de que a plateia compartilharia da sua empolgação. Ele ergueu a mais leve das duas armas que descansavam em seus suportes à sua frente. — Esta aqui é a besta de um pé. Nós a chamamos assim porque você precisa colocar um pé aqui. — Ele posicionou o pé direito no estribo que havia em cima da besta, prendeu a corda em um gancho afixado ao seu cinto e empurrou o pé para baixo ao mesmo tempo em que endireitava as costas, deixando o mecanismo de disparo agarrar a corda e encaixá-la na posição correta.

— Então — disse Henri Embromador, sua alegria diminuindo à medida que ele notava os olhares de reprovação dos generais —, eu posiciono o dardo e... — Ele se virou, apontou e atirou. Grunhiu de alívio ao ouvir o barulho surdo, alto mesmo a 300 metros de distância, do dardo atingindo seu alvo.

— Ah, belo tiro! — falou o doge.

Os generais ficaram encarando Henri não só indiferentes, como também emburrados e desdenhosos. Como havia esperado que a potência e precisão do disparo fossem impressionar, ele perdeu imediatamente a confiança e começou a ficar titubeante. Voltou-se para a besta seguinte, muito maior, mas com um design praticamente igual.

— Esta aqui é a besta de dois pés. Ela se chama assim porque a gente coloca... hum... dois pés no estribo... em vez de... hã... um só. Isso significa — acrescentou ele sem convicção — que ela te dá uma potência maior ainda. — Ele repetiu os movimentos que fizera antes e soltou o dardo na direção do segundo alvo, porém, desta vez, ele o atingiu com tanta força que partiu a cabeça do soldado de madeira em duas.

O silêncio de desaprovação ficou tão frio quanto o gelo no topo da grande geleira de Salt Mountain. Se fosse mais velho ou mais experiente na arte das demonstrações, Henri Embromador teria parado e diminuído seu prejuízo. No entanto, como não era nenhuma das duas coisas, ele prosseguiu rumo ao seu último grande erro. Ao seu lado, Henri tinha coberto um objeto volumoso com uma das lonas do porão do *palazzo*. Desta vez, no entanto, não houve o ardor de um mágico entusiasmado. Com a ajuda de Cale, ele puxou a lona de lado para revelar uma besta de aço duas vezes maior do que as últimas duas, mas presa a um poste grosso assentado com firmeza no solo. Havia uma grande bobina afixada à parte de trás da besta. Henri Embromador começou a girá-la e gritar por sobre o ombro.

— Essa aqui é muito lenta para o campo de batalha, é claro, mas usando um sarilho e cordas de aço para o arco, dá para atingir um alvo a até meio quilômetro de distância.

Essa afirmação foi recebida com algo além de desaprovação fria. Ouviram-se claramente exclamações de incredulidade. Uma vez que ele não havia compartilhado as possibilidades de sua nova descoberta com Cale ou Kleist, estes estavam igualmente incertos. Aquele ceticismo, no entanto, animou Henri Embromador. Ele ainda era jovem, tolo e inocente o bastante para acreditar que, se você provar que as pessoas estão erradas, elas não o odiarão por isso. Henri fez sinal para um dos homens de Albin levantar uma bandeirola. Após um breve intervalo, outra bandeirola na extremidade oposta do parque foi erguida em resposta e uma segunda lona foi puxada de cima de um alvo pintado de branco de cerca de um metro de diâmetro. Henri posicionou o ombro na coronha da besta, fez uma pausa dramática e disparou. Ouviu-se um som metálico altíssimo quando a meia tonelada de potência contida no aço e na corda de cânhamo foi liberada. O dardo pintado de vermelho zuniu adiante como se impulsionado por um demônio particular e sumiu de vista em direção ao alvo. Engenhosamente, Henri havia coberto o dardo de tinta em pó vermelha, então, quando ele atingiu o alvo, o pó se espalhou dramaticamente por sobre a superfície branca. Houve arquejos de espanto e mais resmungos ainda. Até mesmo, e especialmente, de Kleist e Cale. Aquela tinha sido uma demonstração de habilidade extraordinária — embora nem tanto quanto parecia. Henri Embromador levara várias horas para armar e estabilizar a besta com sarilho no lugar exato e ajustar o arco para aquela distância cravada.

Fez-se um longo silêncio que o marechal tentou ocultar andando até Henri Embromador e fazendo uma série de perguntas.

— É mesmo? Minha nossa! Que incrível!

Ele chamou seus generais e eles se puseram a examinar a besta com todo o entusiasmo de uma duquesa chamada para inspecionar um cachorro morto.

— Bem — falou um deles por fim —, se um dia precisarmos matar alguém a uma distância segura, já sabemos a que recorrer.

— Não fale assim, Hastings — ralhou o marechal como um tio desaprovador, porém ainda brincalhão. Ele se voltou para Henri. — Não dê atenção a ele, meu jovem, eu achei isto fascinante. Muito bem.

Dito isso, a demonstração acabou e o marechal e seus generais foram embora.

— Você deu sorte — falou Cale para Henri — de ele não ter lhe dado um murro no queixo para calar sua boca.

— Aquela besta — falou Kleist, meneando a cabeça para o gigante de aço parafusado ao poste. — Quantas horas você levou para botá-la para fazer aquilo?

— Não muitas — mentiu Henri. Fez-se um breve silêncio.

— Eu aprendi uma palavra nova no mercado de Memphis um dia desses — falou Kleist. — Caô.

— Não há motivo — falou Vipond para os três meninos em seu gabinete no dia seguinte — para vocês entenderem como as coisas funcionam entre os Materazzi, mas está na hora de aprenderem assim mesmo. Os militares fazem suas próprias leis e estão subordinados apenas ao marechal. Embora eu o aconselhe em assuntos políticos, tenho bem menos influência quando a questão é guerra. Ainda assim, devo tirar vantagem da guerra em geral e mais ainda dos seus talentos consideráveis para a violência em particular. Embora muito me envergonhe — disse ele, sem vergonha nenhuma —, posso necessitar das suas habilidades de tempos em tempos e é por isso que vocês precisam compreender algumas coisas. O capitão Albin é excelente no que faz, porém, não é um Materazzi, e, ao permitir que os generais testemunhassem sua demonstração, mostrou ignorar algo que certamente não ignora mais e do qual seria aconselhável vocês também ficarem cientes. Os Materazzi possuem uma aversão profunda a matar sem risco. Consideram isso totalmente indigno deles, da alçada de matadores e assassinos comuns. As armaduras dos Materazzi são as melhores do mundo e é exatamente por isso que custam os olhos da cara. Muitos deles levam vinte anos para se livrarem da dívida contraída na compra de uma só armadura completa. Está abaixo deles lutar contra oponentes desprotegidos e sem treinamento. Os Materazzi pagam essas quantias exorbitantes de modo a lutar com homens do mesmo nível deles, para que possam matá-los ou morrer por suas mãos e conservar seu status mesmo na morte. Que tipo de status se consegue massacrando um pivete ou um carniceiro?

— Ou sendo *massacrado* por eles — disse Cale.

— Exato — falou Vipond. — Tente enxergar as coisas do ponto de vista deles.

— Não somos pivetes ou carniceiros, somos soldados treinados — disse Kleist.

— Não quero soar ofensivo, mas vocês não têm vulto *social*. Usam armas e táticas que desafiam tudo em que os Materazzi acreditam. Para eles, vocês são uma espécie de heresia. De heresia vocês entendem, não é?

— E que diferença faz? — disse Cale. — Um arpão ou uma flecha não sabe quem foi seu avô por parte de mãe nem se importa com isso. Matar é matar, da mesma forma que um rato com um dente de ouro continua sendo um rato.

— Está certo — falou Vipond —, mas você não precisa gostar para entender que há trezentos anos esse é o estilo dos Materazzi e que eles não vão mudar só porque você acha que deveriam. — Ele olhou para Kleist. — Alguma de suas flechas consegue perfurar uma armadura Materazzi?

Kleist deu de ombros.

— Não sei, nunca atirei em nenhum Materazzi de armadura. Mas ela teria que ser boa pra cacete para aguentar uma flecha de 125 gramas a 100 metros de distância.

— Então precisamos dar um jeito de você testar. Esse arco de aço seu, Henri. Os Redentores têm muitos deles?

— Só tinha ouvido falar deles antes, nunca tinha visto nenhum. Meu mestre só havia visto dois, então acho que não.

— Eu vi o tempo que ele demorou a ser carregado. Os Materazzi tiveram razão em desconsiderá-lo para o campo de batalha.

— Eu disse isso quando o mostrei para o senhor — protestou Henri Embromador. — Um dardo de uma daquelas outras bestas consegue atravessar armaduras. Já vi acontecer. Já fiz acontecer.

— Mas e quanto a uma armadura Materazzi?

— Deixe-me testar.

— No seu tempo. Vou mandar um dos meus secretários e um dos meus conselheiros para assuntos militares conversarem com vocês amanhã. Quero tudo que sabem sobre as táticas dos Redentores no papel, entendido?

Os três pareceram ressabiados quanto àquilo, mas não discordaram.

— Excelente. Agora saiam daqui.

28

Na história dos duelos, muitas vezes deve ter havido motivos urgentes que levaram ao assassinato de um homem por outro. Raramente, no entanto, há registro de quais seriam eles. Os que chegaram ao nosso conhecimento consistem em insultos fúteis, reais ou imaginados, divergências de opinião quanto à beleza dos olhos de uma mulher, comentários que teriam menosprezado a honestidade de alguém como jogador de cartas e assim por diante. O notório duelo entre Solomon Solomon e Thomas Cale foi impulsionado pela questão da prioridade na escolha de cortes de bife.

Cale se envolvera no assunto porque o cozinheiro contratado para alimentar os trinta homens necessários para proteger Arbell Pescoço de Cisne noite e dia haviam reclamado sobre a péssima qualidade da comida que estavam recebendo. Criados à base de pé de defunto, os três meninos nem tinham percebido que as refeições que vinham comendo não eram lá muito boas. Os soldados reclamaram para o cozinheiro que, por sua vez, reclamou com Cale.

No dia seguinte, ele foi encontrar o fornecedor e, por falta de coisa melhor para fazer, Henri Embromador foi junto. Se Kleist não estivesse a serviço, até ele teria ido. A questão era que proteger uma mulher 24 horas por dia, por mais bonita que ela fosse, era entediante até dizer chega, especialmente se você soubesse que o perigo sob o qual ela se encontrava era uma invenção quase total. Para Cale era diferente, pois ele estava apaixonado e passava suas horas com Arbell Pescoço de Cisne ou simplesmente olhando para ela ou colocando em ação seu plano de fazê-la se sentir da mesma forma.

Plano este que estava funcionando — mesmo enquanto Cale e Henri Embromador seguiam até o mercado para resolver as coisas com o fornecedor de carne. Em seus aposentos, Arbell Pescoço de Cisne tentava arrancar histórias sobre Cale de um Kleist relutante. Sua reticência vinha do fato de ele saber muito bem que ela queria desesperadamente escutar relatos do passado de Cale que o mostrassem sob uma ótica comovente ou generosa, enquanto Kleist, quase tão desesperadamente quanto Arbell, não queria dar a Cale a satisfação de oferecer isso a ela. Arbell, no entanto, era uma interrogadora hábil e charmosa ao extremo, além de muito determinada. Durante várias semanas, ela extraíra de Kleist — e do muito mais cooperante Henri Embromador — bastante coisa sobre Cale e sua história. Na verdade, a relutância de Kleist servia apenas para convencê-la ainda mais do passado terrível do rapaz pelo qual estava se apaixonando — suas tensas e recalcitrantes confirmações dos relatos de Henri Embromador tornando-os apenas mais plausíveis.

— O que ouvi sobre a brutalidade deste homem chamado Bosco é verdade?

— Sim.

— Por que ele escolheu Cale?

— Deve ter tirado na sorte.

— Por favor, me conte a verdade. Por que esse homem era tão cruel com ele?

— Ele é um louco, especialmente quando o assunto é Cale. Não quero dizer que ele seja tipo os loucos que você vê por aí, delirando e aos berros. Em todos os anos que passei no Santuário, nunca o vi levantar a voz uma só vez. Mas ele é doido de pedra assim mesmo.

— É verdade que ele o fez lutar até a morte com quatro homens?

— É, mas Cale só ganhou porque aquele buraco na cabeça dele significava que ele consegue antecipar o que o adversário vai fazer em seguida.

— Você não gosta dele, não é?

— Tem alguma coisa para gostar ali?

— Riba me disse que ele salvou sua vida.

— Levando em conta que foi ele mesmo que a colocou em risco, eu diria que estamos quites.

— O que posso fazer por você, meu jovem? — perguntou o açougueiro animado, gritando por sobre a algazarra do mercado.

Cale gritou de volta com a mesma animação.

— Pode começar parando de mandar carne de cachorro e gato morto para a guarita do Palazzo Oeste.

O açougueiro, muito menos animado depois de ouvir aquilo, apanhou um porrete de aparência perigosa debaixo do balcão e começou a contorná-lo na direção de Cale.

— Quem você pensa que é, seu bostinha, para falar comigo desse jeito?

Ele veio para cima de Cale a uma velocidade surpreendente, levando-se em conta o seu tamanho, brandindo o porrete no caminho. O menino se agachou enquanto o porrete zunia por sobre a sua cabeça, tirando o equilíbrio do açougueiro, que foi ajudado em sua queda na lama pelo golpe que Cale lhe deu nos calcanhares. Ele então pisou sobre o punho do homem e torceu o pé para arrancar-lhe o porrete das mãos.

— Agora — disse Cale, fazendo a ponta do porrete quicar de leve sobre a nuca do seu agressor. — Nós dois vamos até o lugar em que você guarda a carne e você vai escolher o melhor que tiver para mim, e todas as semanas vai me enviar mercadorias da mesma qualidade. Estamos entendidos?

— Sim!

— Ótimo. — Cale parou de dar pancadinhas com o porrete na cabeça do açougueiro e permitiu que ele se levantasse.

— Por aqui — falou o homem, sua voz cheia de ódio contido.

Os três foram até um depósito atrás de uma barraca cheia de ancas e flancos de carne de boi, porco e cordeiro, além de um canto reservado para as carcaças menores de gatos, cachorros e outras criaturas que Cale não reconheceu.

— Escolha o melhor — disse Henri Embromador.

O açougueiro começou a tirar os melhores pedaços de alcatra e filé dos seus ganchos quando uma voz conhecida gritou:

— Pare!

Era Solomon Solomon, com quatro de seus soldados mais experientes. Embora possa lhe parecer estranho que um homem do escalão de Solomon Solomon estivesse escolhendo carne para os seus homens, devo ressaltar que soldados estão mais dispostos a tolerar morte, ferimentos, privações e doenças do que comida ruim. Solomon Solomon dava muita importância à função de fornecer, sempre que possível, a melhor comida para seus homens, e se certificava de que os soldados soubessem disso.

— O que você pensa que está fazendo? — perguntou ele ao açougueiro.

— Estou separando cortes para a nova guarda do *palazzo* — respondeu ele, indicando com a cabeça Cale e Henri Embromador, cujas presenças Solomon Solomon fingiu não notar. Ele se aproximou, inspecionando com curiosidade as peças de carne, e então correu os olhos pelo depósito.

— Quero tudo isso aqui entregue ao Quartel de Tolland hoje à tarde. Mas não aquela porcaria lá no canto. — Ele então baixou os olhos para a carne separada para Cale. — Inclua isto aí, também.

— Nós chegamos aqui primeiro — falou Cale. — Esta carne já está reservada.

Solomon Solomon encarou Cale como se nunca o tivesse visto na vida.

— A prioridade neste caso é minha. Você contesta isso?

Embora fizesse calor lá fora, o interior do depósito era frio, uma vez que ele era escavado fundo na rocha, com placas grossas de gelo empilhadas bem alto pelos cantos — contudo, a temperatura caiu mais ainda com a pergunta de Solomon. Não havia a menor dúvida de que algo terrível dependia da resposta de Cale. Percebendo isso, Henri Embromador tentou ser gentilmente razoável com Solomon Solomon.

— Não precisamos de muito, senhor, apenas o suficiente para trinta homens.

Solomon Solomon não olhou para Henri Embromador e, na verdade, nem pareceu ouvi-lo.

— A prioridade neste caso é minha — repetiu ele para Cale. — Você contesta isso?

— Se o senhor preferir — respondeu Cale.

Muito devagar, deixando Cale ver exatamente o que ele estava fazendo, Solomon Solomon ergueu a mão direita no que era claramente um ritual e, com a palma aberta, deu um tapa quase carinhoso na bochecha do menino. Em seguida, baixou a mão e aguardou. Cale também ergueu a mão, com o mesmo vagar, e a levou com cuidado até o rosto de Solomon Solomon. Porém, no último instante, agitou o punho com toda sua força para que o tapa fizesse um *clap!*, que ecoou no silêncio profundo como uma bíblia sendo fechada com força numa igreja.

Os quatro guardas, furiosos por conta do golpe de Cale, avançaram.

— Parem! — falou Solomon Solomon. — O capitão Grey virá chamá-lo hoje à noite.

— Ah, é? — disse Cale. — E por quê?

— Você vai ver.

Com essas palavras, o homem deu meia-volta e foi embora.

— E quanto à nossa carne? — exclamou Cale alegremente enquanto ele ia embora.

Ele olhou para o açougueiro de olhos esbugalhados, impressionado e com medo do drama mortífero que acabara de ser encenado no seu depósito.

— Imagino que não possa confiar que você vá entregar meu pedido.

— É mais do que vale a minha vida, senhor.

— Então é melhor levarmos alguma coisa de uma vez. — Ele ergueu uma peça de carne enorme até o ombro e foi embora.

29

Assim como quando um relâmpago atinge uma árvore em uma floresta seca e o fogo resultante logo engole todo o resto, o alvoroço gerado pelo encontro no depósito do açougueiro assolou todos os lares de Memphis. Quando ficou sabendo, o marechal Materazzi quase precisou ser amarrado de tão furioso. Vipond praguejou. Os dois convocaram Cale e exigiram que ele se recusasse a lutar.

— Mas fiquei sabendo que, se me recusar, qualquer um pode me matar no ato. Sem aviso.

Era difícil argumentar com ele quanto a isso, pois era verdade. Cale era o inocente naquela história, ninguém podia discordar. De modo que Solomon Solomon foi levado à presença do marechal e do seu conselheiro, porém, apesar de uma enxurrada aterrorizante de insultos por parte do primeiro e das ameaças claras por parte do segundo de que, se levasse aquilo adiante, ele poderia esperar uma carreira como coveiro de leprosos no Oriente Médio, Solomon Solomon continuou impassível. O marechal ficou possesso.

— O senhor vai dar um fim nisso ou acabará enforcado — exclamou o marechal.

— Não vou dar fim a nada nem serei enforcado — exclamou de volta Solomon Solomon. E ele tinha razão; nem mesmo o marechal poderia evitar um duelo depois que os tapas tivessem sido dados, e tampouco poderia punir os participantes. Vipond tentou apelar para a vaidade de Solomon Solomon.

— O que matar um garoto de 14 anos de idade poderia lhe trazer além de desonra? Ele não é ninguém. Não tem nem mesmo pai ou mãe, quanto mais um nome de família que mereça ser defendido em combate. Onde o senhor estava com a cabeça quando se rebaixou a este ponto?

Esse era um bom argumento, porém, Solomon Solomon lidou com ele simplesmente se recusando a responder.

E ficou por isso mesmo. O marechal o despachou dali aos berros e Solomon Solomon, cheio de raiva solene, foi embora.

O encontro de Cale com Arbell Pescoço de Cisne foi tão atribulado quanto se poderia imaginar. Ela o implorou para não lutar, no entanto, como a alternativa era muito pior, logo passou a criticar furiosamente Solomon Solomon e então saiu correndo para encontrar o pai e exigir que ele colocasse um ponto final naquela história.

Durante sua reunião chorosa com Arbell, Cale fez questão de levar Henri Embromador junto para que ele confirmasse sua versão do ocorrido. Depois que a atormentada jovem foi embora, Cale viu que Henri Embromador o estava encarando, claramente sem pensar nada de generoso.

— Qual o seu problema? — perguntou Cale.

— Você — respondeu Henri.

— Por quê?

— Porque está tentando fingir que não sabia exatamente o que iria acontecer quando ele lhe perguntou se você contestava seu direito de escolher a carne antes?

— Eu cheguei primeiro. Você sabe disso.

— Você vai matar ou morrer por isso...? Por alguns cortes de bife?

— Não. Eu vou matar ou morrer pelo fato de ele ter me surrado mais de dez vezes sem motivo. Ninguém nunca mais vai fazer isso comigo de novo.

— Solomon Solomon não é Conn Materazzi, e também não é um punhado de Redentores sonolentos pegos de surpresa. Você está sendo idiota. Ele pode te matar.

— Ah, pode?

— Sim.

— Espero que ele concorde com você que eu sou idiota. Porque aí ele vai ficar mais surpreso ainda quando eu o quebrar como um prato.

30

O Opera Rosso é uma magnífica arena semicircular com uma vista para a baía de Memphis que deixaria até o homem mais viajado de queixo caído. Ele se ergue de forma tão íngreme da arena em si que já houve casos de membros da plateia empolgados demais que morreram após despencar das fileiras superiores. No entanto, o propósito do Il Rapido, como é chamada a vertiginosa arquibancada, é possibilitar que um público de 30 mil pessoas se reúna em volta do campo que ele circunda e ao mesmo tempo sinta que poderia tocar a cena até dos lugares mais altos.

Os duelos eram de dois tipos: simples e complexos. Nos primeiros, a luta só terminava quando um dos combatentes vertesse sangue; já nos segundos, um deles tinha que morrer. A oposição do marechal aos duelos complexos não se devia tanto a sentimentos de compaixão, embora na idade madura ele já não retirasse prazer de espetáculos sanguinários daquele tipo, mas sim à tremenda confusão que eles geravam. A animosidade, as rixas e os assassinatos por vingança que um combate mortal provocava traziam tanto sofrimento que o marechal passara a invocar todo o seu poder — fosse ele formal ou informal — para se certificar de que eles não ocorressem. As lutas até a morte eram algo que só servia para causar problemas em geral e incentivar o desrespeito pela classe dominante em particular. Atualmente, os cidadãos de Memphis iam até a Arena Vermelha apenas para assistir a touradas e lutas de ursos contra cães (embora as últimas estivessem saindo de moda). Lutas de boxe profissional e execuções também ocorriam ali. Portanto, a oportunidade de assistir a dois dos seus melhores lutadores — e ninguém discordava que Cale fosse um deles — se matando em público era imperdível. Sabe-se lá quando haveria outra chance daquelas?

No dia do combate, a imensa praça diante do Opera Rosso já estava lotada desde manhazinha. As filas para as dez entradas já contavam com milhares de pessoas, e os que logo perceberam que não conseguiriam entrar zanzavam pelos mercados e feiras que surgiam durante grandes eventos como aquele, formando uma verdadeira cidade de tendas. Havia beleguins e gendarmes em toda parte, de olho em ladrões e tumultos, sabendo que uma decepção poderia se transformar numa briga feia. Todos os parasitas e gangues da cidade estavam ali, os Suedeheads com seus coletes dourados e vermelhos e botas prateadas;

os *hooligans* com seus suspensórios brancos e cartolas pretas; os roqueiros com seus chapéus de feltro, monóculos e bigodinhos. As garotas tinham vindo com tudo também: as Lollards com seus casacos longos, botas que iam até as coxas e cabeças raspadas; as Tickets com seus lábios vermelhos no formato de um arco de cupido, corpetes vermelhos apertados e meias-calças negras como a noite. Ouviam-se vozes chamando, gritos, vaias e risos — além de explosões de música e sons de trombetas quando os jovens Materazzi apareceram para serem admirados e invejados. E, para cada centavo que se ganhava, metade ia para o bolso de Kitty das Lebres.

Durante as execuções, o populacho costumava atirar gatos mortos nos condenados. Embora fosse considerado perfeitamente adequado no tocante a criminosos e traidores, esse era um comportamento estritamente proibido em ocasiões como aquela — não se tolerava, sob hipótese alguma, desrespeito contra um dos Materazzi. Contudo, esse tipo de proibição não impedia que os cidadãos tentassem e, no decorrer da manhã, pilhas imensas de gatos mortos — além de doninhas, cães, arminhos e um ou outro porco-da-terra — cresciam em frente das dez entradas.

Ao meio-dia, um toque de cornetas ressoou anunciando a chegada de Solomon Solomon. Dez minutos depois, Cale, juntamente com Henri Embromador e Kleist, passaram despercebidos pela multidão, chamando atenção apenas quando os beleguins que vigiavam as filas as fizeram parar, observando com curiosidade mórbida os meninos entrarem no Opera Rosso.

31

Nos aposentos penumbrosos debaixo da Arena, reservados aos Materazzi prestes a tentar se massacrar mutuamente, Cale estava sentado em silêncio com Henri Embromador e Kleist, refletindo sobre o que estava por vir. Até dois dias atrás, seus pensamentos tinham sido de uma raiva e sede de vingança simples — onipotentes, porém totalmente familiares. No entanto, tudo havia mudado quando ele se deitou nu com Arbell Pescoço de Cisne na cama, sob lençóis de algodão da melhor qualidade, e compreendeu pela primeira vez na vida o poder maravilhoso do êxtase. Tente imaginar o que Cale sentiu — Cale, o faminto; Cale, o brutalizado; Cale, o assassino — ao ser envolvido nos braços e nas pernas daquela linda jovem, nua e perdidamente apaixonada, que acariciava seus cabelos e o beijava sem parar. E agora lá estava ele, esperando em uma câmara mal iluminada, cheirando a mofo, enquanto a Arena se enchia de 30 mil pessoas que esperavam vê-lo morrer. Até dois dias atrás, o que o impulsionava era o desejo de sobrevivência: profundo, animal, repleto de fúria — no entanto, sempre houve uma parte sua que não se importava nem um pouco se ele vivia ou morria. Agora, contudo, ele se importava — e muito —, de modo que, pela primeira vez em muito tempo, Cale sentia medo. Amar a vida, obviamente, é uma coisa maravilhosa, mas não naquele dia em particular.

Então os três ficaram ali, Henri Embromador e Kleist notando aquele pavor totalmente inusitado vindo de alguém que tinham passado a ver como intocável, quer gostassem dele ou não. Agora, a cada grito ou viva, a cada baque de uma porta imensa ou de um ascensor, a cada barulho e eco de máquinas invisíveis, esperança e otimismo eram substituídos por dúvida e medo.

Faltando apenas meia hora, ouviu-se uma batida de leve na porta e Kleist a abriu para deixar Lorde Vipond e IdrisPukke entrarem. Eles falaram baixinho, intimidados pela atmosfera estranha no aposento escuro.

Ele estava bem?

— Sim.

Precisava de alguma coisa?

— Não. Obrigado.

E então um silêncio de leito de morte se fez. IdrisPukke, testemunha do massacre terrível dos Redentores contra todas as probabilidades no desfiladeiro de Cortina, estava pasmo. O chanceler Vipond, tão sábio e habilidoso, que sabia jamais ter visto uma criatura como Cale na vida, via apenas um rapaz se encaminhando para uma morte horrorosa diante de uma multidão aos berros. Aqueles duelos, que sempre lhe pareceram simplesmente temerários e injustificáveis, agora lhe pareciam grotescos e inaceitáveis.

— Deixe-me ir falar com Solomon Solomon — disse ele para Cale. — Isso é uma idiotice sem tamanho. Posso inventar uma desculpa. Deixe comigo.

Ele se levantou para ir embora e algo se agitou dentro de Cale, uma coisa que lhe era tão surpreendente que ele achou que jamais poderia senti-la outra vez. *Sim, impeça isso. Não quero ir em frente. Não quero.* Porém, quando Vipond alcançou a porta, outra coisa — não orgulho, mas sua profunda compreensão da realidade à sua volta — o fez chamá-lo.

— Por favor. Chanceler Vipond. Não vai adiantar nada. Ele quer o meu couro mais do que a própria vida. Nada que o senhor diga fará diferença. Vai acabar lhe dando uma vantagem sobre mim que só me trará prejuízo.

Vipond não discutiu porque sabia que ele tinha razão. Ouviu-se uma batida forte na porta.

— Quinze minutos!

Então, ela se abriu.

— Ah, o vigário está aqui para vê-lo.

Um homem incrivelmente baixinho com um sorriso gentil entrou, usando uma roupa preta com uma faixa branca em volta do pescoço que lembrava um pouco uma coleira de cachorro. Ele disse:

— Eu vim lhe dar uma bênção. — O vigário fez uma pausa. — Se você assim quiser.

Cale olhou para IdrisPukke, que tinha certeza de que ele enxotaria o homem. Ao notar isso, Cale sorriu e disse:

— Mal não vai fazer.

Ele estendeu a mão e IdrisPukke a apanhou.

— Boa sorte, menino — disse ele, indo embora depressa. Cale assentiu para Vipond e o chanceler fez o mesmo, deixando os três garotos e o vigário sozinhos.

— Podemos prosseguir? — falou o vigário em um tom agradável, como se estivesse conduzindo uma cerimônia de casamento ou batismo. Ele enfiou a mão no bolso e retirou um pequeno recipiente de prata. Então abriu a tampa e mostrou a Cale o pó que havia lá dentro. — São as cinzas da casca queimada de um carvalho — disse ele. — Acredita-se que elas simbolizam a imortalidade — acrescentou, como se aquela fosse uma opinião a qual ele, é claro, não dava muita credibilidade. — Você me permite? — Ele mergulhou o indicador nas cinzas e as espalhou numa linha curta sobre a testa de Cale.

— Lembra-te, homem, tu és pó e ao pó retornarás — entoou ele no mesmo tom animado. — Mas lembra-te também que, embora teus pecados sejam escarlates, eles se tornarão brancos como a neve, e que, embora sejam vermelhos como carmim, se tornarão puros como a lã. — Ele fechou a tampa do recipiente de prata e o enfiou de volta no bolso com um ar de missão cumprida. — Hã... bem... boa sorte.

Enquanto ele se encaminhava para a porta, Kleist falou:

— O senhor disse o mesmo para Solomon Solomon?

O vigário se virou e encarou Kleist como se tentasse se lembrar.

— Quer saber de uma coisa — falou ele, com um sorriso estranho. — Acho que não. — E, com essas palavras, foi embora.

Houve um último visitante. Ao escutar uma batida fraca, Henri abriu a porta e Riba se esgueirou para dentro. Henri corou quando ela apertou por um instante sua mão antes de entrar. Cale olhava para o chão, parecendo perdido. Ela esperou alguns instantes até ele erguer os olhos, surpreso.

— Vim lhe desejar boa sorte — falou ela, sua voz apressada e nervosa —, além de dizer que sinto muito e lhe dar isso. — Ela estendeu um bilhete. Cale o apanhou e rompeu o selo elegante.

Eu te amo. Por favor, volte para mim.

Ninguém falou nada por um minuto.

— O que você quer dizer com "sinto muito"? — perguntou Cale.

— É por culpa minha que você está aqui.

Kleist bufou de escárnio, mas continuou calado. Cale olhou para ela enquanto entregava o bilhete para Henri Embromador guardá-lo.

— O que meu amigo aqui está tentando dizer é que eu sou o único responsável por tudo isso. Não estou sendo gentil. É a verdade.

Como qualquer um de nós faria em seu lugar, ela queria se certificar de que seria perdoada, de modo que levou sua angústia ao limite.

— Ainda acho que a culpa é minha.

— Como queira.

Riba pareceu tão abatida ao ouvir isso que Henri Embromador se apiedou imediatamente dela, voltando a colocar a mão sobre a sua e conduzindo-a para fora dali até um corredor mais escuro ainda.

— Eu sou tão idiota — falou ela, chorando e com raiva de si mesma.

— Não se preocupe. Cale estava falando sério quando disse que a culpa não é sua. Ele só precisa se concentrar no agora.

— O que vai acontecer?

— Cale vai ganhar. Ele sempre ganha. Tenho que ir. — Ela apertou sua mão novamente e lhe deu um beijo no rosto. Henri acompanhou sua saída com o olhar, sentindo várias coisas estranhas, e então voltou para a sala de espera.

Faltando dez minutos, Cale havia começado, de forma silenciosa e automática, a fazer seus exercícios de antes de uma luta. Kleist e Henri se juntaram a ele — braços girando, pernas alongando, os três grunhindo baixinho por conta do esforço na penumbra. Então, ouviu-se uma batida forte na porta.

— Está na hora, cavalheiros, por favoooor!

Os meninos trocaram olhares. Em seguida, depois de uma breve pausa, escutaram o barulho alto de um ferrolho deslizando por uma segunda porta na extremidade oposta do aposento. Ela abriu devagar, com um rangido, e um raio de luz varou a penumbra, como se o próprio sol estivesse esperando lá fora por Cale – a luz intensa descrevendo um arco pelo ambiente outrora mal iluminado, com toda a força de uma rajada de vento que tentasse empurrá-los de volta para a segurança da escuridão.

Ao seguir adiante, Cale pôde ouvir as últimas palavras dela. "Fuja. Vá embora. Por favor. Qual a importância disso para você? Fuja."

Poucos passos depois, ele estava na soleira e, então, adentrando o sol das duas da tarde.

Juntamente com uma segunda explosão de luz, o urro selvagem da multidão, como se fosse o próprio fim do mundo, atingiu seus olhos e ouvidos. À medida que avançava 3, 4,5 e depois 6 metros e seus olhos se ajustavam, ele divisou não a muralha de rostos dos 30 mil que se agitavam, vaiavam, torciam e cantavam, mas, a princípio, somente o homem que aguardava no centro da arena, segurando duas espadas embainhadas. Tentou não olhar para Solomon Solomon, porém, não conseguiu evitar. Cerca de 30 metros à sua esquerda, Solomon Solomon andava com as costas eretas, os olhos fixados no homem no centro da arena. Ele era imenso, muito mais alto e espadaúdo do que Cale se lembrava, como se tivesse dobrado de tamanho desde a última vez em que o vira. Cale estava abismado consigo mesmo à medida que o terror drenava as forças que o haviam tornado invencível por quase metade da sua vida. Sua língua, seca como areia, estava colada ao céu da boca; os músculos de suas coxas doíam, mal conseguindo sustentá-lo; seus braços, fortes como madeira de carvalho, davam a impressão de que erguê-los seria uma façanha impossível; e havia uma queimação estranha nas suas orelhas, que soava mais alta ainda do que o barulho da multidão, com suas vaias, seus gritos e trechos de canções. Ao longo do muro do anfiteatro, havia várias centenas de soldados em posição de sentido de 4 em 4 metros, alterando olhares para a plateia e para a grande arena em si.

Os muito odiados Suedeheads cantavam alegremente:

NINGUÉM NOS AMA, MAS NÃO ESTAMOS NEM AÍ
NINGUÉM NOS AMA, MAS NÃO ESTAMOS NEM AÍ
MAS NÓS AMAMOS AS LOLLARDS E OS HUGUENOTES
É OU NÃO É? É OU NÃO É? É OU NÃO É? NÃO?
AAAAAAAH NÃO, ACHO QUE NÃO
MAS NÓS AMAMOS A VALENTIA DE MEMPHIS...

Então eles ergueram as mãos bem alto acima das cabeças e bateram palmas no ritmo de uma nova canção, flexionando os joelhos para cima e para baixo ao fazê-lo:

VOCÊ TEM QUE VIVER, OU VAI ACABAR MORTO
VOCÊ TEM QUE VIVER, OU VAI ACABAR MORTO
VOCÊ TEM QUE VIVER, OU VAI ACABAR MORTO
VOCÊ TEM QUE VIVER, OU VAI ACABAR MORTO

Tentando superar a performance deles e provocar os lutadores ao mesmo tempo, as Lollards de cartola cantavam com animação:

EI, EI, QUEM É VOCÊ?
EI, EI, QUEM É VOCÊ?
SEU NOME É RUPERT? SEU NOME É FRED?
JÁ, JÁ VAI COMER GRAMA PELA RAIZ.
AH, NÃO SOMOS DE FOFOCA, NEM GOSTAMOS DE FALAÇÃO
MAS LOGO VOCÊ ESTARÁ DEITADO DENTRO DE UM CAIXÃO
DEITADO NUM CAIXÃO, SEM CHORO NEM VELA
SEM AS PARTES DE BAIXO, COM A BOCA BANGUELA
EI, EI, QUEM É VOCÊ?

Cada passo adiante arrastava Cale mais para baixo, como se a fraqueza e o medo, vivos dentro dele pela primeira vez em anos, fizessem miséria dentro das suas entranhas e de seu cérebro.

Então finalmente chegou, parando ao lado de Solomon Solomon, cuja ira e potência queimavam ao longo de seu corpo como um segundo sol.

O mestre de armas gesticulou para a esquerda e para a direita, indicando os dois. Então exclamou:

— BEM-VINDOS À ARENA VERMELHA!

Ao ouvir isso, a multidão, quase em uníssono, se levantou aos berros — exceto pelo setor reservado aos Materazzi, onde os homens vibravam e as mulheres aplaudiam com indiferença. Aquela não era, de qualquer forma, a nata da sociedade Materazzi, que não se associaria de bom grado a algo tão vulgar quanto aquela ocasião ou o próprio Solomon "não exatamente um de nós" Solomon, que, embora respeitado por sua posição na hierarquia militar, era bisneto de um homem que havia feito sua fortuna como peixeiro. Isso não significa dizer que alguns dos membros ilustres do clã Materazzi não tivessem chegado atrasados — entre eles, um relutante marechal — para assistir ao evento de seus camarotes cuidadosamente recolhidos, enquanto comiam camarões pescados naquela manhã. No setor reservado para o Mond, o ódio inflamado que eles nutriam por Cale irrompia na forma de um mar de braços desferindo golpes em sua direção e de um coro de zombaria.

— BOOM LACALACALACA BOOM LACALACALACA TAC TAC TAC.

Das alturas da Arquibancada Oeste, algum marginal ou *hooligan* talentoso, tendo escapado da revista dos beleguins, atirou um gato morto que descreveu um arco imenso no ar, seu corpo aterrissando com um baque na areia a apenas 6 metros de Cale, seguido por um alegre rugido de aprovação da plateia.

O pânico tomou conta da alma definhada de Cale, como se uma espécie de reservatório de medo tivesse sido represado dentro dele durante todos aqueles anos e agora suas comportas se arrebentassem, levando embora toda a sua petulância e coragem, toda a sua ousadia e vontade de poder. Sua própria espinha dorsal tremia de covardia quando o mestre de armas lhe entregou a espada. Ele mal conseguia erguer a mão para desembainhá-la, de tão fraco que se tornara. A arma lhe parecia tão pesada que ele a deixou cair até pender frouxa ao longo de seu corpo. Tudo havia se resumido a sensações — o gosto amargo da morte e do terror em sua boca; o sol brilhante e ardente; o barulho da multidão e a muralha de rostos. E então o mestre de armas levantou as mãos. A plateia caiu em silêncio. Em seguida, ele deixou os braços caírem paralelos ao corpo. A plateia urrou como uma só fera e Cale observou o homem que estava prestes a massacrá-lo erguer a espada e, com cautela e ponderação, avançar rumo ao menino trêmulo e dominado pelo pânico.

Algo no íntimo de Cale clamou por proteção, implorando para ser salvo: IdrisPukke, me salve; Leopold Vipond, me salve; Henri e Kleist, me salvem;

Arbell Pescoço de Cisne, me salve. No entanto, ninguém poderia ajudá-lo, exceto o homem que ele mais odiava no mundo. Foi o Redentor Bosco quem o salvou do golpe violento e do sangue vermelho se espalhando pela areia; os anos de violência em suas mãos, o horror e o medo diários: foram eles que vieram ao seu resgate. A começar pelo seu peito, a bile do pavor começou a congelar. À medida que Solomon Solomon o circundava lentamente, aquela frieza se espalhou para baixo pelo seu coração, estômago, pelas suas coxas e, por fim, pelos seus braços. Em questão de segundos, como uma droga miraculosa que suprimisse uma dor agonizante, sua velha conhecida indiferença ao medo e à morte, entorpecente e salvadora, estava de volta. Cale era ele mesmo novamente.

Solomon Solomon, a princípio desconfiado da imobilidade de Cale, investiu rapidamente para desferir seu ataque, espada erguida, olhos decididos, controlado, o arauto habilidoso da morte violenta. Ele chegou à distância de ataque, então se deteve por um instante. Ambos fitaram dentro dos olhos um do outro. A plateia se calou. Então, todas as imagens pareceram se afunilar diante de Cale — uma senhora de idade que sorria para ele como uma avó bondosa, enquanto passava um dedo pela própria garganta; o gato morto tão rígido no chão que parecia um brinquedo malfeito; a jovem dançarina à beira da arena, com sua boca escancarada de espanto e medo. E seu oponente arrastando os pés na areia, o barulho áspero muito mais alto do que a plateia, que parecia estar muito distante. E então Solomon Solomon reuniu suas forças — e desferiu o golpe.

Cale se agachou e passou por sob o braço dele, golpeando para baixo enquanto a espada de Solomon Solomon tentava cortá-lo em dois. Os dois haviam trocado de lugar — a multidão urrava, desesperadamente entusiasmada e confusa. Nenhum deles tinha sido tocado. Então, algo começou a pingar da mão de Cale e, depois, a jorrar. O mindinho de sua mão esquerda tinha sido amputado e estava caído na areia, pequeno e ridículo.

Cale deu um passo para trás, atingido finalmente pela dor — terrível, intensa e excruciante. Solomon Solomon ficou parado, assimilando com atenção o sangue e a agonia, seu serviço ainda incompleto, mas o ato de matar gravemente iniciado. Quando a plateia se deu conta do sangue na areia, um rumor foi crescendo aos poucos, ondulando ao redor da Arena. Houve vaias de parte da ralé, agora torcendo pelo pobre-diabo, vibração dos Materazzi e mais zombaria vinda do Mond. Então a plateia se calou devagar, à medida que Solomon Solomon, sabendo que tinha tudo sob controle, esperava que a perda de sangue, a dor e o medo da morte fizessem o trabalho em seu lugar.

— Não se mova — falou Solomon Solomon — e talvez eu acabe com você rápido. Embora não possa prometer nada.

Cale o encarou como se estivesse um pouco intrigado. Então girou a espada na mão, como se testando seu peso, e desferiu um golpe lento e preguiçoso contra a cabeça do oponente. Anos de instinto que o obrigavam a se mover diante de um ataque tão fraco fizeram Solomon Solomon avançar para cima de Cale, suas coxas enormes impulsionando-o para a frente como um velocista ao ataque. Porém, no seu segundo passo, ele caiu como se tivesse sido atingido por um dos dardos de Henri, desabando de cara e de peito na areia.

A multidão sorveu o ar como uma só criatura — um grande arquejo de espanto.

O golpe que Cale dera para baixo em seu primeiro ataque não tinha errado o alvo. Enquanto a primeira estocada de Solomon Solomon arrancava seu dedo, Cale cortara-lhe o tendão do calcanhar com a espada. Foi por isso que, além de sentir a agonia da dor em sua mão, ele havia ficado tão intrigado que Solomon Solomon continuasse aparentemente ileso. E por isso, também, que tinha sido tão negligente em seu segundo golpe — queria apenas fazê-lo se mexer.

Apesar do seu medo e da sua perplexidade, Solomon Solomon havia se erguido levemente do chão, apoiando-se sobre o joelho de sua perna boa e brandindo a espada na direção de Cale para mantê-lo longe.

— Seu bostinha imundo! — falou ele em um tom pouco mais alto que um sussurro. Então berrou numa explosão imensa de raiva e frustração.

Cale se manteve fora de alcance e aguardou. Outra explosão de ira e humilhação por parte de Solomon Solomon. Cale ficou apenas observando à medida que o outro começava a aceitar sua derrota.

— Muito bem — falou Solomon Solomon, cheio de amargor e raiva. — Você venceu. Eu me rendo.

Cale olhou para o mestre de armas.

— Me disseram que isto aqui tinha que continuar até um de nós morrer — disse Cale.

— A misericórdia é sempre possível — falou o mestre de armas.

— Agora é assim? Porque não me lembro de ninguém mencionar isso antes.

— Um oponente derrotado pode pedir misericórdia. Não é necessário concedê-la e é proibido censurar o vencedor se ele se recusar. Mas repito que a misericórdia é sempre possível. — O mestre de armas olhou para o homem ajoelhado. — Se o senhor a quiser, Solomon Solomon, precisa pedir por ela.

Solomon Solomon balançou a cabeça como se travasse uma grande batalha dentro de si mesmo, o que de fato estava acontecendo. Já dentro de

Cale, houve em primeiro lugar perplexidade, depois uma indignação imensa e crescente.

— Eu peço pela sua...

— Cale a boca! — gritou Cale, correndo os olhos entre seu oponente derrotado e o mestre de armas. — Seus hipócritas! Vocês me arrastam até aqui numa coleira e, quando consideram conveniente, acham que podem mudar as regras porque as coisas não saíram conforme o esperado. É só isso que significa toda essa conversa fiada sobre nobreza: que vocês têm o poder de fazer tudo sair do jeito que querem. Tudo o que diz respeito a vocês não passa de um monte de mentiras.

— Ele é obrigado — disse o mestre de armas — a lhe pagar 10 mil dólares para readquirir o direito sobre a própria vida.

Cale desferiu um golpe e, soltando um grito, Solomon Solomon desabou no chão, um talho profundo em seu antebraço.

— Diga-me — falou Cale —, você vale mais ou menos agora? Você me bateu sem motivo ou piedade, mas agora olhe só onde está. Isso é ridículo. Quantas dezenas você já matou sem dar chance de eles pensarem duas vezes? Agora que é a sua vez, vem choramingar pedindo para abrirem uma exceção? — Cale bufou de assombro e repulsa. — Por quê? Esse é o seu destino; um dia será o meu. Qual é a sua, seu velho?

E, com essas palavras, Cale foi até Solomon Solomon, puxou sua cabeça para cima pelos cabelos e o liquidou com um só golpe na nuca. Ele largou o corpo tornado frouxo na areia, com o rosto para cima, os olhos abertos e vazios, um filete de sangue ainda escorrendo do nariz. Logo ele também parou, e esse foi o fim de Solomon Solomon.

Durante os últimos segundos de vida do seu oponente, Cale não havia registrado nenhuma outra coisa, nem mesmo a dor em sua mão esquerda ou a multidão. A raiva o ensurdeceu para todo o resto. Então, a dor e a multidão retornaram. O som da plateia era estranho — não havia vibração, exceto a que vinha de alguns pequenos setores embriagados demais para saber o que estavam testemunhando, e apenas alguns gritos e vaias, mas, no geral, o que se via era espanto e descrença.

Do banco onde lhes disseram para esperar, Henri Embromador e Kleist observaram a cena em estado de choque. Foi Henri quem percebeu o que Cale faria em seguida.

— *Vá embora* — disse ele baixinho. E então gritou para Cale: — Não! — Tentou andar até lá, mas foi impedido por um beleguim e por um dos soldados. No meio do Opera Rosso, Cale girou o cadáver de costas, deixou cair a espada na sua barriga e então separou-lhe as pernas e começou a arrastá-lo pelo chão rumo à área reservada para os Materazzi.

Ele levou cerca de vinte segundos para chegar, os braços do morto estendidos às suas costas, sua cabeça quicando na superfície não muito plana da arena e o sangue deixando um irregular rastro vermelho vivo. O mestre de armas fez sinal para as tropas diante da plateia se juntarem. As mulheres e os homens Materazzi e os jovens do Mond em um silêncio quase embasbacado.

Então Cale, ainda segurando as pernas de Solomon Solomon debaixo dos braços, parou, olhando para a plateia como se ela não valesse mais que 10 centavos, e largou os pés do cadáver com um baque no chão.

Ele levantou os braços bem alto acima da cabeça e soltou um grito maligno de triunfo para a multidão. O mestre de armas fez sinal para o beleguim deixar Henri e Kleist arrastá-lo dali. Enquanto eles corriam, Cale começou a andar para cima e para baixo diante dos soldados e da plateia que eles protegiam, parecendo um furão buscando uma maneira de entrar em um galinheiro. Então, começou a esmurrar o peito com força com a mão direita três vezes, gritando com prazer a cada uma delas: "Minha culpa! Minha culpa! Minha máxima culpa!" Aquilo era incompreensível para a plateia, mas eles não precisaram de tradução. Explodiram de fúria e pareceram oscilar para a frente como uma só criatura, urrando seu ódio em resposta. Foi quando os dois meninos o alcançaram, colocando os braços sobre seus ombros.

— É isso aí, Cale — falou Kleist enquanto o apertava com cuidado. — Por que você não os enfrenta um por um?

— Está na hora de sair daqui, Thomas. Venha com a gente.

Gritando insultos para a multidão por todo o caminho, ele deixou que o guiassem de volta até a porta da sala de espera. Trinta segundos depois, ela havia se fechado atrás dos três e eles estavam sentados sob a luz fraca, entorpecidos por um assombro terrível. Fazia apenas dez minutos que ele saíra dali.

Em seu *palazzo*, Arbell Pescoço de Cisne aguardava notícias em um frenesi de agonia insustentável. Não suportava a ideia de ir até a Arena para vê-lo morrer, como tinha certeza de que morreria. Toda a sua intuição lhe gritava que ela havia visto seu amor pela última vez. Então, ouviu-se uma agitação estranha atrás da sua porta. Ela se escancarou e uma Riba de olhos arregalados e ofegante entrou correndo no quarto.

— Ele está vivo!

Você pode imaginar a cena quando eles ficaram sozinhos naquela noite — os mil beijos de alegria, as carícias, a enxurrada de juras de amor e adoração.

Se naquela tarde ele havia cruzado o Vale da Morte, à noite fora recompensado com uma visão do paraíso. No entanto, o inferno também o acompanhava — a dor do dedo perdido era intensa, muito pior do que a de ferimentos mais graves que tinha sofrido antes. Só conseguiu se concentrar em sua recepção delirante quando Henri Embromador lhe arranjou, a um preço exorbitante, um punhado de ópio que logo reduziu a agonia a uma dorzinha embotada.

Mais tarde naquela noite, depois de Arbell terminar sua veneração por cada centímetro do seu corpo, Cale tentou lhe explicar o que havia acontecido com ele antes da luta com o falecido Solomon Solomon. Talvez tenha sido o ópio, ou a tensão e o horror absolutos daquele dia, ou então a proximidade da morte pura e simples, porém, ele teve que se esforçar para fazer sentido. Cale queria se explicar para ela, mas tinha medo. No fim das contas, Arbell o interrompeu por pena da sua confusão e do seu pavor e, talvez, também por si mesma. Não queria ser lembrada do pacto que seu estranho amante tinha com a arte de matar.

— Quanto menos palavras, mais rápida a cura.

Obrigado a deixar seus aposentos antes que os guardas da manhã chegassem, Cale saiu (embora somente depois de muitos outros beijos e juras de amor) para encontrar Henri Embromador montando guarda, sozinho.

— Como você está se sentindo? — perguntou Henri.

— Não sei. Estranho.

— Quer uma caneca de chá?

Cale assentiu.

— Então coloque para fazer. Encontro você quando o outro vigia chegar.

Dez minutos depois, Henri Embromador se juntou a Cale na guarita quando o chá estava acabando de ferver. Os dois ficaram sentados em silêncio, bebendo e fumando, prazeres que Cale havia apresentado tanto a Henri Embromador quanto a Kleist, que agora raramente se via sem uma cigarrilha entre os lábios.

— Qual foi o problema? — perguntou Henri Embromador depois de cinco minutos.

— Me bateu um cagaço. Dos brabos.

— Achei que ele fosse matar você.

— E teria matado, se não tivesse sido tão desconfiado. Ele achou que eu não estar me movendo era algum tipo de truque.

Eles ficaram em silêncio por alguns instantes.

— E daí o que houve?

— Não sei. Aconteceu em questão de segundos, como se alguém tivesse me dado um banho de água fria.

— Foi sorte, então.

— É.

— E agora?

— Ainda não parei pra pensar.

— Talvez seja bom começar.

— Como assim?

— Já deu pra gente aqui.

— Por quê? — falou Cale, empertigando-se e fingindo se concentrar em preparar outra cigarrilha.

— Você matou Solomon Solomon, depois largou o corpo dele na frente dos Materazzi e os desafiou.

— Eu os desafiei?

— A fazer o pior que eles podiam, não foi isso? — Cale não respondeu. — Imagino que o pior deles possa ser bem ruim, você não acha? E não vai ser cara a cara da próxima vez. Alguém vai largar um tijolo na sua cabeça.

— Está certo. Já entendi.

Porém, Henri Embromador não tinha terminado.

— E quando eles descobrirem sobre você e Arbell Materazzi? As únicas pessoas que você tem para protegê-lo são Vipond e o pai dela. O que você acha que ele vai fazer quando descobrir? Marcar um casamento? Você, Arbell Materazzi, com todo o seu esplendor e toda a sua graça, aceita este jovem pivete e encrenqueiro de marca maior, Thomas Cale, como seu legítimo esposo?

Cale se levantou, exausto.

— Preciso dormir. Não posso pensar sobre isso agora.

32

Cale caiu em um sono profundo ao raiar do dia e com as palavras duras de Henri Embromador ressoando na cabeça. Ele acordou 15 horas depois com os sinos da igreja fazendo a mesma coisa. Contudo, o som não era um repicar melodioso convocando os fiéis geralmente apáticos de Memphis para um dia santo, mas sim um clangor desesperado e estridente de alarme. Saltando da cama e atravessando a porta, ele disparou com as pernas nuas pelos corredores dos aposentos de Arbell. Lá fora, já havia dez guardas Materazzi e outros cinco desciam o corredor na direção oposta. Ele esmurrou a porta.

— Quem é?

— Cale, abra.

A porta foi destrancada e uma Riba assustada surgiu, enquanto Arbell a empurrava de lado e saía.

— O que está havendo?

— Não sei. — Cale gesticulou para os guardas Materazzi e a fez voltar para dentro do quarto. — Cinco dos seus aqui. Deixe as cortinas fechadas e se mantenha fora de vista. Você vai garantir que eles fiquem no canto do quarto, longe da janela.

Ela saiu de volta para o corredor.

— Quero saber o que está acontecendo. E se for meu pai?

— Volte para dentro — exclamou Cale diante deste temor perfeitamente justificável. — E pela primeira vez na vida faça o que te mandam. E tranque a porta.

Riba pegou a aristocrata horrorizada pelo braço com delicadeza e a conduziu de volta para o quarto, enquanto os cinco guardas, espantados ao ouvir alguém se dirigindo daquela maneira a Arbell, acompanhavam as duas. Cale assentiu para o comandante dos guardas enquanto o trinco da porta se fechava com um clique às suas costas.

— Mando notícias assim que as tiver. Alguém me dê uma espada.

O comandante fez sinal para que um dos seus homens lhe entregasse sua arma.

— Que tal uma calça, também? — acrescentou ele, para a diversão dos demais soldados.

— Quando eu voltar — falou Cale —, vamos ver quem vai estar rindo. — E, com essa resposta azeda, ele saiu do quarto e se pôs a correr. Apanhou as roupas no seu quarto e, menos de trinta segundos depois, havia descido dois lances de escada e estava no pátio do *palazzo*. Henri Embromador e Kleist já haviam posicionado guardas ao longo dos muros e, armados respectivamente com um arco e uma besta de um pé, estavam prestes a se juntar a eles.

— E então? — perguntou Kleist.

— Nada de mais — disse Henri. — Um ataque em algum lugar depois do quinto muro; homens vestindo o que está parecendo batinas. Ou não.

— Como os Redentores podem ter chegado tão perto?

A explicação era simples. Memphis era uma cidade comercial que não era atacada há décadas, e a probabilidade de que fosse era pequena. A enorme quantidade de mercadorias compradas e vendidas todos os dias ali precisava circular livremente pelos seis muros internos feitos para fazer exatamente o oposto durante um cerco, sendo que o último tinha ocorrido há cinquenta anos. Os muros internos haviam se tornado um estorvo durante os tempos de paz, tendo sido aos poucos perfurados por diversas entradas e saídas, túneis de acesso para lixo, água, urina e excrementos, de modo que o papel deles como barreira havia sido bastante comprometido. Um superintendente do departamento de esgoto havia sido chantageado por Kitty das Lebres — os Materazzi puniam os pecados de pederastia com uma severidade comparável à dos Redentores — e fora ele quem conduzira os cerca de cinquenta invasores até os arredores do quinto muro. Qualquer menção a Kitty das Lebres, no entanto, estava proibida. Enquanto o ataque era realizado contra o *palazzo*, o superintendente estava jogado de cabeça para baixo em uma lata de lixo com a garganta cortada. Foi assim que a tentativa de Bosco de provocar uma retaliação por parte dos Materazzi à custa de alguns indesejáveis e pervertidos levou a uma batalha encarniçada bem no coração superprotegido de Memphis. O ataque atrás do quinto muro havia sido uma simulação conduzida por dez dos Redentores, no entanto, os quarenta restantes tinham se esgueirado por baixo do *palazzo* e saído no pátio através de um bueiro. Enquanto eles emergiam do esgoto como um monte de baratas com suas batinas pretas, Cale enviou Henri Embromador e Kleist para as muralhas, armados com seus arcos e suas bestas, perguntando-se o que fazer com os 12 Materazzi ao seu redor. Foi então que, boquiabertos, todos viram ao mesmo tempo os quarenta Redentores se espalhando na direção deles como uma mancha.

— Formem uma linha! Uma linha! — exclamou Cale para os seus homens, e então os Redentores atacaram. Cale gritou por Kleist, porém, à medida que os golpes eram dados e rebatidos, os combatentes estavam próximos demais para se arriscar um disparo. Mas então um bando de Redentores tentou contornar a linha dos Materazzi e chegar à porta do *palazzo*. O zumbido de vespa dos dardos e das flechas foi ouvido quando eles ultrapassaram a linha e Henri e Kleist conseguiram mirar com precisão. O grito de um deles, agarrando o próprio peito como se um marimbondo estivesse preso dentro da sua roupa, chamou a atenção de Cale, que se afastou da linha e correu rumo à porta do *palazzo*, cortando com a espada o tendão do calcanhar de um Redentor e fazendo o mesmo com um segundo, enquanto o terceiro à sua frente levava uma flechada na parte de cima da coxa. O homem cambaleou para trás, gritando quando um golpe mal calculado de Cale o atingiu na boca, varando sua mandíbula e espinha. Cale então deixou para trás o tumulto, chegando à entrada do *palazzo* e virando-se para encarar os atacantes. Intimidado pelos dardos e pelas flechas, o ataque já havia sido interrompido enquanto os Redentores se abrigavam atrás de um muro à altura do quadril, que seguia em forma de V em direção ao edifício. Cale continuou na entrada, esperando que eles viessem ao seu encontro. Os Redentores que tentassem agora poderiam se proteger contra a chuva mortal que caía das muralhas, de modo que, engatinhando, eles seguiram em direção a Cale. Ele enfiou a mão no jarro de 1,80 metro com uma velha oliveira que decorava a entrada, apanhou os seixos do tamanho de punhos dispostos com esmero lá dentro e começou a atirá-los. Não estamos falando de uma criança atirando gravetos: as pedras se chocaram contra dentes e mãos, forçando os Redentores a se levantarem rumo aos dardos e às flechas que vinham de cima. Desesperados, os cinco Redentores ilesos correram para cima de Cale. Ele deu cotoveladas, chutes e mordidas e, enquanto lutava, eles caíam — no entanto, mesmo no calor daquela batalha pela vida, parte dele pensava que havia algo de estranho ali. A sensação foi ficando mais forte à medida que, como um herói de livro infantil, ele matava seus oponentes como se eles não passassem de capim — um soco, uma defesa, uma espadada, um golpe de misericórdia e pronto. Os guardas Materazzi, reduzidos apenas a três, tinham feito seus oponentes recuarem — então os padres perderam a coragem e tentaram fugir, sendo abatidos ou pelas espadas dos Materazzi que os perseguiam, ou por Kleist e Henri, que deixavam de proteger Cale para derrubar qualquer Redentor que tentasse chegar ao bueiro para escapar.

Restou a Cale a adrenalina pós-batalha, o coração a mil e o sangue disparando pelas veias. O pátio à sua frente parecia se mover, ora chegando mais perto, ora se afastando: a expressão moribunda de horror no rosto de um Redentor; um guarda Materazzi agarrando a própria barriga, tentando evitar que suas entranhas caíssem no chão; o "Isso! Isso!" quase sussurrado de outro celebrando o fato de estar vivo, de ter vencido, de ter passado por aquilo sem sofrer nenhuma desgraça; e o semblante jovem de um Redentor, sua pele tão branca quanto a cera de uma vela sagrada, sabendo que estava prestes a morrer enquanto um Materazzi parava sobre o seu corpo. E, ainda assim, Cale pressentia algo de completamente errado. Tentou gritar para que o guarda Materazzi não desse o golpe de misericórdia, porém, tudo que saiu de sua boca foi um gemido exausto que não pôde impedir o berro terrível e os pés se debatendo no chão.

— Você está bem, filho? — perguntou um guarda. Cale soltou um arquejo e inspirou fundo.

— Diga para eles pararem. — Ele apontou para os Materazzi que andavam por entre os feridos, liquidando-os. — Preciso interrogá-los. Agora! — O guarda gritou e se afastou para cumprir a ordem. Cale se sentou no muro baixo e observou uma mariposa pousar à beira de uma poça negra de sangue, provando-o com cautela e, satisfeita, começando a se alimentar.

— O que houve? — disse Kleist enquanto se aproximava com arrogância de Cale. — Você ainda está vivo, não está?

— Tem alguma coisa errada.

— Você se esqueceu de agradecer.

Cale o encarou.

— Vá ver se restou algum sobrevivente.

Kleist quase perguntou de que seu último escravo tinha morrido, mas havia algo mais estranho do que o normal em Cale, de modo que ele achou melhor não falar nada.

Henri Embromador já havia começado a vasculhar os corpos, contando os dardos e rezando a Deus para suas vítimas estarem mortas. Ele percebeu que Kleist fazia o mesmo, embora os Materazzi tivessem liquidado rapidamente qualquer um que ainda estivesse se mexendo.

— Cale, venha ver isso aqui — gritou Kleist ao virar um corpo com uma de suas flechas nas costas. Henri Embromador ficou olhando enquanto Cale se aproximava, embora mantivesse certa distância, ansioso. — Olhe — falou Kleist. — É Westaby. — Cale encarou o rosto morto de um rapaz de 18 anos que tinha visto todos os dias no Santuário desde quando conseguia se lembrar.

— Ele é um dos gêmeos Gaddis — disse Henri Embromador. Fez-se um breve silêncio enquanto ele virava um corpo ao lado de barriga para cima. — E o irmão dele.

Vindo da outra ponta do pátio, próximo do bueiro, ouviu-se uma explosão de gritos e quatro Materazzi começaram a chutar e esmurrar um Redentor deitado no chão. Os meninos correram até lá e se puseram a afastá-los, porém, os Materazzi tentaram empurrar os três para longe até Cale sacar a espada e ameaçá-los dos mais terríveis desmembramentos se não abrissem espaço. Kleist e Henri Embromador arrastaram o Redentor dali enquanto os Materazzi observavam a cena, carrancudos. O mau humor foi quebrado por outro guarda Materazzi que veio andando até seus quatro colegas, empunhando uma espada dobrada em L. "Pode uma coisa dessas?", ele ficava falando. "Pode uma coisa dessas?" Devagar, Cale se afastou de costas, seguindo em direção a Kleist e Henri, sem desgrudar os olhos dos quatro Materazzi.

Cale, Kleist e Henri Embromador ficaram parados diante do Redentor inconsciente, recostado contra o muro do *palazzo*, seu rosto e seus lábios inchados e sua boca sem alguns dentes.

— Ele me parece familiar — falou Henri Embromador.

— Eu sei — disse Cale. — É Tillmans, o acólito de Navratil.

— O Redentor Papa Anjo? — disse Kleist, observando o rapaz inconsciente com mais atenção. — É, tem razão. É Tillmans mesmo. — Kleist estalou os dedos em frente ao rosto de Tillmans duas vezes.

— Tillmans! Acorde! — Ele sacudiu seus ombros e então o rapaz gemeu. Seus olhos se abriram lentamente, mas estavam sem foco.

— Eles o queimaram.

— Queimaram quem?

— O Redentor Navratil. Eles o queimaram numa grelha por tocar menininhos.

— Sinto muito. Ele era um sujeito decente, no fim das contas — disse Cale.

— Desde que você ficasse de costas para a parede — falou Kleist. — Ele me deu uma costeleta de porco uma vez — acrescentou ele, no que era provavelmente a coisa mais próxima de um elogio fúnebre que Kleist jamais faria a um Redentor.

— Eu não conseguia suportar os gritos — disse Tillmans. — Ele demorou quase uma hora para morrer. Então eles me disseram que fariam o mesmo comigo se eu não me oferecesse a vir para cá.

— Quem supervisionou vocês no caminho?

— O Redentor Stape Roy e sua tropa. Eles nos disseram que, quando chegássemos aqui, haveria espiões de Deus para nos ajudar no combate e que, se nos saíssemos bem, ganharíamos uma nova chance. Não me mate, mestre!

— Nós não vamos machucá-lo. É só nos contar o que sabe.

— Nada. Eu não sei nada.

— Onde estão os outros?

— Não sei... como eu, eles não são soldados. Eu quero...

Os olhos de Tillmans começaram a se mexer de um jeito esquisito, um perdendo o foco e o outro olhando por sobre o ombro de Cale, como se estivesse vendo algo ao longe. Kleist estalou os dedos de novo, mas desta vez não houve resposta, somente seu olhar se tornando cada vez mais fora de foco e sua respiração, mais irregular. Então ele pareceu recobrar a consciência por um instante, soltando um "Como é que é?" Por fim, sua cabeça caiu para o lado.

— Ele não passa desta noite — falou Henri Embromador. — Pobre Tillmans.

— É — disse Kleist. — E pobre Redentor Papa Anjo. Que jeito de morrer.

De todas as vezes que Cale tinha vindo ao Gabinete do Chanceler, aquela foi de longe a que mais demorou a ser recebido por Vipond. Foram quase três horas sentado em uma sala de espera lotada. Ele havia recebido instruções para chegar às três e manter o bico calado. Quando finalmente foi conduzido ao gabinete, Vipond mal olhou para ele.

— Devo admitir que tive minhas dúvidas quando você previu que os Redentores tentariam atacar Arbell em Memphis. Na hora me perguntei se você não estaria inventando isso para que você e seus amigos tivessem algo para fazer. Aceite minhas desculpas.

Cale não estava habituado a ver ninguém em posição de autoridade admitir que estivesse errado — especialmente quando estavam certos —, de modo que ele se limitou a fazer cara de esperto. Vipond entregou a Cale um folheto impresso. Nele, havia um desenho grosseiro de uma mulher com os seios de fora e, acima dela, a frase: A PROSTITUTA DE MEMPHIS. O folheto prosseguia descrevendo Arbell como uma notória depravada que prostituía a si mesma e a todos os inocentes em orgias em massa de adoração ao diabo e sacrifícios. *Ela é um pecado!*, declarava por fim o folheto, *clamando aos céus por vingança.*

Martelos trabalhavam na mente de Cale, tentando compreender o que significava aquilo.

— Os homens que atacaram do outro lado dos muros deixaram esses panfletos por todo o seu trajeto — disse Vipond. — Desta vez, não vai dar para abafar o assunto. Todos consideram Arbell Materazzi pura como a neve.

Embora isso claramente não fosse mais tão verdadeiro assim, as mentiras grotescas do panfleto eram tão intrigantes para Cale quanto para Vipond.

— Alguma ideia do que isso quer dizer? — perguntou Vipond.

— Não.

— Fui informado de que você interrogou um prisioneiro.

— O que sobrou dele.

— Ele tinha algo a dizer?

— Só o que já estava bem claro para nós. Esse nunca foi um ataque sério. Eles nem eram soldados de verdade. Conhecíamos uns dez deles: cozinheiros, escreventes, alguns recrutas que faltaram demais às suas obrigações. É por isso que foi tão fácil.

— Você não deve repetir isso em nenhum lugar. O que se está dizendo em toda parte é que os Materazzi conquistaram uma grande vitória contra um ataque covarde da elite dos assassinos dos Redentores.

— A elite dos pivetes dos Redentores, isso sim.

— O que aconteceu é visto com indignação e há muito respeito pela habilidade e pelo heroísmo dos nossos soldados em repelir o ataque. Não se deve dizer nada que contradiga essa ideia. Entendido?

— Bosco quer provocá-lo para que o senhor o ataque.

— Bem, ele conseguiu.

— Dar a Bosco o que ele quer é uma péssima ideia. Não estou mentindo.

— Isso seria uma mudança. Mas acredito em você.

— Então o senhor precisa dizer aos seus soldados que, se eles acham que derrotar um exército de Redentores de verdade vai ser minimamente parecido com isso, vão se dar muito mal.

Pela primeira vez, Vipond olhou bem nos olhos do menino à sua frente.

— Meu Deus, Cale, se você soubesse a falta de sensatez com que o mundo é governado. A humanidade nunca sofreu um desastre que não tenha sido anunciado por alguma pessoa. Nunca, em toda a história do mundo. E ninguém que tenha dado esse tipo de alerta e provado que estava com a razão tirou algum proveito disso. Os Materazzi não ouvirão ninguém em relação a este assunto, e muito menos Thomas Cale. É assim que as coisas são e não há nada que um ninguém insignificante como você, ou mesmo um alguém importante como eu, possa fazer a respeito.

— O senhor não vai dizer nada para impedi-los?

— Não, não vou. Nem você. Memphis é o coração da maior potência da Terra. Alguns pilares muito simples sustentam este império: comércio, ganância e a crença generalizada de que os Materazzi são tão poderosos que não vale a pena correr o risco de nos desafiar. Ficarmos escondidos atrás dos muros de Memphis enquanto os Redentores levantam um cerco contra nós não é uma opção. Bosco não pode ganhar, mas nós podemos perder. Basta que as pessoas achem que estamos nos escondendo dele. Poderíamos suportar um cerco a Memphis por cem anos, mas não levaria seis meses para rebeliões começarem a pipocar daqui até a República do Cafundó de Judas. Estamos em guerra, então é melhor partirmos logo para ela.

— Eu sei como os Redentores irão lutar.

Vipond o encarou, exasperado.

— E o que você está esperando? Ser consultado? Os generais que estão planejando esta campanha agora não só conquistaram metade do mundo conhecido, como ou lutaram ou foram treinados por Solomon Solomon, mesmo que muitos deles não o tivessem em alta conta. Mas *você*? Um menino... um *nada* que luta como um cachorro faminto. Pode esquecer. — Sem paciência, ele despachou Cale com um gesto, acrescentando o seguinte para deixá-lo com uma pulga atrás da orelha: — Você deveria ter deixado Solomon Solomon viver.

— Ele teria feito o mesmo por mim?

— De fato, não... o que é apenas mais um motivo para você ter se aproveitado da fraqueza dele. Se o tivesse deixado viver, teria caído nas graças dos Materazzi e acabado com a reputação de Solomon Solomon. A força é implacável tanto com o homem que a possui quanto com suas vítimas: os segundos ela esmaga, o primeiro, ela embriaga. A verdade é que ninguém possui realmente o tipo de poder que você tem por muito tempo. Aqueles que o tomam emprestado do Destino dependem demais dele e acabam destruídos.

— Você inventou isso agora? Ou foi alguma outra pessoa que nunca precisou estar diante de uma multidão louca para vê-la estripada só para ter o que fazer durante a tarde?

— Autocomiseração, é? Você não tinha a menor necessidade de estar lá e sabe disso.

Irritado, principalmente por não ter uma boa resposta para aquilo, Cale se virou para ir embora.

— Aliás, o relatório dos acontecimentos de ontem à noite diminuirão bastante a sua contribuição e a dos seus amigos. E você não irá reclamar disso.

— Posso saber por quê?

— Depois da sua apresentação na Arena Vermelha, você se tornou muito odiado. Pense no que eu lhe falei e vai entender o motivo. Mesmo que não entenda, não dirá nada sobre os incidentes de ontem.

— Estou pouco me lixando para o que os Materazzi pensam, de qualquer forma.

— Esse é o seu problema, não é mesmo? Você não se importa com o que os outros pensam. Mas deveria.

* * *

No decorrer da semana seguinte, toda sorte de Materazzi chegou a Memphis de suas respectivas propriedades. Era quase impossível andar pela cidade por conta dos cavaleiros com seus escudeiros, suas esposas, os criados de suas esposas e o sem-número de ladrões, michês, prostitutas, jogadores, camelôs, gatunos, agiotas e comerciantes comuns, todos atrás da oportunidade de ganhar a bela quantidade de dinheiro que se podia conseguir numa guerra. Havia complexas questões de privilégio a serem resolvidas entre a nobreza dos Materazzi. O seu posicionamento estratégico no conflito servia para indicar o seu status naquela sociedade — um plano de batalha do clã Materazzi era uma mistura de estratégia militar com a disposição dos assentos em um casamento real. As chances de se causar ofensa ou ser ofendido eram exorbitantes. De modo que, apesar da urgência dos assuntos de guerra, o marechal passava a maior parte do tempo dando jantares e organizando confraternizações de todo tipo para apaziguar os ânimos perigosamente alterados, explicando que, o que parecia um insulto, na verdade era uma honra de grandes proporções.

Foi em um desses banquetes, para o qual Cale fora convidado (a pedido de Vipond, como parte de sua tentativa de reabilitá-lo), que os acontecimentos deram, mais uma vez, uma guinada inesperada. Por mais que o marechal nunca quisesse estar na presença de Simon, especialmente não em público, isso nem sempre era possível, principalmente depois de Arbell implorar que ele fosse convidado.

Lorde Vipond era um mestre das informações, fossem elas verdadeiras ou falsas. E possuía uma rede de contatos considerável em todos os níveis da sociedade dos Materazzi, desde os lordes até o mais humilde engraxate. Se quisesse que algo fosse amplamente divulgado, ou pelo menos amplamente tomado como verdade, esses informantes ouviriam uma história, real ou não, e então espalhariam a notícia. Essa forma de disseminar boatos úteis ou negar outros prejudiciais vinha, obviamente, sendo utilizada por todos os governantes desde Ozimandias, o Rei dos Reis, até o atual prefeito de onde o diabo perdeu as botas. A diferença entre Vipond e todos esses demais praticantes da arte oculta da boataria era o fato de ele saber que, para que as pessoas acreditassem em seus informantes quando mais necessário, quase tudo que eles diziam deveria ser verdade. O resultado era que qualquer mentira que Vipond quisesse ver aceita de forma generalizada quase sempre era engolida junto. Ele gastou parte deste seu valioso capital em Cale por estar muito ciente do espírito de vingança que havia sido incitado naqueles relacionados ou próximos a Solomon Solomon. Era quase certo que ele seria assassinado. Vipond, apesar do que tinha dito a Cale, espalhara que o menino havia lutado bravamente ao lado dos Materazzi para ajudar a salvar Arbell, de modo que o perigo imediato de ele ser envenenado ou levar uma facada pelas costas em um beco escuro tinha sido bastante, se não completamente, diminuído. Estranhamente, se tivessem perguntado a Vipond por que ele estava dedicando tanto tempo a alguém tão desimportante, ele não teria sabido responder. Porém, não havia ninguém para lhe perguntar isso.

Vipond e o marechal Materazzi estavam há várias horas reunidos, tentando em vão bolar uma estratégia militar que desse conta de todas as complicadas questões de poder e status geradas pela disposição dos Materazzi no campo de batalha. A verdade é que sentiam a falta de Solomon Solomon, cuja reputação heroica como soldado o tornara inestimável como um homem capaz de negociar e estabelecer acordos entre as diversas facções de Materazzi que lutavam por precedência na linha de combate.

— Sabe de uma coisa, Vipond — falou o marechal com tristeza. — Por mais que eu admire a sutileza com a qual você lida com esse tipo de questão, devo dizer que, no frigir dos ovos, poucos são os problemas no mundo que não podem ser resolvidos com um suborno generoso, ou empurrando seu inimigo por um desfiladeiro abaixo na calada da noite.

— Como assim, meu amo?

— Aquele menino, Cale. Não estou defendendo Solomon Solomon, você sabe que eu tentei impedi-lo, mas, para ser sincero, não achei que o menino tivesse chance contra ele.

— E se o senhor soubesse que sim?

— Não há necessidade de usar esse tom superior comigo; não venha me dizer que você sempre faz a coisa certa no lugar da coisa mais sensata. A questão é que precisamos de Solomon Solomon; ele poderia ter facilitado as coisas e colocado esses desgraçados em seus devidos lugares. É simples: nós precisamos de Solomon Solomon e não precisamos de Cale.

— Cale salvou sua filha, meu amo, e chegou muito perto de perder a própria vida no processo.

— Está vendo, lá vai você de novo. Mais do que ninguém você deveria saber que eu não posso levar as coisas para o lado pessoal. Sei muito bem o que ele fez e sou grato. Mas somente como pai. Como governante, estou assinalando que o Estado precisa muito mais de Solomon Solomon do que de Cale. Essa é apenas a verdade óbvia e não faz sentido negá-la.

— Então do que o senhor se arrepende, meu amo? De não tê-lo jogado de um precipício antes da luta?

— Você acha que pode me constranger a ponto de eu retirar o que disse? Em primeiro lugar, eu teria dado a ele uma sacola grande de ouro e lhe dito para sumir daqui e nunca mais voltar. O que, por sinal, é o que pretendo fazer quando esta guerra terminar.

— E se ele tivesse se recusado?

— Eu teria ficado bastante desconfiado, isso sim. Aliás, por que ele ainda está por aqui?

— Porque o senhor lhe deu um bom emprego no meio do quilômetro quadrado mais bem protegido do mundo inteiro.

— Então a culpa é minha? Bem, se é mesmo, então eu vou dar um jeito nisso. O menino é uma ameaça. Ele é sinônimo de azar, igual àquele sujeito na barriga da baleia.

— Jesus de Nazaré?

— É, esse aí. Quando essa questão com os Redentores estiver resolvida, Cale vai embora e ponto final.

A outra coisa que tinha deixado o marechal tão mal-humorado era a perspectiva de ter que se sentar com seu filho por uma noite inteira — a humilhação era quase maior do que ele podia suportar.

No fim das contas, o banquete transcorreu bem. Os nobres presentes pareciam preparados, e até mesmo dispostos, a deixar velhos rancores e rixas de lado e se unirem diante da ameaça dos Redentores contra Memphis em geral e Arbell Pescoço de Cisne em particular. Durante todo o jantar, a filha do marechal foi tão meiga e, ao mesmo tempo, tão divertida e estonteante, que transformou o retrato grotesco que os Redentores pintaram dela em um motivo cada vez mais contundente para deixar as diferenças mesquinhas de lado e enfrentar o perigo que aqueles fanáticos religiosos representavam para todos eles.

Do início ao fim do banquete, ela tentou desesperadamente não olhar para Cale. Seu amor e desejo por ele eram tão intensos que ela tinha certeza de que ficariam evidentes até mesmo para os mais insensíveis. Cale, por sua vez, ficou de cara amarrada por achar que ela o estava evitando. Estava claro que Arbell tinha vergonha dele, que ficava constrangida de ser vista em público em sua companhia. Em contrapartida, o medo que o marechal sentia de ser humilhado por Simon parecia ser infundado. É bem verdade que o menino ficava inevitavelmente sentado ali sem dizer nada — porém, sua expressão habitual de espanto e perplexidade horrorizada havia sumido. Aliás, seu rosto parecia totalmente normal: um olhar de interesse aqui, outro de divertimento acolá. O marechal, no entanto, foi ficando cada vez mais irritado por não conseguir se livrar de uma tosse chata, provavelmente causada por ter que conversar tanto com o monte de gente que vinha lhe pedir coisas.

Outra coisa que incomodava o marechal era o rapaz ao lado de Simon. Não o reconhecia e ele não falou nada a noite inteira, porém, ao longo do jantar, ficou contorcendo sem parar a mão direita numa série enlouquecedora de gestos, apontando e jogando os dedos para frente, descrevendo inúmeros círculos no ar e assim por diante. No final, aquilo já estava dando nos nervos do marechal de tal forma que ele estava prestes a mandar seu criado, Pepys, falar para o rapaz ou parar ou ir embora. Foi então que o companheiro de Simon se levantou e ficou esperando em silêncio — uma atitude tão espantosa em um ambiente daqueles que o zumbido de risadas e conversas quase desacelerou até parar.

— Meu nome é Jonathan Koolhaus — anunciou Koolhaus —, tutor linguístico do Lorde Simon Materazzi. O Lorde Simon quer dizer uma coisa.

Diante dessas palavras, o salão se calou, mais de espanto do que de deferência. Simon então se levantou e começou a mover a mão direita da mesmíssima maneira estranha que Koolhaus fizera a noite inteira. Ele então traduziu:

— Lorde Simon Materazzi disse: "Eu passei a noite inteira sentado de frente para o preboste David Lascelles e, durante todo esse tempo, ele se referiu a mim três vezes como sendo um cabeça-oca babão." — Simon sorriu, um sorriso largo e bem-humorado. — "Bem, preboste Lascelles, quando o assunto é ser um cabeça-oca babão, como dizem as crianças no playground: você precisa ser um para reconhecer o outro."

A explosão de risadas que se seguiu a isso foi alimentada tanto pela visão dos olhos arregalados e do rosto ruborizado de Lascelles quanto pela piada em si. A mão direita de Simon se agitou rapidamente para frente e para trás.

— Lorde Simon Materazzi disse: "O preboste David afirma ser uma grande desonra para ele estar sentado na minha frente." — Simon fez uma mesura irônica para o preboste David e Koolhaus repetiu o gesto. A mão direita de Simon voltou a se mover. — "Devo dizer, preboste David, que a desonra é toda minha."

Com essas palavras, Simon se sentou com um sorriso bondoso, seguido por Koolhaus.

Por um instante, a mesa ficou olhando estarrecida, embora se pudesse ouvir algumas risadas e aplausos. E então, como se por força de um estranho acordo tácito, todos os convidados decidiram que iriam ignorar o que haviam acabado de ver e fingir que aquilo nunca aconteceu. Com isso, o zumbido de risadas e conversas se reacendeu e tudo prosseguiu, pelo menos na superfície, como antes.

A seu tempo, a confraternização chegou ao fim, os convidados foram conduzidos noite afora e o marechal, acompanhado por Vipond, quase saiu correndo para seus aposentos particulares, onde havia ordenado que seu filho e sua filha o aguardassem. Mal havia passado pela porta quando exigiu saber:

— Que história é essa? Que tipo de truque desalmado é esse? — disse ele, encarando a filha.

— Não sei nada sobre isso. É um mistério tão grande para mim quanto para o senhor.

Enquanto isso, um Koolhaus assombrado agitava os dedos para Simon da forma mais discreta possível.

— Ei, você. O que está fazendo?

— É, hã... uma linguagem de sinais, senhor.

— O que isso quer dizer?

— É muito simples, senhor. Cada sinal do meu dedo representa uma palavra ou ação. — Koolhaus estava tão nervoso e falou tão rápido que era quase impossível compreendê-lo.

— Mais devagar! — gritou o marechal. Koolhaus, tremendo, repetiu o que havia falado. O marechal ficou olhando, incrédulo, enquanto seu filho gesticulava para Koolhaus.

— Lorde Simon disse... hã... que não é para o senhor ficar bravo comigo.

— Então explique o que é isso.

— É simples, senhor. Como eu disse, cada sinal representa uma palavra ou emoção. — Koolhaus tocou o próprio peito com o polegar.

— Eu.

Então fez um punho e o esfregou em um gesto circular sobre o coração.

— Sinto muito.

Ele ergueu o polegar do mesmo punho, apontando-o para frente e fazendo um gesto de martelada.

— Por ter feito.

Em seguida, apontou para o marechal.

— O senhor.

Ele girou o pulso, jogando o punho para frente e para trás.

— Ficar com raiva.

Então repetiu os gestos tão depressa que mal dava para distingui-los.

— Eu sinto muito por ter feito o senhor ficar com raiva.

O marechal olhou para o filho como se encará-lo fosse revelar a verdade. A descrença e a esperança estavam claras no seu rosto. Então ele respirou fundo e lançou um olhar para Koolhaus.

— Como eu posso ter certeza de que é o meu filho quem está falando, não você?

Koolhaus começou a recuperar parte do seu equilíbrio habitual.

— É impossível, meu amo. Assim como nenhum homem pode saber ao certo se ele próprio é uma criatura pensante e sensível enquanto todos os demais são máquinas que apenas fingem sentir e pensar.

— Oh, meu Deus — falou o marechal. — Estou diante de uma cria do Cérebro, sem a menor dúvida.

— De fato, senhor. Mas, apesar disso, o que digo é verdade. O senhor sabe que outras pessoas também sentem e pensam porque, com o tempo, seu bom-senso lhe mostrou a diferença entre o que é real e o que não é. Da mesma forma, se o senhor conversar com seu filho através de mim verá que, apesar de ser iletrado e lamentavelmente ignorante, a mente dele é tão afiada quanto a minha ou a sua.

Era difícil não se impressionar com a sinceridade afrontosa de Koolhaus.

— Muito bem — disse o marechal. — Deixe Simon me contar como tudo isso foi armado desde o início até hoje à noite. E não acrescente nada ou tente deixá-lo mais esperto do que ele é.

Assim, durante os 15 minutos que se seguiram, Simon teve a primeira conversa de sua vida com o pai, e este com o seu filho. Vez por outra, o marechal fazia perguntas, no entanto, passou a maior parte do tempo escutando. E quando Simon terminou, lágrimas corriam pelos rostos dele e de sua irmã abismada.

O marechal finalmente se levantou e abraçou o filho.

— Eu sinto tanto, menino, mas tanto.

Em seguida, mandou um de seus guardas buscar Cale. Ao escutar essa ordem Koolhaus foi invadido por sentimentos decididamente conflitantes. A explicação dada por Simon tinha, em sua opinião, pendido de forma injusta a favor da ideia de Cale de lhe ensinar uma linguagem de sinais simples, sem levar tanto em conta que Koolhaus havia transformado uma série de gestos grosseiros e simplórios numa linguagem viva e real. Agora lhe parecia que aquele desordeiro do Cale iria roubar toda a cena. Cale tinha, obviamente, ficado quase tão pasmo com o ocorrido durante o banquete quanto os demais convidados, não fazendo ideia dos avanços que Koolhaus e Simon tinham feito. Isso se deu, em grande parte, porque o primeiro fizera o segundo jurar que manteria segredo, no intuito de armar uma surpresa brilhante e ficar com todo o crédito.

Cale tinha esperado uma bronca e ficou bastante confuso ao ser saudado como um salvador tanto por Arbell quanto pelo marechal, que se sentia culpado por sua ingrata, embora não necessariamente equivocada, decisão de se livrar dele.

No entanto, Arbell também sentia culpa. Nos dias que se seguiram aos terríveis incidentes na Arena Vermelha, ela passara noites libidinosas com Cale, devorando com paixão cada centímetro de seu corpo; contudo, durante o dia, escutava seus visitantes debaterem os horrores da morte de Solomon Solomon. Como havia expressado apenas repulsa por seu misterioso guarda-costas no passado, ninguém ficava constrangido em descrever o ocorrido com todos os seus detalhes desagradáveis. Parte daquilo podia ser descartado como fofoca e exagero em favor de um igual, porém, a coisa mudou de figura quando até mesmo a honesta e bem-intencionada Margaret Aubrey falou: "Não sei por que eu fiquei. No começo, senti pena dele. Ele parecia tão pequeno lá na arena. Mas, Arbell, foi a coisa mais fria e brutal que eu vi na vida. Ele falou com Solomon Solomon antes de matá-lo. Dava para ver que estava sorrindo. Não se trata nem um porco desse jeito, foi o que o meu pai disse."

Depois de ouvir isso, os sentimentos da jovem princesa ficaram extremamente confusos. É claro que estava ofendida com aquele insulto ao seu amante, no entanto, ela também não tinha visto aquela estranha indiferença assassina com os próprios olhos? Quem poderia culpá-la se um calafrio contido em silêncio tivesse se esgueirado até os recônditos mais profundos do seu coração, para ali ser trancado. Porém, todos esses pensamentos terríveis foram dissipados pela descoberta de que Cale tinha praticamente resgatado seu irmão do mundo dos mortos. Ela apanhou sua mão e a beijou com paixão e reverência — e lhe agradeceu pelo que tinha feito. Nem mesmo o fato de ele ter oferecido o crédito a Koolhaus fez muita diferença. O marechal — em meio a várias tentativas de limpar a garganta — e Arbell agradeceram ao tutor, mas então voltaram a encher Cale de elogios e agradecimentos. Koolhaus se sentiu traído, convenientemente se esquecendo de que fora Cale quem havia notado a inteligência oculta de Simon Materazzi e encontrado uma maneira de libertá-la. A tentativa de Cale de incluí-lo na atmosfera geral de gratidão e reconhecimento era apenas sua maneira, começou a pensar Koolhaus, de retornar às luzes da ribalta enquanto o empurrava para longe delas. Assim, no dia em que finalmente conquistou duas das pessoas que ainda desconfiavam dele, Cale contrabalanceou isso fazendo mais um inimigo.

33

Naquela noite, Arbell Materazzi tomou Cale em seus braços, tendo afugentado todas as restrições que tinha a seu respeito. Como ele era corajoso, e como ela tinha sido ingrata ao nutrir uma só dúvida que fosse — isso sem falar na mudança miraculosa que ele havia causado em seu irmão. Como aquilo o fazia parecer generoso para com o próximo; e tão inteligente e cheio de perspicácia. Ela quase ardia de adoração ao fazer amor com ele naquela noite, venerando-o com cada centímetro de seu corpo flexível e perfeito. E que mágica sublime isso exerceu sobre a alma castigada de Thomas Cale, que alegria e encanto isso lhe trouxe. Mais tarde, envolvido na cama em seus braços elegantes e pernas que pareciam não ter fim, ele começou a se sentir como se as camadas mais profundas de sua alma congelada estivessem sendo tocadas pelo sol.

— Nada de ruim pode acontecer com você. Me prometa — falou ela após quase uma hora de silêncio.

— Seu pai e os generais dele não têm a menor intenção de me deixar sequer chegar perto de uma batalha. E, de qualquer maneira, eu não tenho intenção de lutar. Essa guerra não tem nada a ver comigo. Meu trabalho é proteger você. Só isso me interessa.

— Mas e se alguma coisa acontecer comigo?

— Nada vai acontecer com você.

— Nem você pode garantir isso.

— Qual o problema?

— Nada. — Ela segurou o rosto dele em suas mãos e fitou dentro dos seus olhos, como se buscasse algo. — Sabe aquele retrato na parede do outro quarto?

— O do seu bisavô?

— Isso, com a segunda mulher dele, Stella. Eu o pendurei ali por causa de uma carta que encontrei quando era menina, remexendo algumas velharias da família que achei num baú. Acho que fazia uns cem anos que ninguém olhava lá dentro. — Ela se levantou e foi andando até uma gaveta do outro lado do quarto, nua como um passarinho e o suficiente para parar o coração de qualquer homem. Como é possível, pensou ele, que uma criatura dessas me ame? Ela revirou a gaveta por um instante e então voltou com um envelope. Sacou duas páginas cheias e olhou para elas com tristeza. — Esta é a última carta que ele escreveu para Stella antes de morrer no cerco a Jerusalém. Vou ler para você o último parágrafo porque quero que entenda uma coisa. — Ela se sentou ao pé da cama e começou a ler:

Minha muito querida Stella,

Tudo indica que atacaremos novamente dentro de alguns dias — talvez amanhã. Diante da possibilidade de nunca mais poder lhe escrever, sinto-me impelido a traçar linhas que podem chegar aos seus olhos quando eu já tiver partido.

Stella, meu amor por você é imortal, ele parece nos ligar por meio de amarras poderosas que somente Deus poderia romper. Se eu não retornar, minha querida Stella, jamais se esqueça do quanto eu te amo e, quando o último suspiro deixar meu corpo no campo de batalha, ele sussurrará seu nome.

Mas Stella! Se os mortos puderem voltar a esta terra e se moverem invisíveis por entre aqueles que amaram, eu sempre estarei ao seu lado; no dia mais brilhante e na noite mais escura — entre seus momentos mais alegres e suas horas mais tristes —, sempre, sempre. E se uma brisa suave acariciar seu rosto, ela será meu hálito; se um vento gelado aliviar sua têmpora latejante, será meu espírito a passar.

Arbell levantou a cabeça, seus olhos cheios de lágrimas.

— Essa foi a última notícia que ela teve dele.

Ela engatinhou para mais perto de Cale do pé da cama e o abraçou forte.

— Eu também estou ligada a você. Nunca se esqueça disso. Aconteça o que acontecer, eu sempre estarei por perto. Você sempre poderá sentir meu espírito velando pelos seus passos.

Assolado e extasiado por aquela jovem linda e apaixonada, Cale não sabia o que dizer. Mas logo as palavras já não eram necessárias.

34

Wilfred "Cinco Barrigas" Penn, sentinela da cidade de York, pouco mais de 150 quilômetros ao norte de Memphis, arregalou bem os olhos para se manter acordado enquanto espiava por sobre os muros da cidade. Outro belo sol se erguia sobre a floresta que cercava a região e Cinco Barrigas pensou que, por mais cansativo e entediante que fosse o turno da noite, aquela era uma hora do dia que, independentemente de quantas vezes você a tivesse visto, sempre o deixava maravilhosamente feliz por estar vivo. Foi então que ele notou algo tão bizarro em sua estranheza e impossibilidade que o deixou mais intrigado do que alarmado. O que ele achava ver não podia estar acontecendo. A uns 2,5 quilômetros de distância, atrás da linha das árvores, um imenso objeto negro havia se erguido da floresta e voava alto no céu azul-avermelhado, vindo na direção da cidade. O objeto negro ficou maior e pareceu se mover ainda mais depressa. Tão chocado quanto um animal antes do abate, Cinco Barrigas ficou observando uma pedra grande, do tamanho de uma vaca, passar menos de 6 metros acima de sua cabeça, girando preguiçosamente em torno do próprio eixo. Ela descreveu uma curva até a cidade mais abaixo, destruindo quatro casas residenciais grandes enquanto quicava por entre um caos de pedras desmoronadas e poeira, vindo parar no Jardim Municipal dos Rouxinóis.

Durante as duas horas seguintes, os quatro trabucos móveis dos Redentores lançaram outras dez pedras e, depois de encontrarem sua linha de tiro, conseguiram causar danos maciços às muralhas. Os modelos eram novos e nunca antes testados no campo de batalha, e em dois deles os braços da grande alavanca se arrebentaram. Os Engenheiros Papais que haviam acompanhado o Exército do Redentor General Princeps logo fizeram sua avaliação dos defeitos dos novos modelos móveis e, em menos de uma hora, haviam recolhido os braços e iniciado a longa marcha de retorno a Shotover.

A tarde foi tão quente que, embora nenhum pássaro cantasse, o som das cigarras era quase ensurdecedor. Houve um breve ataque às três por parte de 250 membros da cavalaria ligeira da cidade, no intuito de oferecer uma resposta que pudesse dar alguma ideia ao comandante das tropas inimigas de onde ele estava se metendo. Uma salva de flechas vinda das árvores os obrigou a se desviarem e tudo o que os Materazzi conseguiram com aquilo foi duas baixas, cinco feridos e dez cavalos que precisaram ser sacrificados. Os Redentores que ocupavam a linha das árvores observaram a cavalaria bater em retirada. Todos conseguiam sentir uma tensão pavorosa no ar, como se algo terrível estivesse à espreita, prestes a atacar. Então, começaram a rir quando o silêncio ameaçador foi quebrado pelas próprias criaturas que o causaram. Os gafanhotos, emudecidos pela chegada dos cavalos e aliviados por eles terem desaparecido, retomaram sua algazarra logo em seguida, como se fossem um só bicho, em vez de um milhão.

Naquela noite, o trabalho sujo de verdade começou quando o primeiro-sargento Trevor Beale e dez de seus homens foram patrulhar a floresta de Dudley, da forma mais relutante que se possa imaginar. Ao amanhecer, Beale e sete de seus soldados estavam de volta aos muros da cidade com dois prisioneiros Redentores e relatavam as atividades da noite ao governador de York.

— Por que, em nome de Deus, os Redentores estão nos atacando?

— Não faço ideia, senhor — disse o primeiro-sargento Beale.

— Foi uma pergunta retórica, primeiro-sargento, do tipo que é "feita apenas para produzir um efeito e não gerar uma resposta".

— Sim, senhor.

— E quanto aos números?

— Entre 8 e 16 mil, senhor.

— Não consegue ser mais preciso?

— Estávamos nos embrenhando em uma floresta densa, na escuridão total e no meio de um exército bem protegido, então, não senhor, não poderia ser mais preciso. Pode ser que sejam menos, pode ser que sejam mais.

— Você é muito insolente, primeiro-sargento.

— Perdi três homens esta noite, senhor.

— Sinto muito, mas não acho que a culpa seja minha.

— Não, senhor.

Três horas mais tarde, o primeiro-sargento Beale estava de volta ao gabinete do governador Agostino.

— Tudo o que conseguimos arrancar deles, quer dizer, de um deles, foi um palpite de quantos são. Antes de calar a boca de vez, o prisioneiro disse que havia cerca de 6 mil na floresta, mas que o exército tinha se separado três dias antes. Ah, e eles estão sendo comandados por alguém chamado Princeps.

— Me dê uma hora sozinho com eles, senhor.

— Duvido muito que você seja melhor em maltratar prisioneiros do que Bradford. Afinal, esse é o trabalho dele. Além do mais, quero que vá com mais três levar uma mensagem para Memphis. Peguem caminhos diferentes; você vai pelo que tiver mais chance de evitar os piquetes dos Redentores.

Uma hora depois, Beale e seus homens tinham deixado a cidade e os Redentores atacado uma abertura no muro sul, o que resultou em um combate breve, porém encarniçado, com os trezentos Materazzi que os aguardavam em suas armaduras completas. Eles foram rechaçados após sofrerem vinte baixas sem que, a princípio, nenhum Materazzi tivesse ficado gravemente ferido. Somente quase uma hora após o ataque ficou claro que três soldados haviam desaparecido.

E, mais estranho ainda, algumas horas depois, quatro colunas de fumaça começaram a subir pelo céu azul de verão, bem de onde os trabucos dos Redentores estavam posicionados. Um grupo de batedores retornou logo em seguida para informar ao governador que o exército dos Redentores havia batido em retirada, tendo queimado os quatro trabucos que lhe custaram tanto esforço para trazer até York.

Quando Beale chegou a Memphis três dias depois, a cidade já havia tido notícia da outra metade do Quarto Exército do Redentor General Princeps e não ficou menos pasma com o que ouviu do primeiro-sargento. A segunda força dos Redentores, em vez de atacar as três cidades muradas no caminho, todas no mínimo tão importantes em termos estratégicos quanto York, havia simplesmente passado por elas e seguido para o Forte Invencível. A piada corrente entre os Materazzi era que o Forte Invencível não era um forte, mas isso não importava, pois ele também não era invencível. Tratava-se, na verdade, de um local composto por vastas planícies e colinas suaves que eram bruscamente interrompidas para darem lugar a cânions estreitos e desfiladeiros rochosos. Juntas, essas duas geografias contrastantes representavam o melhor e o pior terreno em que uma cavalaria e homens em armaduras completas poderiam lutar. Assim sendo, ele era o melhor lugar possível para se treinar o fluxo de Materazzi que entrava e saía de lá vindo de todas as partes do império. O resultado era que nunca havia menos de 5 mil cavaleiros e soldados lá por vez, muitos deles com anos de experiência. Para os Redentores, atacar o Forte Invencível não fazia sentido militar algum: significava desafiar o poderio bélico dos Materazzi em um de seus locais de maior força, no terreno em que eles treinavam diariamente. Quatro mil Redentores se posicionaram em formação de ataque nas colinas suaves que davam para o forte e desafiaram os Materazzi a atacá-los. E foi o que eles fizeram. Para o azar dos primeiros, uma força de mil cavaleiros Materazzi que retornava de um exercício naquela hora os surpreendeu pela retaguarda, e o resultado foi um massacre para os Redentores, que perderam quase metade de seus homens. Lutando para escapar, os 2 mil restantes recuaram para os vales Taméticos, reunindo-se aos outros 4 mil Redentores que ali aguardavam. Naquele lugar, o terreno era muito pior para os cavalos, de modo que não houve azar para os Redentores desta vez. O primeiro dia de batalha resultante foi violento, porém inconclusivo. Não houve segundo dia. Quando os Materazzi acordaram, perceberam que os Redentores haviam recuado para as montanhas, onde a cavalaria não poderia segui-los. O que deixou os generais Materazzi em Memphis perplexos foi o mistério do que seus inimigos pretendiam alcançar com um ataque contra o Forte Invencível.

A notícia que chegou a Memphis no dia seguinte foi intrigante de um jeito muito diferente, se é que "intrigante" pode incluir em seu sentido horror e aversão. Às sete da manhã do 11º dia daquele mês, a Segunda Infantaria Montada dos Redentores sob o comando do Redentor Petar Brzica chegou a Mount Nugent, um vilarejo com cerca de 1.300 almas. Houve apenas uma testemunha da chegada deles, um rapaz de 14 anos de idade que, sofrendo de amor por uma das garotas do vilarejo, havia acordado cedo e seguido para um bosque próximo para chorar sem ser ridicularizado pelos irmãos mais velhos. Para o rapaz que observava das árvores, eles eram uma visão curiosa, porém, a estranheza de se ver trezentos soldados se aproximando de Mount Nugent foi bastante atenuada pelo fato de usarem batinas, algo que ele jamais vira antes. Além disso, estavam montados em burricos, o que os fazia se sacudir para cima e para baixo de um jeito muito engraçado, não lembrando em nada o trotar magnificamente ameaçador da cavalaria Materazzi que o rapaz havia admirado boquiaberto durante sua única visita a Memphis. Quando os Redentores deixaram o vilarejo oito horas mais tarde, todos os seus habitantes estavam mortos, exceto pelo menino. A descrição do massacre pelo xerife do condado baseada em seu relato chegou à mesa de Vipond junto com uma sacola de linho.

> Os Redentores logo acordaram os aldeões e os instruíram por meio de um alto-falante que aquela era apenas uma ocupação temporária e que, se eles cooperassem, não seriam feridos. Homens e mulheres foram separados, assim como as crianças abaixo dos 10 anos de idade. As mulheres foram levadas para o depósito de grãos do vilarejo, que estava vazio, uma vez que a colheita ainda não tinha sido feita. Os homens foram detidos no salão de conferências. As crianças, por sua vez, foram conduzidas à prefeitura, o único edifício de três andares do local, e detidas no segundo piso. Quando chegamos, vimos que os Redentores haviam erguido um poste no centro do vilarejo e, nele, havia o objeto anexado a este relatório.

Vipond abriu a sacola de linho. Lá dentro, havia uma espécie de luva, mas sem os dedos, semelhante ao tipo usado pelos comerciantes no inverno para manter as mãos quentes, mas os dedos ágeis. Ela era feito do couro grosso mais forte de que se tinha notícia e, saltando da parte mais espessa ao longo da beirada da palma, havia uma lâmina de quase 13 centímetros, ligeiramente abaulada na ponta como se para acompanhar a curvatura do pescoço humano. Nela, podia-se ler a seguinte inscrição: "Graviso" — o local onde fora fabricada. Na parte de dentro da luva, havia uma etiqueta de identificação, como as que se prende às roupas das crianças na escola, com *Petar Brzica* bordado com esmero em azul. Tremendo, o chanceler Vipond retornou ao relatório.

> A começar pelas mulheres, os Redentores as libertaram uma a uma. Elas foram obrigadas a se ajoelhar. Então, um único Redentor usando o objeto anexado a este relatório se aproximava por trás delas, puxava-lhes a cabeça para trás, expondo seus pescoços, e corria a lâmina, obviamente curvada para este intuito, pela garganta das vítimas. Os corpos então eram arrastados até sumirem de vista e a próxima vítima retirada do prédio em que estivesse detida. Encontramos apenas uma testemunha — um menino. Segundo ele, cada um desses assassinatos não levava mais de trinta segundos. Sem saberem o que as aguardava, as vítimas pareciam amedrontadas, mas não em pânico, e suas mortes se davam tão depressa que nenhuma delas gritou, tampouco em nenhum outro momento do dia. Assim, os Redentores já haviam matado todas as mulheres (391) à uma da tarde. (A testemunha conseguia ver a torre do relógio da prefeitura.) Os homens do vilarejo foram liquidados da mesma maneira (503). No entanto, quando chegou a vez das (304) crianças abaixo dos 10 anos de idade, eles abandonaram toda a preocupação em manter o que faziam em segredo. Individualmente ou em grupos de dois, as crianças eram jogadas da sacada mais alta para quebrarem os pescoços. Nem mesmo o bebê mais jovem foi poupado. Em toda minha vida, nunca vi coisa parecida. Ao terminar seu testemunho, e antes que pudéssemos impedi-la, a testemunha fugiu para a floresta, jurando vingança contra os agressores.
>
> Geoffrey Menouth, xerife do condado de Maldon

Cale passara três dias no bosque que cercava o Royal Park observando o exército Materazzi treinar em suas armaduras completas. Havia testado o peso de um conjunto deixado em um corredor enquanto seu dono se instalava em um dos quartos do *palazzo* de Arbell. Ele devia ser alguém muito importante, pois a cidade já estava tão abarrotada de Materazzi que nem mesmo amor, dinheiro, ou status — que era mais importante do que qualquer um dos dois — poderia lhe conseguir uma cama decente. Ele deduziu que a armadura deveria pesar uns 30 quilos. Diante disso, não conseguia ver como um fardo daqueles permitiria a ligeireza e a flexibilidade que achava fundamentais, por mais proteção que oferecesse. Porém, depois de vê-los treinar, descobriu que estava redondamente enganado. Ficou pasmo com a velocidade com que conseguiam se mexer, com a leveza de seus pés e como a armadura parecia acompanhar com fluência cada um de seus movimentos. Eles saltavam de seus cavalos e montavam de volta com uma facilidade que o deixou abismado. Conn Materazzi chegou a subir uma escada pelo lado contrário, dando a volta no topo e se esgueirando para dentro da torre que fingia estar tomando. Os golpes que desferiam uns contra os outros poderiam cortar um homem sem armadura em dois, mas eles pareciam fazer pouco caso até mesmo dos mais violentos. Havia alguns pontos fracos — a parte superior interna da coxa, por exemplo —, porém, seria um risco imenso tentar aproveitar um deles. Teria de pensar bem naquilo.

— BU! Peguei você — disse Kleist, surgindo de trás de uma árvore com Henri Embromador e IdrisPukke.

— Ouvi vocês chegando cinco minutos atrás. A gorda da sorveteria teria feito menos barulho.

— Vipond quer ver você. — Pela primeira vez, Cale os encarou.

— Ele falou o motivo?

— Uma esquadra dos Redentores sob o comando daquele bosta do Coates atacou um lugar chamado Port Collard, tacou fogo na metade e depois foi embora. Um dos soldados me disse que os nativos chamam lá de Pequena Memphis.

Cale fechou os olhos como se tivesse ouvido uma péssima notícia. E tinha mesmo. Quando terminou de explicar por que, ninguém falou nada por alguns instantes.

— Temos que ir embora — falou Kleist. — Agora. Hoje à noite.

— Acho que ele tem razão — disse Henri Embromador.

— Eu também. Só que não posso.

Kleist soltou um grunhido.

— Pelo amor de Deus, Cale, como você acha que você e a Lady Sebosa vão terminar?

— Por que você não vai ver se eu estou na esquina?

— Acho que você deveria contar para Vipond — disse IdrisPukke.

— Não temos mais o que fazer aqui. Por que nenhum de vocês consegue enxergar isso?

— Conte isso para Vipond e nós três vamos acabar na baía de Memphis dando de comer para os peixes o sebo dos nossos rins.

— Ele pode ter razão — falou Henri Embromador. — Nós somos tão populares quanto um furúnculo a essa altura.

— E sabemos muito bem de quem é a culpa — disse Kleist, olhando para Cale. — É sua, caso esteja na dúvida.

— Vou contar para Vipond amanhã. Vocês dois vão embora hoje à noite — disse Cale.

— Eu não vou — falou Henri Embromador.

— Vai sim — disse Cale.

— Não vou, não — insistiu Henri.

— Ah, vai sim — disse Kleist, insistindo da mesma forma.

— Pegue minha parte do dinheiro e vá — falou Henri Embromador.

— Não quero sua parte.

— Então não pegue. Nada o impede de ir embora sozinho.

— Sei que não, mas não quero.

— Por quê? — perguntou Henri.

— Porque — respondeu Kleist — eu tenho medo do escuro. — Com essas palavras, ele sacou a espada e começou a estraçalhar a árvore mais próxima. — Merda! Merda! Merda!

Foi dessa maneira tortuosa que os três concordaram que deveriam ficar e que IdrisPukke iria com Cale contar para Vipond.

Desta vez, Cale não teve que esperar quando chegou ao gabinete de Vipond, sendo levado imediatamente à sua presença. Os primeiros dez minutos foram gastos com o relato de Vipond sobre os três ataques dos Redentores e sobre o massacre em Mount Nugent. Ele entregou a Cale a luva deixada no poste no meio do vilarejo.

— Tem um nome dentro. Você sabe quem é essa pessoa?

— Brizca? Ele era o carrasco do Santuário. Sua função era matar qualquer pessoa que não fosse um Ato de Fé. "Execuções públicas para a contemplação religiosa dos fiéis." — O tom em que disse aquilo deixou claro que era algo aprendido de cor. — Eles são conduzidos por Redentores mais sagrados do que ele. Nunca o vi usar, mas Brizca é famoso pela rapidez com que pode matar com esse negócio.

— Eu assumi — disse Vipond baixinho — a responsabilidade pessoal de encontrar este homem.

Ele se sentou e inspirou fundo.

— Nenhum desses ataques parece fazer muito sentido. Você pode me dizer alguma coisa sobre a estratégia que os Redentores estão usando?

— Sim.

Vipond se recostou e olhou para Cale, notando o tom estranho da sua resposta.

— Conheço essas táticas porque fui eu quem as desenvolveu. Se o senhor me der um mapa, posso explicar.

— Considerando o que você acabou de me dizer, não acho que lhe mostrar um mapa seja sensato. Explique primeiro.

— Se quer minha ajuda, preciso do mapa para explicar o que eles vão fazer e descobrir onde pará-los.

— Me dê um resumo. Depois veremos quanto ao mapa.

Cale podia ver que Vipond estava mais cético do que desconfiado — não acreditava nele.

— Uns oito meses atrás, o Redentor Bosco me levou até a Biblioteca da Corda do Redentor Enforcado, coisa que até onde eu sabia nenhum Redentor tinha feito por um acólito antes, e me deu acesso ilimitado a todas as obras ali sobre as táticas militares usadas pelos Redentores pelos últimos quinhentos anos. Então me entregou toda sua coleção pessoal sobre o império Materazzi, o que não era pouca coisa. Ele me mandou elaborar um plano de ataque.

— Por que você?

— Há dez anos que ele me ensinava sobre a guerra. Os Redentores têm uma escola só para isso. Somos uns duzentos no total. Eles nos chamam de Projetos. Eu sou o melhor.

— Quanta modéstia.

— Eu sou o melhor. A modéstia não tem nada a ver com isso.

— Prossiga.

— Depois de algumas semanas, decidi descartar um ataque surpresa. Gosto de surpresas, quer dizer, como tática, mas não desta vez.

— Não entendo. Este *é* um ataque surpresa.

— Não, não é. Durante centenas de anos, os Redentores vêm lutando contra os Antagonistas. Ela é uma guerra quase toda de trincheira, e se encontra quase toda em um impasse. As trincheiras estão mais ou menos no mesmo lugar há 12 anos. É preciso acontecer algo de novo para acabar com esse impasse, mas os Redentores não gostam de novidades. Eles têm uma lei que permite a um Redentor matar um acólito no ato se ele fizer algo inesperado. Mas Bosco é diferente, ele está sempre pensando, e uma das coisas em que pensou foi que eu também era diferente e que podia me usar.

— E como nos atacar vai resolver o impasse com os Antagonistas?

— Eu também não conseguia entender isso direito, então perguntei para ele.

— E?

— Nada. Bosco só me deu uma bela surra. Daí continuei fazendo o que ele tinha mandado. A questão é, eu não achei que um ataque surpresa funcionaria contra os Materazzi porque eles não lutavam como ninguém: nem como os Redentores, nem como os Antagonistas. Os Redentores não têm cavalaria ou armaduras. Arqueiros são essenciais para eles. Vocês quase não os usam. Nossas armas de cerco eram grandalhonas e desengonçadas, sempre construídas no local de cada cerco. Vocês devem ter quatrocentas vilas e cidades com paredes cinco vezes mais grossas do que qualquer coisa a que estávamos acostumados.

— Dois dos trabucos usados em York deram problema, mas eles queimaram os quatro. Por quê?

— Eles conseguiram romper os muros no primeiro dia, não foi isso que o senhor disse?

— Foi.

— Eles testaram uma nova arma em uma batalha real contra um novo inimigo e bem longe de casa. Então, mesmo que duas tenham quebrado, as outras duas funcionaram.

— Mas duas, não.

— Então é preciso aperfeiçoá-las. Esse é o sentido de tudo isso.

— O que isso quer dizer?

— Não faz sentido surpreender seu inimigo nos termos deles e no território deles se você não tem a garantia de que vai dizimá-los rapidamente. Bosco sempre me batia porque, segundo ele, eu corria riscos desnecessários demais. Não desta vez. Eu sabia que os Redentores não estavam prontos, que nós... — ele se corrigiu — ... que *eles* precisavam realizar uma campanha curta, aprender o máximo possível sobre como lutavam os Materazzi, sobre qual era a qualidade de suas armas e armaduras e, então, bater em retirada. Mostre-me um mapa.

— Por que eu deveria confiar em você?

— Eu estou aqui lhe contando o que aconteceu, não estou? Nós podíamos simplesmente ter caído fora.

— E se tudo isso que você está me contando for apenas falsa honestidade e Bosco estiver controlando você desde o início?

Cale riu.

— Essa é boa. Vou usar qualquer dia desses. Mostre o mapa.

— Nada disso — falou Vipond depois de um instante — deve sair deste gabinete.

— Quem me daria ouvidos além do senhor, de qualquer maneira?

— Bem colocado. Mas, por via das dúvidas, se alguém mais souber que você teve a ver com isso, sua recompensa será uma corda no pescoço.

Vipond caminhou até uma prateleira na outra ponta do gabinete e puxou de cima dela um rolo de papel grosso. Ele fitou Cale bem nos olhos ao voltar para sua mesa, como se isso fosse fazer alguma diferença para alguém que passou a vida inteira escondendo os próprios pensamentos. Então, para o bem ou para o mal, tomou uma decisão e desenrolou o mapa sobre o tampo da mesa, segurando as beiradas com pesos de papel de vidro venezianos e um exemplar de *O Príncipe Melancólico*, seu livro favorito. Cale analisou o mapa com uma concentração intensa diferente de qualquer coisa que Vipond havia visto nele antes. Durante a meia hora que se seguiu, ele respondeu às perguntas detalhadas de Cale sobre as localidades dos quatro ataques e os números e disposição dos soldados. Então se deteve e, por dez minutos, estudou o mapa em silêncio.

— Quero um copo d'água — disse Cale. A água foi logo trazida e ele a bebeu de uma golada só.

— E então?

— Os Materazzi possuem vilas e cidades muradas. Eu sabia que sem armas de cerco muito mais leves, que pudessem ser transportadas de cidade em cidade, seria melhor tocarmos trombetas e esperar as muralhas caírem. Falei para Bosco que os Engenheiros Papais precisavam construir algo muito menos pesado do que tínhamos e que fosse fácil de montar e desmontar.

— E você mesmo projetou essas armas?

— Eu? Não. Não entendo nada disso. Sabia apenas do que precisávamos.

— Mas ele não disse para você que concordava, que iria colocar seu plano em ação.

— Não. Quando fiquei sabendo dos ataques pela primeira vez, achei que estava... sabe como é... — Ele fez vários círculos com a mão ao redor da cabeça. — ... meio maluco.

— Mas não está.

— Eu? A sanidade em pessoa. Enfim, eles aprenderam o que precisavam aprender em York e é por isso que bateram em retirada, levando três Materazzi junto. Queriam as armaduras, não os homens. Já devem estar a meio caminho do Santuário a essa altura, com os engenheiros esperando para dar uma bela olhada nelas.

— Você levou uma bela surra no Forte Invencível.

— Eu não, os Redentores.

— Você se refere a eles como *nós* às vezes.

— Força do hábito, chefe.

— Está certo, seu plano levou uma sova no Forte Invencível.

— Não exatamente, foi só azar. Os Materazzi não pretendiam atacá-los pela retaguarda, só calhou de eles estarem voltando na hora errada, quer dizer, para os Redentores. Se você quiser fazer Deus rir, conte seus planos para Ele. Não é isso que dizem os agiotas de Memphis?

— Você deveria solicitar permissão para ir até o Gueto.

— Ninguém me falou.

— Sua língua é tão afiada que você vai acabar se cortando.

— Eu ainda estou vivo, se é isso que o senhor quer dizer.

— Ainda sustento que tudo saiu errado no Forte Invencível.

— Não é verdade.

— E por que não?

— Quantos Redentores morreram?

— Dois mil e quinhentos, aproximadamente.

— Eles enfrentaram sua cavalaria duas vezes e o restante conseguiu fugir. Os Redentores foram lá para ver do que vocês eram feitos, não para ganhar uma batalha.

— E quanto a Port Collard?

— Vocês o chamam de Pequena Memphis, por que isso?

— O porto foi construído em uma enseada natural muito parecida com a baía que temos aqui. A cidade foi erguida nos mesmos moldes. O design tinha funcionado uma vez... provincianos gostam de copiar as coisas... — Ele se interrompeu no meio da frase. — É. Isso mesmo. — Ele suspirou com força e espirrou. — Perdão. Certo, o que vai acontecer em seguida?

Cale deu de ombros.

— Sei o que viria em seguida no plano, isso não significa que será o que eles vão fazer.

— E por que não? Tem dado relativamente certo até agora.

— Não deu apenas certo, foi mais que isso. Eles conseguiram fazer tudo o que eu planejei.

Houve um silêncio desagradável. Surpreendentemente, foi Cale quem o quebrou.

— Perdão. O pecado do orgulho é muito forte em mim, pelo menos segundo Bosco.

— Ele está errado?

— É bem provável que não.

— Você conhece esse Princeps?

— Eu o encontrei uma vez. Ele era o chefe do governo militar ao longo do litoral norte na época. Lá a guerra não é de trincheira, para aqueles lados é só montanha e tal. É por isso que ele está no comando desta campanha, porque é o melhor que eles têm para lutar com um exército em movimento. Além de ser unha e carne com Bosco, embora até onde eu saiba não seja muito popular em outras vizinhanças.

— E você sabe por quê?

— Não. Mas li todos os seus relatórios de campanha. Ele luta como se não respondesse a ninguém. Esse tipo de atitude deixa o Gabinete da Intolerância furioso. Bosco o protege, pelo que sei.

— Então por que Princeps precisa que você diga a ele o que fazer?

— O senhor precisaria perguntar para Bosco. — Cale gesticulou para o mapa. — Onde eles estão agora?

Vipond apontou para um local a cerca de 150 quilômetros do ponto mais ao norte das Terras Crestadas.

— Tudo indica que irão cruzar as Terras Crestadas até o Santuário.

— É o que parece. Mas é arriscado demais conduzir um exército, por menor que ele seja, através das Terras Crestadas no verão.

— Então isso não faz parte do seu grande plano?

— O que faz exatamente parte do meu grande plano é que eles deem a *impressão* de que estão a caminho das Terras Crestadas através da floresta de Hessel, para vocês tentarem chegar lá primeiro e esperar eles virem ao seu encontro. Mas, assim que alcançarem a floresta, eles irão se voltar para o oeste e atravessarão este rio pela ponte Stamford, seguindo para Port Erroll bem aqui no litoral. A esquadra que incendiou a Pequena Memphis irá pegá-los neste porto. Se isso não der certo, pelo que li na biblioteca, as praias são rasas deste lado. Eles podem enviar barcos a remo se for preciso. — Ele apontou para um desfiladeiro no mapa. — Mesmo que o tempo esteja ruim e a esquadra se atrase, assim que atravessarem o desfiladeiro de Baring, algumas centenas de Redentores poderiam conter até mesmo um exército numeroso por dias.

Vipond o encarou por tanto tempo sem dizer nada que começou a deixar Cale desconfortável e, em seguida, irritado. Ele estava prestes a falar quando Vipond lhe fez uma pergunta.

— Você espera que eu acredite que alguém da sua idade, seja ela qual for, receberia a tarefa de bolar um plano de ataque deste tipo e que então ele seria executado nos mínimos detalhes? Eu teria lhe confiado algo mais plausível.

A princípio, o rosto de Cale simplesmente se apagou, assumindo uma espécie de expressão morta que fez Vipond começar a se arrepender de seu tom de franqueza e se lembrar do prazer frio com o qual ele liquidara Solomon Solomon. O menino está a um passo da loucura, pensou ele. Mas então Cale gargalhou, um latido curto e repentino de divertimento.

— O senhor já viu os agiotas jogando xadrez no Gueto?

— Já.

— Um monte de velhos costuma jogar lá, mas tem algumas crianças também, muito mais novas do que eu. Uma delas sempre ganha, nem mesmo o velho rabicho com todos os seus cachinhos, barba, chapéu engraçado e tudo o mais consegue derrotá-lo. Então esse rabicho me diz...

— É rabino, me parece.

— Ah. Eu bem que estranhei. Enfim, então esse rabino ele me diz que o xadrez é um presente de Deus para nos ajudar a enxergar o seu plano divino, e que o tal menino que mal sabe ler é um sinal para acreditarmos na ordem que existe por trás de todas as coisas. Quanto a mim, eu tenho dois talentos: mato pessoas com a mesma facilidade com que você quebra um prato. E a outra coisa que sei fazer é olhar para um mapa ou parar em um lugar e conseguir ver como atacá-lo ou defendê-lo. É uma coisa que me vem como o jogo vem àquele menino no Gueto. Mas não acho que seja um presente de Deus. Se não acredita em mim, azar. Quem sai perdendo é o senhor.

— E como você os impediria? — O chanceler fez uma pausa. — Se fosse fazer isso.

— Para começar, não os deixaria chegar ao desfiladeiro de Baring, porque senão eles estarão salvos. Mas preciso de um mapa mais detalhado daqui até aqui — falou ele, apontando um trecho de cerca de 50 metros quadrados —, e duas ou três horas para pensar.

Deveria ele acreditar naquela criatura estranha à sua frente ou deixar tudo aquilo quieto? Uma das piadas favoritas do pai de Vipond era que, diante de uma crise, durante a metade do tempo era melhor esperar. "Não saia fazendo nada", dizia ele, "fique parado onde está."

— Espere no quarto ao lado e eu levo os mapas para você. Fique longe das janelas.

Cale se levantou e andou até o escritório particular, porém, quando estava prestes a fechar a porta às suas costas, Vipond o interrompeu.

— O massacre, ele também fazia parte do seu plano?

Cale lançou-lhe um olhar estranho, mas, seja qual fosse aquela expressão, ela não era de ofensa.

— O que o *senhor* acha? — disse ele com tranquilidade, fechando a porta.

Vipond olhou para o seu meio-irmão.

— Você ficou bastante calado.

IdrisPukke deu de ombros.

— O que eu poderia dizer? Ou você acredita nele, ou não.

— E você acredita no que ele disse?

— Eu acredito *nele*.

— E qual é a diferença?

— Ele está sempre mentindo para mim porque não consegue se forçar a assumir mais riscos do que precisa. Ser tão sigiloso pode ser um erro, e um erro que ele ainda está cometendo.

— Não sei bem se isso é exatamente um defeito — disse Vipond.

— Mas, como Cale, você também é uma pessoa sigilosa.

— E quanto a agora?

— Acho que ele está dizendo a verdade — falou IdrisPukke.

— Eu concordo.

Assim que tomou a decisão de intervir, Vipond foi ficando cada vez mais tenso e impaciente para ver o plano de Cale, que levou não três horas, e sim mais de três dias para ficar pronto. "Você quer que ele fique bom ou quer tê-lo na sua mão agora?", falou Cale em resposta à exigência recorrente de Vipond de ver pelo menos algumas de suas ideias. Se toda essa impaciência parecia estranha para um pensador geralmente tão cabeça fresca era porque ele estava profundamente transtornado diante das mortes dos aldeões e do que elas revelavam sobre os estranhos relatos dos poucos refugiados Antagonistas que chegavam do norte. Algo na luva de Brizca deixara seus nervos à flor da pele, como se toda a maldade e sede de vingança do mundo tivesse se materializado na atenção dada ao seu design, na qualidade da costura e na maneira em que a lâmina havia sido presa com tanto esmero ao couro. Sua perturbação era ainda maior por ele ver a si mesmo como um homem do mundo, quase um cínico, e com certeza um pessimista. Havia se acostumado a esperar muito pouco das pessoas e raramente tinha surpresas nesse quesito. O fato de haver assassinato e crueldade no mundo não lhe era novidade. Porém, aquela luva era um testemunho da possibilidade de algo terrível que ia além da imaginação, como se o inferno que ele há tempos havia descartado como um terror destinado às crianças tivesse enviado um mensageiro não com chifre e casco no lugar dos pés, mas na forma de uma luva de couro fabricada com capricho.

Não era tarefa fácil para Vipond influenciar as táticas dos Materazzi, cuja inveja da sua preeminência chegava às raias da histeria. Vipond não era um soldado, mas era um político, o que não deixava de gerar suspeitas. Havia também o problema de o marechal Materazzi estar cada vez pior de saúde, o incômodo em sua garganta tendo se transformado em uma infecção pulmonar debilitante, que o deixara cada vez menos apto a comparecer às diversas reuniões convocadas para se discutir a campanha. Vipond precisava lidar com uma nova realidade — mesmo que temporária. Ele, no entanto, conseguiu fazê-lo com a habilidade de sempre. Quando os batedores dos Materazzi perderam a trilha do exército Redentor na floresta de Hessel, não houve motivo para alarme, uma vez que era esperado que eles saíssem dali em direção ao único caminho para as Terras Crestadas.

Foi então que Vipond teve uma reunião secreta com o vice-marechal, o general de campo Amos Narcisse, e o comunicou que sua rede de informantes tinha notícias sobre as verdadeiras intenções dos Redentores, mas que, no entanto, por motivos complexos, ele preferia que seu envolvimento no assunto permanecesse em segredo. Se Narcisse apresentasse essa informação ao conselho dos Materazzi como sua, isso reservaria uma glória considerável para o general de campo, assim como o plano de batalha que Vipond lhe ofereceria para ser analisado, caso o vice-marechal assim desejasse. Vipond percebia que Narcisse era um homem angustiado. Não que fosse um tolo, mas tampouco era mais que competente, por isso ficou alarmado ao perceber que, com a saúde comprometida do marechal, ele estava, para todos os efeitos, encarregado de toda a campanha. Jamais admitiria isso a ninguém, mas não acreditava ser o homem certo para a função. Vipond encorajou a total cooperação do general com promessas veladas, porém convincentes, de mudanças na lei tributária que seriam extremamente proveitosas para Narcisse, além de se oferecer a garantir o fim de uma disputa judicial de longa data envolvendo uma herança vultosa, que se arrastava por vinte anos e a qual Narcisse parecia fadado a perder.

Contudo, o general de campo não era totalmente corrupto, e mesmo ele não concordaria com uma estratégia que fosse colocar o império em risco. Ele passou várias horas debruçado sobre o plano de Vipond, ou seja, sobre o plano de Cale, antes de se convencer de que seus interesses financeiros e sua consciência militar estavam de acordo. Quem quer que tivesse bolado o plano, disse ele para Vipond, sabia o que estava fazendo. Ele fez menções não muito convincentes de não poder levar crédito no lugar de outro homem, mas Vipond o assegurou de que aquele plano era fruto de várias cabeças e que, de qualquer forma, o verdadeiro talento estaria na capacidade de liderança do homem que o executasse. No fim das contas, ele seria de fato o plano de Narcisse. Quando ele o apresentou e defendeu diante do conselho, isso já havia se tornado verdade, sendo que o fator decisivo para ele ser aceito foi o fato de o exército desaparecido dos Redentores ter aparecido justamente onde Narcisse previra.

Conforme afirma um famoso ditado, é uma boa coisa que as guerras sejam tão absurdamente caras, senão nós jamais pararíamos de travá-las. Por mais que isso seja verdade, também sempre parecemos nos esquecer que, embora possa haver guerras justas e injustas, nunca existem guerras baratas. O problema para os Materazzi era que a maioria dos financiadores profissionais do império era composta pelos judeus do Gueto. Os judeus, no entanto, tinham uma grande desconfiança em relação às guerras de terceiros, pois elas muitas vezes significavam tragédia para eles, fosse qual fosse o resultado. Se emprestassem dinheiro para o lado derrotado, não haveria ninguém para pagá-los de volta, porém, se financiassem o lado vencedor, geralmente se decidia que os judeus tinham de alguma forma começado a guerra eles mesmos e precisavam ser deportados. Assim, não haveria mais motivo para pagá-los. Pensando nisso, os Materazzi garantiram hipocritamente aos judeus que as dívidas de guerra seriam pagas, ao passo que os financiadores do Gueto afirmaram, com a mesma hipocrisia, que era difícil obter crédito numa quantia tão grande e, mesmo que conseguissem, as taxas de juros seriam proibitivas. Foi durante essas negociações que Kitty das Lebres viu sua oportunidade e resolveu o problema oferecendo-se a financiar todos os custos de guerra dos Materazzi. Isso foi um imenso alívio para os judeus, que consideravam Kitty Town uma abominação aos olhos de Deus. Era sabido por todos que eles não fariam negócio com seu dono sob hipótese alguma, mesmo que isso significasse serem deportados. Kitty estava mais preocupado com os Materazzi. Apesar de todos os seus subornos, todas as chantagens e a corrupção política, ele sabia que a opinião pública em Memphis estava se voltando contra as práticas repugnantes que se davam em Kitty Town, e que algum tipo de medida contra ele era praticamente inevitável. Kitty das Lebres calculava que a guerra, especialmente uma tão aprovada pela população em geral, fosse acabar com o que ele considerava um acesso temporário de desaprovação moral ao seu local de trabalho. Ao financiar o que suspeitava ser uma campanha breve, Kitty das Lebres estava relativamente seguro que bancar todos os seus custos garantiria sua posição em Memphis por muito, muito tempo.

Então, finalmente os Materazzi estavam preparados para atacar os Redentores e, com o grande plano de Narcisse para guiá-los, 40 mil homens em suas armaduras completas partiram da cidade sob a torcida de multidões imensas. Foi divulgado que o marechal estava concluindo sua estratégia para a guerra e mais tarde se juntaria às tropas. O que não era verdade. O marechal estava extremamente debilitado por conta de uma infecção pulmonar e era pouco provável que sequer participasse da campanha. Além disso, o plano dos Redentores de fazer com que os Materazzi esperassem por eles na saída das

Terras Crestadas enquanto eles tomavam o caminho oposto havia claramente fracassado. Assim que eles deixaram a floresta de Hessel, uma força avançada de 2 mil Materazzi começou a segui-los pela outra margem do rio Oxus. Dali em diante, cada movimento do exército Redentor passou a ser observado e os detalhes transmitidos ao general de campo Narcisse.

Para a surpresa de Princeps, não houve nenhuma tentativa de deter seu exército e, em menos de três dias, eles já haviam cruzado quase 100 quilômetros. Àquela altura, os efeitos da disenteria haviam enfraquecido mais da metade de sua tropa e o comandante decidiu descansar por meio dia em Burnt Mills. Ele enviou uma comitiva ao encontro dos defensores da cidade, ameaçando massacrar todos os seus habitantes como haviam feito em Mount Nugent, porém, caso eles se rendessem imediatamente e fornecessem comida aos seus homens, seriam poupados. Eles acataram. Na manhã seguinte, os Redentores continuaram sua marcha em direção ao desfiladeiro de Baring. Então Princeps, vendo o horror que o massacre havia causado na população local, enviou uma pequena força de duzentos homens na frente, usando a mesma tática de fornecer aos seus homens ainda debilitados um suprimento contínuo de comida, que era em grande parte melhor do que aquela a que estavam acostumados, o que levantou bastante seus ânimos.

O plano de campanha que Cale desenvolvera para um ataque exploratório contra o império Materazzi havia até então se mostrado eficiente, no entanto, o território no qual estavam entrando havia sido mapeado de forma não mais que imprecisa nos documentos da biblioteca do Santuário. Um dos objetivos mais importantes do plano tinha sido trazer vinte cartógrafos e enviá-los em dez grupos diferentes para mapear o terreno que eles iriam atacar no ano seguinte da maneira mais detalhada possível. Os três grupos que mapeavam o caminho logo adiante ainda não haviam retornado, e Princeps se deslocava em um ambiente sobre o qual tinha apenas a mais vaga das impressões. No dia seguinte, Princeps havia tentado fazer seu exército atravessar o Oxus em White Bend, porém, as tropas que o seguiam na margem oposta haviam passado a contar com 5 mil homens. Ele foi obrigado a desistir e seguir para o interior, onde o caminho era difícil e os poucos vilarejos que poderiam ter usado para se reabastecerem tinham sido evacuados pelos Materazzi e tudo que fosse útil ou de valor removido.

No decorrer dos dois dias seguintes, os Redentores seguiram marcha, procurando com um desespero crescente uma maneira de atravessar o rio, algo que os Materazzi na margem oposta estavam igualmente determinados a evitar. A cada hora que passava, os Redentores ficavam mais cansados e fracos pela falta de comida e pelos efeitos da disenteria, conseguindo cobrir apenas 16 quilômetros por dia. Mas então a sorte deles mudou. Seus batedores haviam capturado um criador de gado e sua família. Desesperado para salvá-la, o criador lhes contou sobre um antigo vau, atualmente em desuso, o qual ele achava que até mesmo um exército numeroso conseguiria atravessar. Os batedores retornaram com a notícia de que a travessia seria difícil e que, embora o vau precisasse de reparos consideráveis, ele era recuperável. A sorte deles melhorou ainda mais. Pântanos extensos do outro lado do Oxus tinham forçado as tropas Materazzi a se afastarem bastante do rio e sumirem de vista. Depois de quase entrarem em desespero, os Redentores passaram a sentir uma grande onda de esperança. Duas horas depois, uma cabeça de ponte havia sido levantada do outro lado do Oxus e os demais Redentores começaram a reparar e reconstruir a travessia com pedras das casas mais próximas. Ao meio-dia, o trabalho estava pronto e o exército principal começou a atravessar o rio. Quando o sol se pôs, o último dos Redentores já havia chegado em segurança à margem oposta. E, embora pequenos números de Materazzi tivessem se aproximado a uma distância segura para observar a última hora da travessia, eles não fizeram nada além de continuar a enviar mensagens de volta para Narcisse.

Depois de andarem cerca de 5 quilômetros no dia seguinte, os Redentores se depararam com uma visão que fez Princeps perceber que seu exército estava acabado. As estradas lamacentas estavam acidentadas como terras mal aradas e os arbustos que as margeavam a 10 metros de distância rentes ao solo de tão pisoteados — dezenas de milhares de Materazzi haviam passado ali antes deles. Percebendo que um exército bem maior do que o seu deveria estar esperando entre eles e o desfiladeiro de Baring, Princeps fez o que pôde para resguardar a informação restante que tinha sido, desde o início, o objetivo principal do plano de Cale. Os cartógrafos sobreviventes fizeram o maior número possível de cópias de seus mapas e, em seguida, Princeps os enviou disfarçados em 12 direções diferentes, na esperança de que pelo menos um deles conseguisse chegar ao Santuário. Ele rezou uma pequena missa e então eles seguiram marcha. Passaram dois dias sem ver ou ouvir sinal do inimigo além do rio de lama que cruzavam. Então começou a chover forte em aguaceiros terrivelmente gelados. Debaixo de vento e chuva, o exército subiu uma colina íngreme, o que conseguiram fazer sem grandes problemas, porém, quando passaram por sobre o topo e chegaram à planície à sua frente, se depararam com o exército Materazzi reunido e aguardando por eles em grande número. De ambos os lados, descendo pelos vales, mais deles chegavam a cada momento. A chuva parou, o sol saiu e os Materazzi desfraldaram suas bandeiras e estandartes, que esvoaçavam alegremente, vermelhos, azuis e dourados, a luz do sol se refletindo na armadura prateada dos soldados.

Apesar de todos os esforços do Redentor General Princeps, a batalha agora era inevitável. Mas não naquele dia. Já era quase noite, e os Materazzi, tendo instilado o medo da morte e da danação eterna nos Redentores que os observavam, saíram de prontidão e recuaram um pouco para o norte. Ao ver isso, os Redentores também recuaram um pouco e se acomodaram no abrigo que lhes foi possível encontrar, embora não antes de Princeps mandar seus arqueiros cortarem das árvores que os cercavam uma baliza de proteção de 1,80 metro de largura para cada um. Temendo que os Materazzi pudessem atacar à noite, ele ordenou que não se acendesse nenhuma fogueira, para que nenhum atacante descobrisse a localização do acampamento. Molhados, com frio e famintos, os Redentores deitaram ali mesmo, se confessando, ouvindo a missa, rezando e esperando pela morte. Princeps caminhou entre eles entregando-lhes medalhas santas de São Judas, o padroeiro das causas perdidas, rezando por sua alma e pela de seus homens junto com todos, desde os cavadores de fossas até os dois arcebispos encarregados de comandar os soldados.

— Lembrem-se, homens — disse ele com animação para cada padre e soldado —, nós somos pó e ao pó retornaremos.

— E já teremos retornado a essa hora de amanhã — falou um dos monges, ao que, para grande surpresa do seu arquidiácono, Princeps riu.

— É você, Dunbar?

— Sim — respondeu Dunbar.

— Bem, você não está enganado.

A maioria dos Materazzi estava a menos de 800 metros de distância, suas fogueiras ardendo brilhantes. Os Redentores conseguiam ouvir trechos de canções, várias ofensas gritadas contra eles próprios e, no ar parado à medida que a noite transcorria, uma ou outra frase de conversas comuns. O primeiro-sargento Trevor Beale estava mais próximo ainda. Subordinado à equipe de Narcisse, ele estava tocaiado a menos de 50 metros de distância, tentando ver o que poderia fazer de útil.

Deprimido, molhado, com frio, fome e cheio de medo do que estava por vir, o Redentor Colm Malik se encaminhou até uma das poucas tendas que o Quarto Exército havia trazido consigo. "Bem", pensou ele, "a culpa é toda sua. Foi você quem insistiu em se oferecer a vir quando poderia ter ficado na segurança do Santuário, tirando o couro dos acólitos."

Ele se agachou para passar pela aba da tenda, deparando-se com o Redentor Petar Brzica com os olhos baixados para um menino de uns 14 anos, sentado no chão com as mãos amarradas atrás das costas. O menino tinha uma expressão estranha no rosto — estava pálido de terror, o que era compreensível, mas também havia outra coisa que Malik não conseguia distinguir. Ódio, talvez.

— O senhor mandou me chamar, Redentor.

— Malik, sim — disse Brzica. — Estava imaginando se o senhor poderia fazer um serviço para mim.

Malik assentiu com o máximo de desânimo que achava poder transmitir sem se dar mal.

— Este menino aqui é um espião ou um assassino contratado pelos Materazzi, pois está me dizendo que foi testemunha da nossa ação em Mount Nugent. Precisamos dar um jeito nele.

— Sim? — Malik estava intrigado e não apenas botando empecilho.

— Logo antes de os vigias o capturarem e trazê-lo até mim, eu recebi uma absolvição completa de todos os meus pecados do próprio Arcebispo.

— Entendo.

— Está na cara que não. Matar uma pessoa desarmada, por mais que ela mereça, requer uma absolvição formal. Não posso matá-lo com as próprias mãos e depois pedir outro perdão para o Arcebispo, ele vai achar que eu sou um idiota. O senhor já se confessou?

— Ainda não.

— Então qual é o problema? Leve-o para a floresta e livre-se dele.

— O senhor não pode arranjar outra pessoa?

— Não. Agora ande logo com isso.

Assim, Malik conduziu o rapazinho aterrorizado pelo acampamento encharcado pela garoa, por entre as várias missas murmuradas que os monges rezavam uns para os outros e através dos piquetes, até a floresta próxima dali. A cada passo, seu coração se afundava mais nas botas molhadas: surras e corretivos eram uma coisa, mas cortar a garganta de um menino que já havia testemunhado algo do qual Malik se sentira enojado de participar era demais para ele. No dia seguinte, tinha um encontro marcado com o Criador. Assim que eles saíram de vista e se embrenharam nos arbustos, ele agarrou o menino e sussurrou:

— Vou deixar você fugir. Corra naquela direção e não olhe para trás. Entendido?

— Sim — falou o menino apavorado. Malik cortou a corda que prendia os seus punhos e ficou observando enquanto ele corria aos trancos e barrancos, chorando e desaparecendo na escuridão. Ele aguardou vários minutos para se certificar que, em seu terror, o menino não fizesse a burrada de voltar em direção ao piquete. Se alguém o encontrasse no dia seguinte, já não teria importância. E assim, esperando que este gesto de caridade pesasse para compensar seus muitos pecados contra os mais jovens, Malik voltou para o acampamento e direto para a faca do primeiro-sargento Trevor Beale.

Cale estava de pé bem antes do raiar do dia e, à medida que o céu se iluminava aos poucos, ele se viu acompanhado por Henri Embromador, depois Kleist e, por último, durante a própria aurora, IdrisPukke. Eles estavam no topo da colina de Silbury, de onde tinham uma visão desimpedida do campo de batalha. Silbury não era exatamente uma colina, mas sim um grande outeiro que havia sido erguido por motivos àquela altura desconhecidos e pessoas há muito esquecidas. Seu cume plano dava uma excelente plataforma de observação, não só para sentinelas vigiarem os movimentos do inimigo — embora o campo de batalha fosse visível o bastante de onde quer que você estivesse do lado dos Materazzi —, mas para os diversos agregados da corte: embaixadores, adidos militares, civis importantes e até mesmo mulheres de vulto no clã Materazzi. Uma delas era Arbell Pescoço de Cisne, que insistira em estar presente apesar da objeção fervorosa de seu pai e de Cale — ambos tendo assinalado que ela era um alvo primário para os Redentores e que, no calor e na confusão de uma batalha, a segurança de ninguém estava garantida. Ela argumentou que a presença de outras mulheres Materazzi tornaria sua ausência vergonhosa, especialmente em se considerando que aquela guerra estava sendo travada para salvar sua vida. Aqueles eram homens que estavam se arriscando à morte por causa dela, e apenas a covardia poderia explicar sua ausência. Ela continuara batendo nessa tecla até o dia anterior ao conflito, o marechal cedendo somente depois de Narcisse confirmar tanto a condição deplorável e o pequeno contingente do exército Redentor como a segurança oferecida pela colina de Silbury. Ela era íngreme demais para facilitar um ataque e simples de se defender com uma breve e segura linha de fuga. Cale foi voto vencido, porém, já havia planejado que, ao primeiro sinal de perigo, ele a tiraria dali, à força se necessário. Assim que viu as linhas de combate formadas naquela manhãzinha, ficou muito mais aliviado.

O campo de batalha era um triângulo. Cale estava na colina de Silbury, no canto esquerdo da base, e o exército Materazzi, com algo em torno de 45 mil homens, se espalhava em uma linha compacta até o canto direito. Os Redentores ocupavam a ponta do triângulo. Dos dois lados, havia paredes grossas e quase impenetráveis de árvores de um negrume azulado e, entre elas, uma planície extensa, quase toda recentemente arada, mas com uma listra reluzente de palha amarela marcando a posição dos Materazzi. Eles estimaram que a distância entre os exércitos fosse de pouco mais que 800 metros.

— Você acha que são quantos? — perguntou Cale para Henri Embromador, meneando a cabeça em direção aos Redentores.

Ele demorou uns bons trinta segundos para responder.

— Uns 5 mil arqueiros. Talvez 1.300 soldados.

— Temos que dar o braço a torcer a Narcisse — falou IdrisPukke, bocejando. — Os Redentores não podem bater em retirada e, se atacarem nessas condições, ele vai massacrá-los. Vou pegar meu café da manhã. — Kleist foi com ele até onde um criado velho soprava um fogo, seu rosto vermelho como uma lagosta, ao seu lado um prato de ovos marrons e um pernil defumado do tamanho de uma perna de cavalo. Enquanto esperavam, um cão de caça vermelho de uma das mulheres dos Materazzi se juntou a eles, balançando o rabo e torcendo para ser incluído na refeição que estava sendo preparada.

Enquanto comiam, não ouviram ninguém mais conceder nada a Narcisse, exceto uma quantidade considerável de comiseração. Embora seu plano contasse com o apoio e a admiração de todos, e isso vindo de homens que eram soldados muito experientes e habilidosos, durante vinte anos eles estavam acostumados a que o marechal Materazzi tivesse a última palavra sobre as questões de precedência na linha de ataque. Sua infeliz ausência do campo de batalha permitiu o ressurgimento de rivalidades há muito esquecidas sem que houvesse uma solução clara para elas. Além disso, Narcisse tinha sido obrigado a modificar seu plano de batalha em três ocasiões — algo que mesmo grandes generais eram muitas vezes obrigados a fazer. Isso significava que nobres de sangue azul, que antes estavam destacados para funções importantes na linha de frente, agora precisavam aceitar postos de comando sem distinção, mas ainda assim essenciais, na retaguarda. Para eles, parecia um rebaixamento desonroso em suas vidas, que haviam sido dedicadas às glórias e proezas militares e eram, na verdade, definidas por elas. A engenhosidade de se encurralar os Redentores em um campo estreito havia se tornado o problema em si, pois havia muitos nobres de grande experiência, habilidade e coragem, mas não lugares o suficiente para colocá-los. E, para piorar, cada um deles estava convencido, e por bons motivos, de que era o melhor homem para a função, e que ceder a vez apenas para manter um acordo era uma concessão grande demais, que poderia prejudicar o império que todos eles haviam jurado proteger, se dispondo a morrer para tanto. Cada homem tinha um argumento em defesa própria e poucos não eram bons. Teria sido preciso toda a habilidade diplomática e anos de autoridade do marechal Materazzi para forçar um resolução e, por mais competente que fosse, Narcisse não tinha nenhuma das duas coisas. No fim das contas, decidiu que todos os nobres mais poderosos poderiam cada um liderar um setor da linha de frente e somente aqueles que imaginava poder ofender foram destacados para funções secundárias. Isso deixou a cadeia de comando complicadíssima, porém, foi a melhor saída que ele pôde encontrar, uma vez que a situação estava ficando mais e mais complexa a cada hora, à medida que um imenso número de recém-chegados também exigia seu lugar de direito no esquema geral dos acontecimentos. Narcisse confortava a si mesmo ao pensar que, embora os problemas de Princeps fossem infinitamente mais simples, eles também eram infinitamente mais graves. Fingindo ter que supervisionar a disposição das tropas inimigas, ele deixou a Tenda Branca e suas discussões para trás, porém, ao fazê-lo, notou Simon Materazzi vestindo uma armadura completa e causando grande comoção entre uma dúzia de soldados ao demonstrar seus recém-aprendidos golpes de espada. Narcisse puxou um de seus cavalariços de lado e sussurrou para ele.

— Leve o filho cabeça-oca do marechal para a retaguarda imediatamente e o mantenha protegido até tudo isso acabar. A última coisa de que preciso é que ele saia andando em direção à batalha e acabe sendo morto. — Só para garantir, ele chegou até a esperar para ver aquilo ser feito, para a fúria incontida, porém inútil, de Simon. Koolhaus tinha ido pegar um copo d'água e não viu nada disso acontecer.

Cale e Henri Embromador ficaram observando e cogitando hipóteses, porém, por mais que discutissem o que fariam no lugar de Princeps, nenhum dos dois conseguia botar defeito no resumo que IdrisPukke fizera da situação. Então, a ansiedade deles começou a passar.

— O plano é seu, na verdade — falou Henri Embromador enquanto olhava admirado para as esplêndidas fileiras de homens de armadura e estandartes coloridos.

— A *ideia* é minha. O crédito por isto aqui é de Narcisse. Não está nada mau. Um pouco cheio demais. Mas nada mau mesmo assim. — Ele refletiu sobre o futuro sombrio que aguardava os Redentores mais abaixo com considerável prazer.

Não obstante, foi com sentimentos indesejados de ódio misturado com medo que os dois continuaram olhando para o exército Redentor que começava a se formar em aglomerados de soldados, dividido em três unidades separadas por dois pequenos blocos de cavalaria. À esquerda e à direita, havia mais dois blocos de arqueiros.

Apesar de todos os maus sentimentos que nutriam pelos Redentores, Cale e Henri Embromador conseguiam ver como eles estavam em maus lençóis. Àquela altura, tinham pouca ou nenhuma comida e estavam com frio e ensopados — à medida que o sol brilhava mais forte e eles começavam a se mover, podia-se ver o vapor subindo de seus corpos. Para os que estivessem com diarreia, a situação era ainda pior — não havia a menor chance de sair do campo de batalha e eles precisavam cagar bem onde estavam. E tudo isso diante de um exército bem equipado, bem alimentado e pelo menos dez vezes maior do que o deles. As perspectivas eram deliciosamente adversas.

De frente para eles, os Materazzi haviam sido dispostos de forma nada sistemática em dois grupos de soldados, com suas armaduras completas (embora muitas ainda não tivessem sido ajustadas), cada um deles com 8 mil cabeças. Dos dois lados e atrás deles, havia duas fileiras de cavalaria, num total de 1.200 homens. As linhas de frente ainda não estavam formadas — muitos tinham se sentado para comer e beber e ainda se ouviam vários gritos, vivas e risadas, assim como várias tentativas extraoficiais de se conseguir, na base do empurra-empurra, uma posição na vanguarda. Carneiros estavam sendo assados e até um cavalo, com longas colunas de vapor saindo dos caldeirões fumegantes. Os que estavam agitados demais para sentar e comer, com suas pernas ainda desprotegidas enfiadas na palha amarela, vestiram a parte de baixo de suas armaduras, assumiram suas posições e tentaram se aproximar da linha de frente com mais empurrões fortes, embora nenhum deles fosse indisciplinado a ponto de apelar para algo mais violento.

Duas horas depois, nada havia acontecido ainda. Pálida, Arbell Pescoço de Cisne se juntou a eles, acompanhada por um IdrisPukke agora de barriga cheia, Kleist e também Riba. Apesar de toda gorduchice que perdera no decorrer dos últimos meses, ela ainda representava e sempre representaria um contraste evidente em relação à sua patroa. Era mais baixa quase 20 centímetros, morena, de olhos castanhos e ainda tão curvilínea e carnuda quanto Arbell era sinuosa, loira e esguia. As duas eram tão diferentes de se ver quanto uma pomba e um cisne.

Uma Arbell ansiosa lhes perguntou o que eles achavam que iria acontecer e todos concordaram que os Materazzi estavam certos em se manter onde estavam, pois cedo ou tarde Princeps seria forçado a atacar. De qualquer ângulo que Cale observasse, a situação dos Redentores era prazerosamente desesperadora.

— Alguém viu Simon? — perguntou Arbell.

— Ele vai ficar com o marechal — disse IdrisPukke. Simon e o marechal tinham passado a ser inseparáveis.

— São quase como pai e filho — brincou Kleist longe dos ouvidos de Arbell.

Ainda preocupada, ela estava prestes a mandar dois criados atrás do seu irmão quando um grupo de cinco soldados montados se aproximou deles. Um era Conn Materazzi. Ele não chegava tão perto assim de Cale desde a luta.

— Eu fui enviado pelo general de campo Narcisse para ver se você estava segura.

— Estou sim, bastante. Você viu meu irmão?

— Sim. Acho que vi, mais ou menos uma hora atrás. Na Tenda Branca com o otário que traduz o que ele diz.

— Você não tem direito de falar assim de Koolhaus. Procure Simon e, por favor, certifique-se de ele seja mandado para cá. — Então ela se virou para seus dois criados e os despachou para a Tenda dos Oficiais com as mesmas instruções.

Pela primeira vez, Conn Materazzi olhou para Cale.

— Você parece bem seguro aqui em cima, eu diria.

Cale não disse nada. Conn voltou sua atenção para Kleist.

— E quanto a você? Se tiver coragem o bastante para não ficar só sentado aqui enquanto nós lutamos no seu lugar, posso arranjar um lugar para você na linha de frente.

Kleist pareceu interessado.

— Está certo — respondeu ele de bom grado. — Tenho que resolver algumas coisinhas aqui antes, mas podem ir andando que eu alcanço vocês daqui a pouco.

Conn tinha bem pouco senso de humor, mas até ele percebeu que estava sendo gozado.

— Pelo menos seus amigos sebosos lá na frente têm a coragem de lutar por si mesmos. Já vocês vão ficar aqui enquanto nós vamos para a batalha.

— De que adianta — respondeu Kleist, como se estivesse explicando aquilo para alguém intelectualmente comprometido — ter um cachorro e latir por conta própria?

Porém, não era tão fácil tirar sarro de Conn — ou, melhor dizendo, no seu caso as gozações surtiam menos efeito, por ele ter sido criado para se considerar alguém de imenso valor.

— Vocês têm mais motivos para participar da batalha de hoje do que qualquer um de nós. Se acham isso engraçado, então não preciso da última palavra de um bufão para que os outros vejam quem vocês são de verdade.

E, tendo dado ele mesmo a última palavra, Conn virou seu cavalo para o outro lado e partiu. A verdade era que aquilo teve pouco efeito sobre Henri Embromador, e nenhum sobre Kleist, mas tocou numa ferida de Cale. A vitória contra Solomon Solomon lhe mostrara que sua habilidade estava à mercê de um terror que poderia ir e vir a qualquer momento. De que servia aquele dom se o pânico poderia suprimi-lo? Ele sabia que o que o mantinha no topo da colina era o fato de aquela luta, estritamente falando, não ser sua; além de ele ser obrigado por dever e por amor a proteger Arbell Materazzi. No entanto, havia também a lembrança da tremedeira, da debilidade e de suas tripas se liquefazendo — a terrível sensação de estar amedrontado e fraco.

Àquela altura, havia outro visitante no topo da colina de Silbury; um visitante cuja aparição casou frisson entre as figuras ilustres ali reunidas. Embora tivesse chegado ao pé da colina numa carruagem, ele havia sido transportado até lá em cima em uma liteira totalmente coberta, do tipo usado pelas damas Materazzi para se deslocarem pelas ruas estreitas da cidade antiquíssima, onde carruagens não conseguiam passar. Oito homens, claramente exaustos por conta da subida, carregavam a liteira, enquanto outros dez a vigiavam.

— Quem é esse? — perguntou Cale para IdrisPukke.

— Bem, não posso dizer que me surpreendo com facilidade, mas isso *sim* é espantoso.

— É a Arca da Aliança?

— Melhor olhar para baixo, não para cima. Se um dia o próprio diabo for possuído, vai ser por essa criatura aí. Estamos falando de Kitty das Lebres.

Cale ficou devidamente impressionado e, por um instante, não falou nada enquanto olhava para os 11 guardas.

— Eles parecem habilidosos.

— E não é por acaso. Mercenários lacônicos. Devem custar uma bela graninha.

— O que ele está fazendo aqui? Achei que fosse o tipo de gente de que você ouve falar, mas não vê nunca.

— Brinque enquanto pode. Se você irritar Kitty, vai se arrepender. Ele provavelmente veio dar uma conferida no seu investimento. Além do mais, hoje é a chance de ser ver a história sendo feita e sem correr nenhum risco.

Então a porta da liteira se abriu e um homem saiu lá de dentro. Cale resmungou de decepção.

— Esse não é Kitty — falou IdrisPukke.

— Graças a Deus. Belzebu tem que impor respeito.

— Às vezes eu me esqueço de que você é só um menino. Se um dia tiver a oportunidade de conhecer aquele ali — acrescentou IdrisPukke, gesticulando para o homem —, lembre-se, senhor Acabei de Sair das Fraldas, de arranjar um compromisso inadiável em algum outro lugar.

— Agora eu fiquei com medo.

— Você é um fedelho insolente mesmo, não é? Aquele é Daniel Cadbury. Procure o verbete "capanga" no Dicionário Geral do Dr. Johnson e você irá encontrar o nome dele. Pode procurar também por "assassino", "homicida" e "ladrão de ovelhas". Mas é o charme em pessoa. Prestativo a ponto de você achar que ele poderia lhe emprestar o próprio rabo e cagar pelas costelas.

Enquanto Cale tentava entender esse interessante comentário, um Cadbury sorridente veio até onde eles estavam.

— Quanto tempo, IdrisPukke. Trabalhando muito?

— Olá, Cadbury. Resolveu dar uma paradinha aqui para estrangular algum órfão?

Cadbury sorriu como se achasse genuinamente divertida a malícia na voz de IdrisPukke e, alto como era, baixou os olhos com ar de aprovação para Cale.

— Ele é uma figura, o seu amigo, não é mesmo? Você deve ser Cale — acrescentou ele em um tom que sugeria que ser Cale era algo importante. — Eu estava na Arena Vermelha quando você deu cabo de Solomon Solomon. Não consigo imaginar um sujeito mais simpático tendo um fim daqueles. Muito impressionante, meu jovem, muito impressionante. Temos que almoçar juntos um dia, depois que esse aborrecimento todo acabar. — E, com uma mesura que demonstrava respeito por Cale, mas como se viesse de um igual que também merecia ser respeitado, ele deu meia-volta e retornou para a liteira.

— Ele parece muito simpático — falou Cale, com o intuito de irritar.

— E vai continuar sendo, até o momento em que for obrigado, com todo o arrependimento do mundo, a cortar sua traqueia.

Ouviu-se um grito de Henri Embromador. As fileiras dos Redentores estavam se movimentando. Em uma linha de cerca de dez homens de profundidade, os 6 mil arqueiros e 1.900 soldados avançavam devagar. Quarenta e cinco metros mais adiante, à beira do campo arado que se estendia até onde estavam os Materazzi, eles pararam e a primeira fileira se ajoelhou.

— O que eles estão tramando? — disse IdrisPukke.

— Estão apanhando um punhado de terra para comer — disse Cale —, para se lembrarem de que são barro e ao barro retornarão.

Depois de fazer isso, a primeira fileira se levantou e caminhou até o campo arado. A fileira atrás deles andou para frente, se ajoelhou, apanhou um bocado de terra e os seguiu — e assim por diante. Em menos de cinco minutos, todo o exército Redentor estava de volta à sua formação de batalha dispersa, andando quase em ritmo de passeio e sem marchar sobre o solo acidentado. Tudo que os Materazzi e os espectadores na colina de Silbury podiam fazer era esperar e observar.

— Quando eles vão apressar o passo para o ataque? — perguntou IdrisPukke.

— Nunca — disse Henri Embromador. — Os Materazzi não usam arqueiros, então a distância mínima para um ataque letal é o quê? Um metro e oitenta? Não tem motivo para ter pressa. — Já fazia dez minutos que eles haviam começado a avançar e, tendo coberto 650 metros dos pouco mais de 800 até a linha de frente dos Materazzi, ouviu-se um grito dos centenários dos Redentores, cada qual responsável por uma centena de homens. O exército parou.

Houve mais gritos abafados dos centenários, e os arqueiros e soldados começaram a se deslocar para a esquerda e para direita, expandindo a linha de modo que ela cobrisse toda a extensão do campo de batalha. Em menos de três minutos, eles haviam acabado de reorganizar sua formação de ataque e estavam a cerca de um metro de distância uns dos outros. As sete fileiras atrás da linha de frente estavam organizadas como em um tabuleiro de damas, para que os arqueiros pudessem ver e gritar com mais facilidade por sobre as cabeças dos homens à sua frente.

Por alguns minutos, tinha ficado claro que cada Redentor estava carregando o que parecia uma lança de cerca de 1,80 metro de comprimento. No entanto, agora que eles haviam parado e estavam bem mais próximos, não havia dúvidas de que o que carregavam era grosso e pesado demais para ser uma lança. Os centenários deram outra ordem e a utilidade daquela arma ficou óbvia. O que se seguiu foi uma longa série de marteladas, enquanto o que haviam se revelado balizas de defesa eram cravadas em um ângulo inclinado no solo com marretas pesadas que cada arqueiro também trazia.

— Por que eles estão preparando uma linha de defesa? — perguntou IdrisPukke.

— Não sei — respondeu Cale. — E vocês?

Kleist e Henri Embromador deram de ombros.

— Não faz sentido. Eles foram pegos desprevenidos pelos Materazzi. — Cale olhou para IdrisPukke com ansiedade. — Tem certeza que os Materazzi não vão atacar?

— Por que eles desperdiçariam uma vantagem dessas?

Àquela altura, os Redentores estavam ocupados afiando as pontas das balizas.

— Eles estão tentando provocá-los a atacar — disse Cale após alguns instantes. Ele se virou para IdrisPukke. — Estão a distância de tiro. Quatro mil arqueiros, seis flechas por minuto. Você acha que os Materazzi podem resistir a 24 mil flechas vindo para cima deles a cada sessenta segundos?

IdrisPukke deu uma fungada e refletiu sobre o assunto.

— Cento e tantos metros é longe pra cacete. Não me interessa quantos eles sejam. Cada um dos Materazzi está coberto dos pés à cabeça de aço. Não existe flecha que consiga penetrar aço temperado a essa distância. Não estou dizendo que eu gostaria de estar debaixo de uma chuva dessas, mas os Redentores terão sorte se uma em cem acertar o alvo. E eles não terão tantas flechas, no máximo algumas dúzias para cada um, para manter esse ritmo por muito tempo. Se esse for o plano deles... — IdrisPukke deu de ombros para indicar como fazia pouco daquilo.

Cale olhou para o grupo de cinco sinalizadores Materazzi que também observavam os Redentores do ângulo privilegiado da colina de Silbury. Um deles estava partindo com a notícia de que as balizas de defesa estavam sendo fincadas no chão, algo que as linhas de frente dos Materazzi teriam dificuldade em ver. Haviam levado algum tempo para entender o que os Redentores estavam fazendo com as balizas e decidir se valia a pena enviar um mensageiro por causa daquilo.

Depois de observar o mensageiro desaparecer por sobre a beira da colina, Cale se voltou novamente para os Redentores. Uma dúzia de porta-estandartes, carregando bandeiras brancas com a imagem do Redentor Enforcado pintada de vermelho, erguiam as cores do exército. A ordem para apontar foi dada pelos centenários, longínqua demais para ser ouvida com exatidão, porém tornada óbvia quando milhares de arqueiros puxaram as cordas de seus arcos para trás, mirando-os para cima. Depois de uma curta pausa, um grito dos centenários e os estandartes foram baixados. Quatro nuvens de flechas descreveram um arco de quase 100 metros de altura no ar, zunindo em direção à linha de frente dos Materazzi.

Três segundos depois, elas atingiram os Materazzi, que baixaram as cabeças para se protegerem das pontas. As 5 mil flechas se chocaram contra os alvos, silvando e retinindo, ricocheteando pela linha blindada, enquanto os soldados se curvavam sob a chuva de aço como se atravessassem uma tempestade de vento e granizo. Dos flancos, ouviam-se cavalos relinchando ao serem atingidos. Mas então outra saraivada de 5 mil flechas já os atingia novamente. Dez segundos depois, uma terceira. Durante dois minutos, aquela chuva continuou caindo sobre os Materazzi. Poucos morreram, outros poucos ficaram feridos — IdrisPukke tinha razão quando disse que a armadura daqueles soldados aguentaria o tranco. Porém, tente levar em conta o barulho, o interminável estardalhaço do metal, a curta espera, mais flechas, os cavalos relinchando, os gritos dos azarados atingidos no olho ou no pescoço e o fato de que nenhum daqueles homens havia sofrido um ataque tão hostil e aterrorizante na vida. Que sentido fazia ficarem simplesmente parados ali, levando flechadas de beatos insignificantes e covardes sem nenhuma educação, habilidade ou coragem de lutar mano a mano?

Foi a cavalaria em ambos os lados que quebrou a formação, o lado esquerdo partindo primeiro, na dúvida depois que dois de seus porta-estandartes caíram — teria sido um sinal? Era muito difícil saber em meio ao relinchar dos cavalos feridos — seus próprios corcéis entrando em pânico e prontos para disparar — e enxergando apenas por uma pequena fresta para os olhos o que se desenrolava à sua volta. Três cavalos saíram correndo, assustados. Será um comando de ataque? Ninguém queria demonstrar covardia ao ficar para trás. Atentos e tensos como corredores quando um atleta queima a largada, a linha de frente inteira avança. Gritos vindos de trás para manter a formação se perdem em meio ao barulho — e então as flechas caem do céu novamente.

De repente, os cavalos do flanco esquerdo avançam — impaciência, fúria, medo e confusão fazendo-os disparar.

Narcisse, observando da Tenda Branca, xinga como se fosse explodir. Porém, logo percebe que eles não podem ser chamados de volta. Ele acena para seus porta-estandartes fazerem sinal para o flanco direito da cavalaria atacar também. É só então que o mensageiro chega da colina de Silbury para avisá-lo da série de balizas fincadas no solo entre os arqueiros nos flancos.

No topo da colina de Silbury, um Cale horrorizado observa com incredulidade a cavalaria avançar, os cavaleiros esporeando seus corcéis para formarem uma linha de ataque. Rapidamente eles se juntam em três fileiras, joelho a joelho, a menos de 300 metros da linha de arqueiros à sua frente. A princípio, mantêm uma velocidade não muito mais rápida do que a de um homem correndo de leve, de pé em seus estribos, as lanças debaixo dos braços direitos, a mão esquerda segurando as rédeas. Por cerca de 200 metros e quarenta segundos eles sustentam o mesmo ritmo, suportando a chuva de 20 mil flechas no caminho. E então, os últimos 50 metros — 2 mil misturas de homem, animal e aço seguindo em disparada para atropelar os arqueiros.

Os arqueiros, ainda com o gosto de lama misturado com medo na boca, disparam outra saraivada. Mais cavalos gritam e caem, esmagando seus cavaleiros, quebrando costas, derrubando também os que cavalgavam ao lado na queda. Mas a linha se aproxima. E então o choque do impacto.

Nenhum cavalo atropela por vontade própria um homem ou se lança contra uma barricada que não possa saltar. Nenhum homem com a cabeça no lugar ficará parado diante de um cavalo em disparada e uma lança. Porém, um homem é capaz de escolher a morte, enquanto um animal, não. Eles não podem ser treinados para morrer.

Quando os cavalos pareciam prestes a atingi-los como uma onda esmagadora, os arqueiros recuaram e foram depressa para o meio das balizas cerradas e afiadas. Alguns escorregaram, outros foram lentos demais e acabaram pisoteados ou lancetados. Cavalos alcançaram as balizas a uma velocidade grande demais e não conseguiram evitá-las. Empalados, relinchavam como se fosse o fim do mundo, os cavaleiros atirados da cela, com seus pescoços quebrados. Caídos na lama e se debatendo como peixes, os Redentores os liquidavam com golpes de marreta ou então eram segurados por um enquanto outro os apunhalava através das articulações das armaduras, deixando vermelha a lama marrom.

A maioria dos cavalos empacou. Alguns escorregaram, fazendo seus cavaleiros caírem, outros continuaram avançando enquanto a grande carga parava num piscar de olhos, dando meia-volta, cavalo se chocando contra cavalo, transformados pelo medo em criaturas da metade do seu tamanho e peso e fugindo de volta à segurança da retaguarda. Cavaleiros foram ao chão às centenas e, em um segundo, arqueiros disparavam de trás das balizas e espancavam as cabeças e os peitos dos soldados desnorteados com golpes violentos de suas marretas. Três Redentores com suas batinas enlameadas para cada cavaleiro Materazzi que tentava se levantar do chão e sacar a espada, enquanto eram empurrados, escorregando e caindo de volta, e esfaqueados pela fenda dos olhos e das articulações da armadura. Mais adiante, em meio ao conjunto de balizas, irados e livres do medo, os arqueiros dispararam contra os cavaleiros que recuavam. Mais cavalos feridos caíram, enquanto outros disparavam numa corrida frenética.

O pior ainda estava por vir. Para dar apoio à cavalaria, como era sua obrigação, o vice-marechal teve de enviar a linha de frente de soldados para auxiliar o ataque. Com 10 mil cabeças e dispostos em oito camadas de homens, eles já estavam a meio caminho das linhas dos Redentores quando a cavalaria em retirada, seus cavalos aterrorizados e enlouquecidos pelo medo e pelos ferimentos, atropelou o contingente de Materazzi que avançava. Amontoados e encurralados dos dois lados pela floresta cerrada e atrás pelas demais fileiras de soldados, era impossível desviar para dar passagem aos cavalos em disparada. Desesperados para evitar o impacto mortal à medida que os cavalos avançavam em sua direção, os soldados começaram a se empurrar, dando encontrões uns nos outros para abrir caminho, agarrando seus vizinhos e criando ondas que se espalharam para trás e para os dois lados enquanto homem atrás de homem caía, agarrando-se ao colega mais próximo para evitar a queda.

Assim, o avanço foi totalmente contido e dispersado — homens escorregavam na lama revirada, xingando e arrastando uns aos outros para o chão. Os arqueiros dos Redentores, tendo ganhado tempo para se reorganizarem, dispararam as flechas restantes. Porém, desta vez, com os Materazzi parados e a pouco mais de 70 metros de distância, suas pontas poderiam atravessar até mesmo o aço das armaduras, se o tiro fosse certeiro.

Embora apenas algumas centenas de homens tivessem sido pisoteadas pelos cavalos em fuga ou feridas pelas flechas, os milhares que restavam começaram a se agachar uns atrás dos outros, antes que os sargentos e capitães, aos berros, os obrigassem a retomar a formação e a investida reiniciasse. Embora prejudicados pela desordem e pela marcha de quase 300 metros sob o peso de 27 quilos de armadura em um campo lamacento, o poder de seu ataque foi aumentando pouco a pouco. Cinquenta metros. Vinte. Dez... e, nos últimos metros restantes, eles começaram a correr, apontando suas lanças para cravá-las no peito dos oponentes.

Porém, no momento do impacto, os Redentores, como se fossem uma só criatura, correram alguns metros para trás, desequilibrando seus inimigos, que pisaram em falso no instante do golpe. De modo que, novamente, ao longo das fileiras dos Materazzi os soldados titubearam até parar, na medida em que alguns avançavam e outros recuavam — e assim, aos trancos e barrancos, o grande impulso do ataque foi frustrado uma segunda vez.

Agora, no entanto, apesar de toda a confusão durante o ataque, os Materazzi tinham certeza de que iriam ganhar — protegidos por suas armaduras, os melhores soldados do mundo estavam finalmente cara a cara com seus oponentes, em vantagem de cinco contra um. Seguros da vitória, eles avançaram. Além dos gritos e berros dos homens, o ar se encheu do barulho de lanças se chocando e dos grunhidos dos Materazzi — que se encontravam mais amontoados ainda, chegando a vinte camadas de profundidade em alguns pontos, todos se empurrando para chegar onde estavam a ação e a glória. No entanto, somente os Materazzi na dianteira podiam lutar — menos de mil homens conseguiam desferir golpes a seu bel-prazer. Reduzidos em número, os Redentores tinham espaço para entrar e sair da zona de ataque de menos de 4 metros. Incapazes de avançar, os Materazzi da frente eram empurrados pelos companheiros imediatamente às suas costas e, o que era pior, pelas dezenas atrás destes — os mais afastados não faziam ideia do que estava acontecendo na frente e continuavam o empurra-empurra, assim como os do meio. A pressão começou a aumentar, um homem empurrando o outro, que empurrava o outro e assim por diante. Os soldados na dianteira tentavam se esquivar e desviar para os lados ou recuar à medida que os Redentores os golpeavam, mas não havia espaço. Então a pressão vinda de trás, de uma força incrível, os lançou para a frente em direção às pontas das lanças e aos golpes de marreta. Alguns caíram feridos; outros, sem conseguirem manter o equilíbrio por conta da pressão e da lama escorregadia feito graxa, derraparam e fizeram o homem de trás, que também estava sendo empurrado, ir ao chão — e assim sucessivamente. Querendo dar um fim àquilo, as fileiras do meio dos Materazzi tentaram saltar por cima dos homens caídos na sua frente. No entanto, quer fosse esta a intenção deles ou não, a pressão dos homens de trás que não conseguiam enxergar os fizeram pisar em cima dos seus companheiros — muitos escorregaram e caíram também, acabando na lama ou incapazes de manter o equilíbrio ao pisotear os homens que se contorciam sob seus pés. De que adiantava uma armadura ali se não havia espaço para se mover? Ela não passava de um estorvo enquanto eles tentavam encontrar apoio ou escalar as duas, três camadas de corpos no chão.

Embora os Rendetores também caíssem, eles podiam se levantar com facilidade ou serem puxados de volta pelos companheiros. Em três ou quatro minutos, uma muralha de Materazzi caídos se formou na dianteira, protegendo os Redentores e ameaçando frustrar o ataque — e, ainda assim, a retaguarda continuava a pressionar, suas fileiras tão numerosas que ninguém atrás conseguia ver o que acontecia mais adiante. Os homens ali achavam que cada queda na linha de frente significava que ela estava avançando, o que só servia para incentivá-los a empurrar mais. Poucos dos Materazzi empilhados no chão estavam mortos ou mesmo gravemente feridos, porém, em meio às estocadas, empurrões e lama já era difícil um soldado sozinho se levantar depois de uma queda. Com um segundo em cima dele, era quase impossível se mexer. Depois do terceiro, ele ficava tão indefeso quanto uma criança. Imagine a raiva e o medo destes homens — depois de anos de treinamento e de colecionar tantas batalhas e cicatrizes, reduzidos a serem esmagados até a morte ou esperarem, caídos na lama, que algum plebeu esmagasse seus peitos com uma marreta ou os esfaqueasse pelo visor do elmo ou pela articulação debaixo do braço. Quanta angústia, terror e impotência. E, sem descanso, aquela pressão terrível vinda de trás à medida que vinte fileiras de Materazzi empurravam, convencidos de que venceriam e loucos para deixar suas marcas antes de a batalha terminar. Mensageiros posicionados em volta do que se tornara a retaguarda do campo de batalha, ávidos por dar notícias, porém impossibilitados de ver o desastre mais à frente e que a batalha já estava perdida, enviaram comunicados de que a vitória era quase certa e chamaram reforços para arrematar o combate.

Dentro da Tenda Branca, ouviam-se notícias contraditórias vindas da colina de Silbury, de onde o fracasso na linha de frente podia ser claramente visualizado pelos observadores. Contudo, mesmo lá em cima, somente os meninos e IdrisPukke conseguiam entender por completo a calamidade que se desenrolava diante de seus olhos. De modo que os observadores, inseguros e incertos, não tinham coragem de aconselhar que os Materazzi batessem em retirada. Aquilo era por si só inconcebível, e a probabilidade de estarem enganados era grande demais. Assim, eles escreveram mensagens alarmantes, porém cercadas de dúvidas e poréns. Narcisse recebia sinais da frente de batalha exigindo reforços para arrematar o combate, mas também os comunicados desoladores da colina de Silbury, por mais que estivessem cheios de dedos e relutantes em encarar que a batalha já estava perdida. Ignorando os riscos, Narcisse tinha investido boa parte de seus homens em um único ataque contra um inimigo doente, enfraquecido e mal equipado diante do maior exército da Terra, que não perdia uma só batalha há mais de vinte anos. A derrota não fazia sentido. Assim, apesar de todo o temor que sentia diante dos comunicados da colina de Silbury, o general de campo deu rapidamente a ordem para que a segunda unidade se lançasse ao ataque.

De cima da colina, quando os meninos e IdrisPukke viram a segunda unidade avançar em direção à frente de batalha, os quatro soltaram um grito de incredulidade, espanto e raiva.

— O que está acontecendo? — perguntou Arbell Pescoço de Cisne para Cale. Seu amante ergueu a mão e resmungou.

— Não está vendo? A batalha já está perdida. Aqueles homens estão se encaminhando para a morte, e quem vai proteger Memphis quando os corpos deles estiverem apodrecendo no campo de batalha lá embaixo?

— Não pode ser. Diga que não é verdade. Não pode ser tão ruim.

— Olhe por si mesma — falou ele, gesticulando em direção à frente de batalha. Milhares de arqueiros dos Redentores cercavam os Materazzi pelos lados e até mesmo por trás, espancando-os com cajados e marretas e derrubando-os aos montes, uma vez que cada um que caía levava outros três ou quatro consigo para o chão. — Temos que sair daqui — disse Cale baixinho. — Roland — gritou, chamando o cavalariço de Arbell. — Traga o cavalo dela, e agora! Meu Deus — exclamou ele com uma agonia terrível. — Eu não acreditaria nisso se não estivesse vendo com meus próprios olhos.

Ele assentiu para Henri Embromador e Kleist, que começaram a voltar em direção às tendas. Porém, enquanto se afastavam, uma figura veio, mancando e ofegante, ao encontro deles.

— Esperem — chamou o vulto. Era Koolhaus, com o rosto vermelho e agitado. — Mademoiselle, é seu irmão, Simon. Ele me despistou quando nós estávamos na retaguarda, observando a cavalaria. Achei que tínhamos apenas nos desencontrado na multidão, mas quando voltei para a tenda dele vi que a armadura que seu pai lhe deu de aniversário tinha sumido. Uma hora atrás, seu irmão estava com aquele idiota do Lorde Parson, que estava brincando que o levaria com ele durante o primeiro ataque. — Ele se deteve por um instante, caindo em silêncio. — Acho que ele está no campo de batalha lá embaixo.

— Como você pode ter sido tão descuidado?! — gritou Arbell com Koolhaus. Mas, imediatamente, se voltou para Cale. — Por favor, encontre-o. Traga meu irmão de volta.

Cale estava pasmo demais para dizer qualquer coisa, mas Kleist, não.

— Se quiser que os dois acabem mortos, não consigo pensar em maneira melhor de conseguir isso. — Kleist apontou para a batalha. — Daqui a alguns minutos, haverá 25 mil homens lá embaixo, todos espremidos em um campo de batatas. Os Redentores já ganharam. Tudo que nós veremos pelas próximas duas horas serão homens morrendo. E você quer que ele vá para lá? É como procurar uma agulha em um palheiro. E um palheiro em chamas, ainda por cima.

Porém, era como se ela estivesse surda e conseguisse apenas fitar dentro dos olhos de Cale, desesperada e suplicante.

— Por favor, ajude meu irmão.

— Kleist tem razão — falou Henri Embromador. — Independente do que aconteça com Simon, não podemos fazer nada.

Novamente, ela pareceu não ouvir, ainda fitando Cale nos olhos. Então, lentamente, sem esperanças, ela baixou o olhar.

— Compreendo — disse Arbell.

Foi isso, é claro, que o atingiu como se ela tivesse esfaqueado seu coração. Para ele, aquele era o som da perda da fé — e isso era insuportável. Ele sentia ter se tornado uma espécie de deus aos olhos dela, de modo que lhe era simplesmente impossível desistir daquela adoração. Durante todo esse tempo, Riba tinha mantido a boca fechada, esperando poder contar com os outros para deter Cale. No entanto, ela sabia que, quando o assunto era Arbell, ele já havia perdido todo o juízo. Por mais que ela nutrisse por seu estranho salvador uma espécie de medo — e por mais rispidez e indiferença que Cale lhe reservasse quando os dois se cruzavam durante seus afazeres diários —, Riba tinha percebido há meses que, em se tratando de Arbell, havia certa loucura nele.

— Não faça isso, Thomas — falou ela, tão austera quanto uma mãe. Arbell a encarou, ao mesmo tempo chocada e furiosa ao ver sua criada contradizê-la daquela maneira. No entanto, uma vez que tantas pessoas estavam contra ela naquela questão, ela não podia mandar Riba calar a boca, ou sequer se manifestar. Mas não fazia diferença. Era como se Cale não tivesse nem ouvido.

Cale olhou por sobre o ombro para a batalha que se desintegrava mais abaixo, seu coração afundando no peito. Então olhou para Henri Embromador e Kleist.

— Me deem o máximo de cobertura possível, mas não se demorem a ponto de não conseguirem sair depois.

— Eu não ia mesmo.

Cale riu.

— E não se esqueçam, se algum de vocês me atingir, eu vou saber quem foi.

— Se for eu, não vai, não.

— Voltem para Memphis com os guardas dela. Eu sigo vocês assim que puder.

Eles correram até a tenda para apanhar suas coisas. Cale puxou IdrisPukke de lado.

— Se o pior acontecer, vá para Treetops.

— Você não deveria ir lá para baixo, menino — falou IdrisPukke.

— Eu sei.

Henri Embromador e Kleist voltaram com as mãos firmes e começaram a se preparar. IdrisPukke mandou um dos cavalariços de Arbell tirar seus trajes oficiais, uma blusa estampada com dragões azuis e dourados que trazia bordado o lema do clã Materazzi: Antes Morrer do que Mudar. Então, a entregou para Cale.

— Se descer do jeito que está todo mundo vai querer acertar você. Se estiver vestindo isso, pelo menos os Materazzi não irão atacá-lo.

— E se for capturado — disse Arbell —, talvez eles percebam que você vale um resgate muito grande.

Ao escutar essas palavras, Kleist começou a gargalhar como se fosse a coisa mais engraçada que tivesse ouvido na vida.

— Deixe ela em paz — falou Cale.

— É melhor se preocupar com a própria pele, parceiro. Eu diria que ela vai ficar bem.

Com isso, Cale foi até a beirada da colina e desapareceu além dela, descendo a encosta íngreme quase em ritmo de corrida. Em trinta segundos, estava no campo de batalha. À sua frente, a segunda unidade já adentrava os destroços brutais do primeiro ataque, mais 8 mil homens espremidos em um espaço pequeno demais para metade disso. Os Redentores já haviam começado a se espalhar pelos lados, cercando os recém-chegados — os reforços dando-lhes apenas mais soldados incapazes de se mover que eles poderiam apunhalar e estripar à vontade.

As fileiras apinhadas de soldados haviam se separado aqui e ali enquanto seguiam aos empurrões, e pilhas enormes de corpos, algumas chegando a 3 metros de altura, faziam o amontoado de gente oscilar em volta deles como o mar entre as rochas. Cale deu uma corridinha e, em dois minutos, estava seguindo ao longo da retaguarda dos Materazzi. Comparando aquela perspectiva com o panorama que tinha do alto da colina, ele não conseguia fazer ideia do que estava acontecendo. Alguns dos soldados ali atrás estavam recuados, inseguros quanto ao que fazer, enquanto outros tentavam avançar. Somente por conta da visão que tivera lá de cima ele sabia que, mais adiante e se espalhando pelos lados, um massacre estava ocorrendo. Ali, não havia nem mesmo muito barulho, somente grupos de soldados tentando seguir adiante, mudando de direção sempre que alguém encontrava uma brecha ou — depois que mais gente caía na linha de frente — conseguia avançar um pouco, achando que eles haviam tornado a penetrar as fileiras dos Redentores. E assim, milhares de homens impacientes, torcendo para não perder aquela oportunidade, seguiam lentamente rumo a suas mortes.

Cale correu ao longo da fileira de trás procurando por Simon, uma missão tão impossível quanto Kleist previra. Porém, se enquanto descia a colina de Silbury ele estava se iludindo, agora lhe restava apenas o desespero. Jamais encontraria Simon, mesmo que ele ainda não estivesse morto. Tudo o que iria acontecer era que ele próprio morreria lá embaixo ou então retornaria como um fracassado aos olhos de Arbell. Mesmo que ela aceitasse que não havia nada que Cale pudesse fazer, ele não queria que Arbell tivesse que aceitar uma coisa dessas. Não queria abrir mão do que significava ser adorado.

No entanto, Cale tinha outras coisas com que se preocupar. Duas dúzias de Redentores surgiram ao lado de uma fileira de Materazzi. Em grupos de três, eles atacaram qualquer soldado que tentasse chegar à linha de frente. Um os derrubava com uma foice longa, um segundo os acertava com uma das marretas pesadas que haviam usado para fincar as balizas de madeira no chão e um terceiro os apunhalava por baixo do braço ou pelo visor do elmo. Depois de abatidos os retardatários, eles começaram até a usar as foices para dar rasteiras nos homens que, alinhados, tentavam avançar aos empurrões. Em meio à confusão e à lama, soldados que teriam sido praticamente invulneráveis em qualquer outra ocasião escorregavam e caíam no chão lamacento, debatendo-se antes de serem liquidados, indefesos como bebês recém-nascidos.

Então um grupo de Redentores viu Cale e se moveu para atacá-lo por três lados. Uma flecha acertou o que estava à sua esquerda no olho, um dardo o que estava à sua direita. O primeiro caiu em silêncio, o segundo gritando e agarrando o próprio peito. O terceiro ainda estava com uma expressão assombrada no rosto quando Cale desferiu um golpe contra o seu pescoço, cortando-lhe a garganta até chegar à espinha dorsal. Ele caiu se debatendo na lama ao lado do Lorde dos Seis Condados, que Cale havia matado segundos antes. Então ele entrou numa segunda briga, segurando o braço do seu agressor, batendo com a testa no seu rosto e apunhalando-o com habilidade no coração. Um ceifador caiu boquiaberto ao ser atingido por um dos dardos de Henri, mas a flecha de Kleist só atingiu o marreteiro no braço. Sua sorte durou dois segundos, até Cale, escorregando na lama, errar o golpe fatal e acertá-lo na barriga. Ele caiu aos berros, deitando-se onde levaria horas para morrer. Então, outra onda de soldados empurrou para trás os Redentores restantes e Cale ficou parado ali, coberto de sangue e se sentindo impotente, sem saber para que lado ir. Todo seu grande talento não significava nada em meio àquela confusão — ali, ele era apenas um menino numa multidão de homens condenados.

E então, quando ele estava prestes a dar meia-volta, outro grupo de homens foi ao chão. Sessenta soldados desabaram logo à sua frente, o maior número até então, e uma fenda longa se abriu em direção à linha de frente. Por um instante de terror ele hesitou, sabendo que aquela brecha era a própria mandíbula da morte se abrindo para ele. No entanto, o medo de fracassar diante dos olhos de sua amada o impulsionou até a abertura que se alargava brevemente e, conseguindo correr muito mais rápido do que os homens de armadura que escorregavam ao seu redor, ele chegou a uma distância de cerca de 4 metros da linha de frente. Porém, tudo o que o esperava era uma muralha impenetrável de Materazzi mortos e moribundos. Ninguém diante dele tinha um só ferimento, aqueles homens haviam apenas caído uns sobre os outros, sendo esmagados pelo peso dos que estavam em cima e dos que empurravam de trás. Por alguns momentos, havia apenas as pilhas de cadáveres e um gemido estranho, abafado. Os elmos de alguns deles tinham se soltado, outros, presos, mas com uma das mãos livres os haviam tirado numa tentativa desesperada de conseguir respirar. Seus rostos estavam roxos, alguns quase pretos — Cale podia ouvir os arquejos horrorosos daqueles que se esforçavam para encher seus pulmões de ar —, mas nada conseguiria entrar em seus peitos terrivelmente esmagados. Enquanto ele observava, a respiração daqueles homens parou e suas bocas se escancararam como as de peixes à margem de um rio. Muitos falaram com ele com seus sussurros apavorantes: "Me ajude! Me ajude!" Ele tentou libertar alguns, porém, era como se estivessem presos à farinha de arroz misturada com concreto das muralhas do Santuário. Ele se virou e correu os olhos pelas pilhas de mortos e moribundos que o cercavam.

— Socorro! — falou uma voz rouca. Ele baixou os olhos para um jovem, seu rosto de um azul-arroxeado apavorante. — Socorro! — Cale afastou o olhar. — Cale, socorro!

Estupefato, Cale se virou. E então reconheceu o rapaz, mesmo sob os tons de preto e azul do seu rosto inchado. Era Conn Materazzi. Uma flecha passou zunindo pela sua orelha direita e retiniu ao atingir um dos mortos de armadura. Ele se agachou ao lado de Conn.

— Posso lhe oferecer uma morte rápida. Sim ou não?

Conn, no entanto, não pareceu ouvir aquilo.

— Socorro! Socorro! — disse ele, um som terrivelmente suave e rascante.

Novamente, e de forma mais intensa ao se deparar com alguém que conhecia, Cale sentiu como era terrível estar ali — e como era inútil. Olhando ansioso por sobre o ombro, ele conseguia ver a abertura que lhe permitira chegar tão perto da linha de frente começar a se fechar de volta, à medida que os Redentores forçavam os Materazzi nas beiradas de volta para o meio. Ele se levantou para correr enquanto havia tempo.

— Socorro!

Algo nos olhos de Conn Materazzi congelou os cabelos da sua nuca — todo aquele horror e desespero terríveis. Cale mergulhou as mãos na pilha de mortos e puxou com toda sua força, então redobrada pela raiva e pelo medo. Porém, Conn estava preso, com um homem embaixo e três em cima, por quase 500 quilos de peso morto e chapas de aço. Ele puxou novamente. Nada.

— Me desculpe, colega — falou ele para Conn. — Tempo esgotado.

Foi neste momento que um empurrão forte nas costas fez Cale se estatelar no chão. Assustado e surpreso, ele chapinhou na lama enquanto tentava sacar a espada e se desvencilhar do seu agressor.

Era um cavalo. O animal olhou para ele e bufou, cheio de esperança. Cale o encarou de volta — com seu dono morto, ele estava procurando alguém para tirá-lo do campo de batalha. Imediatamente, Cale apanhou a corda presa à sela, amarrou-a em volta do cabeçote maciço e então se apressou a prendê-la em volta do peito de Conn e debaixo da sua axila. Àquela altura, seu rosto estava preto e seus olhos vazios. Por sorte, a corda era fina, porém muito resistente, e foi fácil passá-la por baixo de um braço e depois do outro. Ele a amarrou mais rápido do que qualquer outra coisa que tivesse feito na vida e então caiu na lama antes de conseguir saltar para cima da sela. Mais desesperado do que nunca, agarrou o cabeçote e, vendo que a fenda se fechava, gritou no ouvido do cavalo. Assustado, o animal disparou, derrapando no lodaçal até quase cair, mas finalmente recuperando o equilíbrio enquanto puxava com toda a força de um guerreiro corpulento acostumado a carregar mais de 100 quilos nas costas. A princípio, nada se mexeu, então com um impulso e um estalo da perna direita de Conn, ele foi libertado da pilha de cadáveres que o esmagava. O impulso repentino quase fez o cavalo cair novamente, e por pouco a sela não se soltou da mão de Cale. Então eles estavam em movimento, os três seguindo em direção à abertura a não mais do que 6 ou 8 quilômetros por hora. Porém, o cavalo era forte, bem treinado e trotava adiante, feliz — apesar de todo o desastre à sua volta — por ter um cavaleiro montado nas suas costas. O instinto que mantivera o animal seguro enquanto ele zanzava pelo campo de batalha por mais de 15 minutos no meio de um massacre o protegeu novamente. Cale manteve o corpo o mais rente ao dorso do cavalo quanto possível, preparado para sacar sua faca e soltar Conn caso ele ameaçasse derrubá-los. No entanto, a lama que havia causado a morte de inúmeros Materazzi e ainda mataria outros tantos foi sua salvação. Inconsciente, ele pendia facilmente para qualquer direção que fosse puxado, quase como um trenó na neve. Com a cabeça abaixada, Cale instigou o cavalo a seguir em frente com os pés, sem ver os dois Redentores que vinham ao encontro do animal vagaroso. Ele tampouco os viu cair, gritando de horror e agonia como se fossem um só homem, abatidos pela vigilância implacável de Kleist e Henri Embromador.

Em menos de três minutos, o cavalo tinha atravessado o amontoado de homens que eram empurrados para o centro do campo e, sem drama ou alarde, deixado o local da batalha, carregando um Cale chacoalhante e arrastando um Conn inconsciente até uma passagem estreita entre a colina de Silbury e a floresta impenetrável que cingia o conflito. Uma vez fora de vista, Cale parou o cavalo e desceu para examinar Conn. Ele parecia morto, mas estava respirando. Rapidamente, Cale despiu sua armadura e, com grande dificuldade, o colocou de barriga para baixo em cima da sela. Enquanto isso, Conn gemia e gritava de dor por conta das costelas e da perna direita quebradas. Cale conduziu o cavalo adiante e, em cinco minutos, os sons da batalha desapareceram e foram substituídos pelo canto dos melros e pelo vento que soprava por entre as árvores da floresta.

Uma hora depois, Cale foi tomado por uma onda repentina de cansaço. Ele procurou uma maneira de se embrenhar na floresta e, sem conseguir achar uma entrada em meio à profusão de sarças e espinheiros que havia entre as árvores, se viu obrigado a cortar um caminho, embora tenha acabado cheio de talhos no rosto e nos braços ao fazê-lo. No entanto, depois de atravessada a beira da mata, a vegetação cerrada dava lugar a um terreno coberto de folhas mortas. Ele amarrou o cavalo e deitou Conn cautelosamente no chão. Ficou encarando-o por alguns minutos como se não conseguisse entender o que os havia levado àquele lugar juntos. Então, ajeitou sua perna com uma delicadeza que jamais dedicara a nenhuma outra coisa na vida, improvisando uma tala com dois galhos que havia cortado de um freixo. Em seguida, deitou-se no chão e caiu imediatamente em um sono profundo e terrível.

Acordou duas horas depois quando os pesadelos se tornaram insuportáveis. Conn Materazzi ainda estava inconsciente, agora pálido como a morte. Cale sabia que precisava encontrar no mínimo água, mas ainda estava exausto, de modo que por dez minutos ficou apenas sentado ali como em um transe medonho. Logo, Conn começou a gemer e se movimentar com agitação; ao despertar, viu Cale com os olhos baixados para ele. Ele gritou de horror e confusão.

— Calma. Você está bem.

Com os olhos esbugalhados e aterrorizados, Conn tentou recuar para longe de Cale. Ele urrou de dor.

— É melhor não tentar se mover — disse Cale. — Você quebrou o fêmur. — Conn não falou nada por alguns minutos, enquanto a dor horrível em sua perna se dissipava muito lentamente.

— O que aconteceu? — perguntou ele por fim. Cale lhe disse. Quando terminou, Conn ficou um bom tempo calado. — O mais engraçado — falou ele quando finalmente quebrou o silêncio — é que eu nem cheguei a ver nenhum deles. Um Redentor, quero dizer. Nenhum que fosse. Você tem um pouco d'água? — O desespero e a agonia de Conn, o simples estado deplorável dele, começaram a despertar tanto pena quanto irritação em Cale.

— Vi fumaça logo antes de chegarmos aqui. Acho que ouvi falar ontem sobre um vilarejo perto da colina. Voltarei assim que puder. — Ele despiu o cavalo de sua armadura e cortou fora o máximo que pôde da cota de malha que protegia suas costas e flancos, conduzindo-o em seguida na direção de uma trilha. Montou nele e acariciou-lhe o topo da cabeça.

— Obrigado — disse ele ao animal, e então começou a cavalgá-lo.

35

Três horas depois, Conn Materazzi havia sido recolhido por um fazendeiro da região e deitado em uma cama, sua perna recolocada no lugar e totalmente imobilizada com quatro talas de nogueira e oito correias de couro. Ele havia desmaiado novamente e gemeu de modo lamentável durante cerca de uma hora que Cale levou para endireitar sua perna a contento. Desde então, não recobrara a consciência. Para dizer a verdade, no fim sua palidez era tão escabrosa que era como se jamais fosse recobrá-la.

— Corte o cabelo dele — disse Cale para o fazendeiro — e enterre sua armadura na floresta, para o caso de os Redentores aparecerem. Diga-lhes que ele é um lavrador. Se eu conseguir chegar a Memphis, mandarei buscá-lo aqui. Eles irão pagá-lo. Se não, ele mesmo o pagará quando estiver recuperado o bastante.

O fazendeiro olhou para Cale.

— Pode ficar com seus conselhos e com seu dinheiro. — E, com essas palavras, os deixou sozinhos. Logo em seguida, Conn acordou. Os dois ficaram algum tempo se encarando.

— Estou me lembrando agora — falou Conn. — Eu pedi sua ajuda.

— Foi.

— Que lugar é esse?

— Uma fazenda, a duas horas do campo de batalha.

— Minha perna está doendo.

— Vai precisar ficar assim por seis semanas. Não dá pra saber se vai curar direito.

— Por que você me salvou?

— Não sei.

— Eu não teria feito o mesmo por você.

Cale deu de ombros.

— Esse é o tipo de coisa que só dá para saber quando acontece. Eu salvei você, isso é tudo que posso dizer.

Nenhum dos dois falou nada por um bom tempo.

— O que você vai fazer agora?

— Voltar para Memphis pela manhã. Se conseguir chegar lá, mando alguém buscar você.

— E depois?

— Vou pegar meus amigos e ir para algum lugar onde os soldados não sejam loucos e idiotas. Nunca imaginei que fosse possível perder uma batalha naquelas condições. Não acreditaria se não tivesse visto com meus próprios olhos.

— Não cometeremos o mesmo erro novamente.

— O que faz você pensar que terão essa chance? Princeps não vai ficar em Silbury se admirando no espelho. Ele vai sair metendo a porrada em vocês até os portões de Memphis.

— Nós vamos nos reagrupar.

— Com o quê? Três de cada quatro Materazzi estão mortos.

Conn não conseguiu dizer nada em resposta, apenas se recostou angustiado e fechou os olhos.

— Eu queria estar morto — disse ele por fim.

Cale riu.

— Você precisa se decidir, não foi isso que disse hoje de manhã.

Conn pareceu ainda mais deprimido, como se isso fosse possível.

— Não sou ingrato — murmurou ele.

— Você não é ingrato? — falou Cale. — Isso quer dizer que você é grato, então?

— Sim, eu sou grato. — Conn fechou os olhos novamente. — Todos os meus amigos, meus parentes, meu pai, todos eles estão mortos.

— Provavelmente.

— Certamente.

Era bem provável que aquilo fosse verdade, de modo que Cale não conseguiu pensar em mais nada para dizer.

— É melhor você dormir. Não há nada que possa fazer além de melhorar e dar o troco para os Redentores da melhor forma que puder. Lembre-se: a vingança é a melhor vingança.

E, com essa pílula de sabedoria, ele deixou Conn com seus pensamentos angustiados.

Ao raiar da manhã seguinte ele partiu, montando o cavalo e decidindo que não havia necessidade de se despedir de Conn. Já havia feito mais do que o suficiente por ele, pensou Cale, e estava até um pouco envergonhado de ter arriscado a vida por alguém que, conforme o próprio Conn admitira, não teria feito o mesmo em seu lugar. Lembrou-se de uma observação feita por IdrisPukke certa noite em Treetops, quando eles estavam fumando juntos sob o luar. "Sempre resista aos seus primeiros impulsos. Eles normalmente são generosos." Na época, Cale tinha pensado que aquela era apenas mais uma das piadas de humor negro de IdrisPukke. Agora entendia o que ele queria dizer.

Apesar de estar louco para chegar logo a Memphis e se certificar de que Arbell Pescoço de Cisne estava em segurança, Cale começou a viagem seguindo para o noroeste, afastando-se da cidade em um longo arco. Haveria muitos Redentores e Materazzi vagando confusos pela região, e nenhum deles muito seletivos quanto a quem matar. Ele evitou cidades e vilarejos e comprou comida apenas das fazendas isoladas que encontrou pelo caminho. Ainda assim, notícias da batalha haviam chegado a todas elas, embora alguns falassem numa grande vitória e outros numa grande derrota. Ele dizia não saber nada a respeito e se apressava a retomar viagem.

No terceiro dia, ele pegou a direção oeste e seguiu para Memphis. Algum tempo depois, chegou à Agger Road, a estrada que ia de Somkheti até a capital. Estava deserta. Cale aguardou em meio às árvores antes da estrada por uma hora e, quando nada passou, decidiu se arriscar a seguir diretamente por ela. Isso acabou se provando o seu terceiro erro em quatro dias. Uma estranha inquietação começou a tomar conta dele à medida que se aproximava de Memphis. Dez minutos depois, uma patrulha Materazzi surgiu de trás de uma curva fechada e Cale não teve como evitá-la. Pelo menos não eram os Redentores, e ele ficou aliviado, embora surpreso, ao ver que o homem que a comandava era o capitão Albin. No entanto, não conseguia entender o que o chefe da inteligência dos Materazzi estava fazendo ali. Sua incompreensão se tornou temor quando os vinte homens que acompanhavam Albin sacaram suas armas. Quatro deles eram arqueiros montados, suas flechas apontadas em cheio para o peito de Cale.

— Qual o problema? — perguntou Cale.

— Olha, não nos leve a mal, mas você está preso — disse Albin. — Seja um bom menino e não cause problemas. Nós vamos amarrar suas mãos.

Cale não tinha escolha senão obedecer. Provavelmente o marechal estava irritado porque ele deixou Arbell com Kleist e Henri Embromador. Um pensamento alarmante lhe veio à cabeça.

— Arbell Materazzi está bem?

— Está — disse Albin —, embora talvez você devesse ter pensado nisso antes de se mandar para onde quer que tenha se mandado.

— Eu estava procurando por Simon Materazzi.

— Bem, eu não tenho nada com isso. Agora nós vamos vendá-lo. Não faça caso por conta disso.

— Mas por quê?

— Porque eu estou dizendo.

Na verdade, era um saco pesado e com cheiro de lúpulo, a estopa tão grossa que isolava quase tanto o som quanto a luz. Cinco horas depois, Cale pôde sentir os músculos do cavalo debaixo dele se retesarem quando o caminho ficou íngreme de repente. Então, através do saco ele conseguiu ouvir o barulho surdo dos cascos contra madeira. Eles estavam atravessando um dos três portões de Memphis. Mesmo encapuzado, ele esperava ouvir muito mais barulho depois de entrar na cidade, no entanto, apesar de alguns gritos abafados aqui e ali, somente a continuidade da sensação de que subiam uma ladeira indicava que eles se encaminhavam para a fortaleza. Sua ânsia de rever Arbell começou a dar um nó no seu estômago.

Por fim, eles pararam.

— Desmontem-no do cavalo — falou Albin. Dois homens o pegaram pelo lado esquerdo, puxando-o para baixo de forma até gentil e colocando-o de pé.

— Albin — falou Cale através do saco —, tire isso da minha cabeça.

— Sinto muito.

Os dois homens o apanharam cada um por um braço e o arrastaram para a frente. Ele ouviu uma porta sendo aberta, então percebeu que havia entrado em algum lugar. Foi conduzido pelo que parecia um corredor. Outra porta se abriu com um rangido e novamente ele foi arrastado com cuidado. Alguns metros depois, pararam de andar. Após um instante, o saco foi retirado de sua cabeça.

Uma mistura de sujeira nos seus olhos com o fato de ter ficado tantas horas na escuridão total fez com que ele a princípio não enxergasse. Com as mãos amarradas, esfregou a vista para tirar o pó de lúpulo de cima dela e olhou para os dois únicos homens no salão. Um ele pôde ver imediatamente que era IdrisPukke, amordaçado e com as mãos atadas — no entanto, quando reconheceu o outro homem parado ao seu lado, uma onda terrível de medo e raiva fez seu coração parar por um instante. Estava diante do Redentor Bosco, o Lorde da Guerra.

Passados os primeiros segundos de choque e aversão, Cale teve vontade de cair de joelhos e chorar como um bebê. E teria feito isso, não fosse pelo ódio que veio em seu resgate.

— Então Cale — disse Bosco —, a vontade de Deus nos trás de volta para onde começamos. Pense nisto enquanto me encara boquiaberto como um cão raivoso. O que toda sua ira e seus devaneios lhe trouxeram de bom?

— O que aconteceu com Arbell Materazzi?

— Ah, ela está bem segura.

Apesar de seu choque profundo, Cale não sabia ao certo se deveria perguntar por Henri Embromador e Kleist. Preferiu continuar calado.

— Não está preocupado com seus amigos? — perguntou Bosco. — Redentor — gritou ele enquanto a porta se abria na outra ponta do salão e Henri Embromador e Kleist, amordaçados e com as mãos atadas, eram trazidos para dentro.

Eles estavam ilesos, embora claramente aterrorizados.

— Tenho uma série de coisas para lhe contar, Cale, e gostaria de perder o mínimo de tempo possível com as habituais manifestações de incredulidade. Eu já menti para você alguma vez? — perguntou ele.

Ele o havia espancado com selvageria todas as semanas de sua vida e o obrigado a matar cinco vezes, porém, agora que tinha ouvido aquela pergunta, Cale precisava admitir que Bosco, até onde ele sabia, nunca havia lhe contado uma só mentira.

— Não.

— Lembre-se disso enquanto escuta o que tenho para lhe dizer. Você não pode ter dúvidas de que a importância do que vou lhe contar vai muito além deste tipo de mesquinharia. E, como prova da minha boa-fé, eu irei libertar seus amigos; todos os três.

— Prove — disse Cale.

Bosco riu.

— No passado, um tom de voz desses teria resultado em dor.

Ele estendeu sua mão e o Redentor Stape Roy lhe entregou um livro grosso encadernado em couro.

— Este é o Testamento do Redentor Enforcado. — Cale nunca tinha visto aquilo antes. Bosco espalmou a mão sobre a capa.

— Juro por Deus à custa da minha alma eterna que as promessas que farei neste instante e tudo o que disser hoje é a verdade, somente a verdade e nada mais que a verdade. — Ele olhou para Cale. — Satisfeito?

O simples fato de perjúrio não fazer parte do grande leque de atrocidades que Bosco cometera certamente não convencia Cale a acreditar nele. Porém, o Lorde da Guerra dava extrema importância a juramentos. E, além do mais, ele não tinha escolha.

— Sim — falou Cale.

Bosco se voltou para o Redentor Stape Roy.

— Dê o que eles precisarem, mas sem exageros, e um salvo-conduto, depois pode libertá-los.

Stape Roy andou até IdrisPukke e o agarrou pelo braço, empurrando-o na direção de Henri Embromador e Kleist. Então, arrastou os três até a porta. Cale começou a achar que Bosco poderia estar dizendo a verdade: suas instruções para não dar demais aos três e a brutalidade casual do tratamento pareciam genuínas — qualquer coisa mais generosa ou menos rude seria suspeita.

— E quanto a Arbell Materazzi?

Bosco sorriu.

— Por que tanta determinação em descobrir o quanto você está iludido sobre o seu mundo?

— O que isso quer dizer?

— Vou lhe mostrar. Mas você precisa deixar que o amordacem e amarrem e concordar em ficar atrás daquele biombo nas sombras, sem fazer barulho algum, independente do que ouvir.

— Por que eu deveria lhe prometer alguma coisa?

— Em troca da vida dos seus amigos? Não me parece injusto.

Cale assentiu e Bosco fez sinal para que um de seus guardas o levasse para trás de um pequeno biombo nos fundos do salão. Pouco antes de alcançá-lo, Cale se voltou para Bosco.

— Como o senhor tomou a cidade?

Bosco riu, de forma quase autodepreciativa.

— Com facilidade e sem precisar lutar. Princeps enviou notícias da grande vitória do Quarto Exército para Port Errol em um espaço de três horas e ordenou que a frota voltasse para atacar Memphis sem demora. Aqui, a população entrou no mais completo pânico. A 80 quilômetros de distância, a esquadra viu navios fugindo desesperados da cidade. Nós simplesmente desembarcamos sem nenhum alarde. Foi bastante surpreendente, no fim das contas. Mas também muito satisfatório. Fique quietinho lá atrás e você vai ver e ouvir tudo.

Em seguida, Bosco o despachou com um gesto para trás do biombo. O guarda retirou uma mordaça do bolso e a mostrou para Cale.

— Podemos fazer isso do jeito fácil ou do jeito difícil. Para mim, tanto faz.

Porém, Cale estava ansioso para ver Arbell e não ofereceu resistência. Houve uma espera de alguns minutos, a presença de Bosco e a estranheza da sua conduta gerando uma inquietação crescente dentro de Cale. Ele ficou observando enquanto uma mesa e três cadeiras eram dispostas no centro do salão. Então a porta foi aberta e o marechal e sua filha conduzidos para dentro.

Cale não sabia que era possível sentir um alívio tão profundo — uma onda tão poderosa e jubilosa de felicidade. Ela estava de branco e aterrorizada, mas parecia ilesa, assim como seu pai, embora os olhos dele estivessem abatidos e seu rosto devastado. Ele parecia vinte anos mais velho — e vinte anos nada saudáveis, diga-se de passagem.

— Sente-se — falou Bosco com brandura.

— Pode me matar — disse o marechal. — Mas peço com toda a humildade que deixe minha filha viver.

— Minhas intenções são muito menos sangrentas do que o senhor imagina — falou Bosco, sem perder a brandura. — Sente-se. Não vou pedir de novo. — Essa estranha mistura de benevolência e ameaça intimidou ainda mais os dois e eles obedeceram.

— Antes de começar, quero que vocês tentem entender que as exigências e o fervor daqueles que servem ao Redentor Enforcado não estão ao alcance da sua laia. Eu tampouco quero ou busco sua compreensão, porém, é necessário para o bem de vocês que entendam a que pé as coisas estão. — Ele assentiu para um dos Redentores, que puxou para trás a terceira cadeira, e então se deixou sentar. — Eu serei o mais claro possível. Temos controle total de Memphis e seu exército agora não passa de 2 mil soldados, a maior parte deles nossos prisioneiros. O seu império, por mais vasto que seja, já está começando a desmoronar. O senhor concorda?

Fez-se um silêncio.

— Sim — respondeu finalmente o marechal.

— Ótimo. Eu lhe devolverei o controle da cidade de Memphis e permitirei que o senhor reconstrua um exército permanente para reestabelecer o poderio do seu império. Mediante certas taxas e condições, cujos detalhes nós dois acertaremos mais adiante.

O marechal e Arbell encararam Bosco, seus olhos arregalados de esperança e suspeita.

— Que condições? — perguntou o marechal.

— Não me entenda mal — falou Bosco, tão baixinho que Cale mal conseguia ouvi-lo. — Isto não é uma negociação. O senhor, obviamente, não tem nada para negociar. Está totalmente impotente e tem apenas uma coisa que eu quero.

— E o que seria ela? — perguntou o marechal.

— Thomas Cale.

— Nunca. Por nada neste mundo — falou Arbell ardorosamente.

Bosco olhou pensativo para ela.

— Que interessante — disse ele.

— Por que o senhor faria isso? — perguntou o marechal.

— Trocar um menino por um império? Concordo que parece um tanto incomum.

— O senhor quer matá-lo — disse Arbell.

— Não é verdade.

— Porque ele matou um de seus padres enquanto ele fazia algo abominável.

— Bem, quanto a isso você tem razão: ele matou um de meus padres, que estava mesmo fazendo algo abominável. Eu não tinha conhecimento das práticas hereges dele até o dia em que Cale fugiu. Todos os que posteriormente descobrimos estarem envolvidos foram purificados.

— O senhor quer dizer mortos.

— Quero dizer purificados e depois mortos.

— Por que Cale achava que o senhor era o responsável?

— Vou perguntar para ele quando o vir. Mas se você acha que eu abriria mão de um império para executar Cale pelo assassinato de um herege e pervertido homicida... — Ele fez uma pausa, parecendo sinceramente intrigado. — Por que eu faria uma coisa dessas? Não tem o menor sentido.

— O senhor poderia estar mentindo — falou o marechal.

— Sim, poderia. Mas não vejo necessidade. Eu encontrarei Cale mais cedo ou mais tarde, embora prefira que seja mais cedo. O senhor possui os meios de me dar o que eu quero, mas minha paciência tem limite e, assim que ela acabar, não lhe restará nada.

— Não dê ouvidos a ele — falou Arbell.

— E por que tanta preocupação? — disse Bosco. — É porque vocês são amantes?

O marechal encarou a filha. Não houve exigências indignadas para que ela lhe contasse a verdade, nenhuma condenação por ela ter manchado o sangue real. Apenas um longo silêncio. Por fim, ele se voltou para Bosco.

— O que o senhor quer que eu faça?

Bosco inspirou fundo.

— Não há nada que possa fazer. Cale não confia em muitas pessoas, se é que confia em alguma, e certamente não no senhor. A exceção a essa regra é, obviamente, a sua filha, por motivos agora conhecidos por todos nós. O que peço é que ela escreva uma carta para Cale que entregará, por assim dizer, em segredo a um dos amigos dele. Nesta carta, você pedirá que ele a encontre em frente aos muros da cidade numa hora marcada. Eu estarei lá, e acompanhado por um número tão grande de soldados que ele será obrigado a se render.

— O senhor irá matá-lo.

— Eu não o matarei — disse Bosco, levantando a voz pela primeira vez. — Jamais farei isso e por motivos que explicarei a ele quando Cale puder ver que estou lhe dizendo a verdade. Ele não faz ideia do que tenho para lhe contar e, até ele descobrir, sua vida será como vem sendo desde que deixou o Santuário: violenta, cheia de ódio, uma vida que pode levar apenas destruição irracional para todas as pessoas com as quais ele se envolva. Pensem sobre o caos que ele trouxe para a vida de vocês. Somente eu posso salvá-lo desta condição. Independente do que você acha que sente por Cale, jamais entenderá o que ele é de fato. Tente salvá-lo, o que é algo impossível para você, e tudo o que conseguirá fazer é arruinar o seu pai, o seu povo, a si mesma e, acima de tudo, a Cale.

— Você deve escrever a carta — falou o marechal para a filha.

— Não posso fazer isso — disse Arbell.

Bosco suspirou, compreensivo.

— Sei o que significa ter autoridade e poder. A escolha que precisa fazer agora é do tipo que ninguém invejaria. Qualquer decisão que tomar lhe parecerá inadequada. Você deve destruir todo um povo e um pai que ama, ou um só homem que também ama.

Ela encarou Bosco, petrificada.

— Porém, embora a escolha seja cruel, ela não é tão cruel quanto você teme. Cale não corre risco em minhas mãos, e eu o encontrarei cedo ou tarde de qualquer forma. O futuro dele está ligado demais à vontade de Deus para que Cale seja qualquer outra coisa que não parte de nós... e uma parte muito especial. — Ele se recostou na cadeira, dando outro suspiro. — Diga-me, minha jovem, apesar de todo o amor que sente por este rapaz, um amor que agora vejo ser genuíno... — Ele fez uma pausa para que ela pudesse engolir seu veneno adocicado. — Você não sentiu algo... — Ele se deteve novamente, buscando com cautela a palavra certa. — Algo letal?

— Foi o senhor quem o fez assim com sua crueldade.

— Você se engana — respondeu Bosco em um tom razoável, como se compreendesse o motivo da acusação. — Na primeira vez em que o vi, quando ele era muito jovem, percebi algo de perturbador nele. Demorei muito para compreender o que era, porque simplesmente não fazia sentido. Era medo. Eu tinha medo daquele garotinho. Sem dúvida foi necessário moldar e disciplinar o que já havia ali, mas nenhum ser humano poderia fazer com que Cale se tornasse o que ele é. Não sou tão prepotente. Fui apenas um agente do Senhor ao conduzir sua natureza para o nosso bem comum e a serviço de Deus. Mas você viu a mesma coisa e sente medo... e não é para menos. A bondade que testemunhou nele algumas vezes é como as asas de um avestruz: elas podem bater, mas não alçam voo. Deixe que nós cuidemos de Cale e salve seu pai, seu povo e a si mesma. — Ele fez uma pausa dramática. — E Cale também.

Arbell começou a falar, mas Bosco ergueu a mão para silenciá-la.

— Não tenho mais nada a dizer. Reflita e tome sua decisão. Eu enviarei detalhes quanto ao horário e local onde encontraremos Cale. Cabe a você escrever ou não a carta.

Dois Redentores que estavam aquele tempo todo diante da porta se aproximaram, indicando com um gesto que os dois deveriam sair. Enquanto ela ia embora, Bosco falou, como se o seu drama lhe despertasse uma solidariedade relutante:

— Lembre-se de que você é responsável pela vida de milhares de pessoas. E eu prometo nunca mais levantar a mão contra ele novamente, ou permitir que qualquer outra pessoa faça o mesmo. — A porta se fechou e Bosco falou baixinho, para si mesmo: — Pois os lábios que ora lhe parecem tão doces quanto um favo de mel, logo serão tão amargos quanto o absinto, e tão cortantes quanto uma faca de dois gumes.

O Lorde da Guerra se virou e gesticulou para que Cale saísse das sombras. O guarda removeu a mordaça dele e o levou até Bosco.

— O que o faz pensar que ela vai acreditar no senhor? — disse Cale.

— Não consigo imaginar por que não acreditaria: é quase tudo verdade, mesmo que não seja toda ela.

— E qual seria toda ela?

Bosco o encarou como se tentasse desvendar algo em seu rosto, mas com uma incerteza que Cale nunca tinha visto antes.

— Não — disse Bosco por fim. — Vamos esperar pela resposta da garota.

— Do que o senhor tem medo?

Bosco sorriu.

— Bem, talvez um pouco de honestidade entre nós dois não faça mal a essa altura do campeonato. Meu medo, obviamente, é que o amor a tudo vença e ela se recuse a entregar você em minhas mãos.

De volta ao seu *palazzo*, Arbell Pescoço de Cisne sofria as terríveis dores do desejo individual *versus* o dever público, cada uma das duas escolhas envolvendo uma traição pavorosa e impossível. No entanto, a situação era pior do que parecia, pois no recôndito mais profundo do seu coração (e no âmago ainda mais secreto que havia depois dele), ela já havia decidido trair Thomas

Cale. Tente entender seu desamparo, o choque paralisante de se testemunhar tudo que ela conhecia desmoronar à sua frente. Compreenda, então, o poder terrível das palavras de Bosco, que ecoavam seus pensamentos mais temerosos quase à perfeição. Por mais excitante que Cale fosse para ela, a estranheza que a atraía nele era a mesma que lhe causava repulsa. Ele era tão violento, tão cheio de raiva, tão mortal. Bosco tinha enxergado bem através dela. Como Arbell, sendo quem era, poderia ser outra coisa que não refinada e delicada? E, não nos deixemos enganar, este refinamento e esta delicadeza eram a fonte da adoração de Cale; no entanto, Cale tinha sido moldado a *golpes de martelo*, forjado no fogo terrível de medos e dores inimagináveis. Como ela poderia ficar com ele por muito tempo? Já não era de hoje que uma parte de Arbell vinha procurando uma maneira de abandonar seu amante — à sua revelia, justiça seja feita. E então, enquanto Cale esperava que ela o salvasse ao mesmo tempo que tentava descobrir uma maneira de salvá-la, Arbell já havia escolhido o caminho amargo, porém sensato, do bem — do coletivo sobre o individual. Quem poderia, afinal de contas, ser contra isso? Não ela. Com certeza o próprio Cale entenderia com o tempo.

36

Quase seis horas mais tarde, Bosco entrou no quarto trancado em que Cale havia sido confinado. Ele trazia duas cartas. Entregou uma delas para o menino, que a leu com o rosto inexpressivo, aparentemente duas vezes. Então, Bosco lhe ofereceu a segunda.

— Ela me pediu, aos prantos, para lhe dar isso depois que tivéssemos prendido você. Na carta ela pede que você acredite no quanto foi difícil entregá-lo em minhas mãos e que tente perdoá-la.

Cale apanhou a carta que lhe foi oferecida e a jogou no fogo.

— Eu tive um sonho maravilhoso — disse ele. — Agora estou acordado e com raiva de mim mesmo. Diga o que tem para dizer.

Bosco se sentou atrás da mesa que era a única outra mobília no quarto.

— Trinta anos atrás, quando eu fui para o deserto jejuar e rezar antes de me tornar padre, a mãe do Redentor Enforcado, que a paz esteja com ela, surgiu para mim em três visões. Na primeira, ela me disse que Deus tinha esperado em vão que a humanidade se arrependesse por ter matado Seu filho e perdera a esperança em sua natureza. A maldade do homem era grande na Terra, e por mais que Ele perscrutasse os pensamentos em seu coração eles continuavam sendo perversos. Ele se arrepende de tê-lo criado. Na segunda visão, ela disse que Deus havia me falado: "É chegada a hora de toda a carne perecer diante dos meus olhos; cada homem e mulher vivente feito por mim, você os varrerá da face da Terra. Quando tiver cumprido sua missão, o mundo chegará ao fim, os escolhidos entrarão no paraíso e homens e mulheres cessarão de existir." Eu lhe perguntei como eu poderia fazer isso, e ela me disse para jejuar e esperar por uma terceira e última visão. Nela, a mãe do Redentor Enforcado trouxe consigo um menininho carregando um galho de espinheiro e, da ponta dele, pingava vinagre. "Procure por essa criança e, quando a encontrar, prepare-a para o seu trabalho. Ela é a mão esquerda de Deus, também chamada de o Anjo da Morte, e realizará todos esses feitos."

Durante todo aquele relato, Bosco parecia hipnotizado, como se não estivesse num quarto em Memphis, mas de volta aos desertos de Fátima, trinta anos atrás, ouvindo as palavras da Mãe de Deus. Então, foi como se uma luz tivesse sido apagada e o Redentor estivesse de volta. Ele olhou para Cale.

— Assim que eu vi aquele garoto ser trazido para o Santuário dez anos atrás, eu o reconheci. — Ele sorriu para Cale da forma mais estranha, um sorriso de amor e ternura. — Era você.

Uma semana depois, uma procissão parou por um instante na fortaleza. Entre os montados a cavalo, estava o Redentor General Bosco e, ao seu lado, Cale. Dentre os que haviam se reunido para observar, estavam o marechal Materazzi, o chanceler Vipond e alguns dos seus oficiais superiores que tinham sobrevivido à batalha da colina de Silbury. Entre eles, havia duas fileiras de soldados Redentores, presentes para garantir que o então livre, porém desarmado, Cale não fizesse nada de inconveniente. Era interessante para Bosco manter o marechal onde ele estava. No entanto, ele achou sensato não provocar Cale com a presença da garota, de modo que ordenara pessoalmente, para seu grande alívio, que ela se mantivesse longe da humilhação oficial direcionada a seu pai e a todo o povo de Memphis. Em vez disso, ela deveria assistir a ela e ouvi-la de uma janela próxima dali. Arbell não precisou de aviso para saber que não deveria ser vista. Apesar de suas precauções, Bosco se perguntou se havia sido uma boa ideia deixar Cale livre. O menino aproximou seu cavalo e olhou para o marechal por sobre as cabeças dos guardas. Ao seu lado, confuso, estava Simon. Cale não pareceu notá-lo. Quando começou a falar, foi em um tom de voz tão baixo que mal se fazia ouvir em meio ao barulho dos cavalos irrequietos.

— Tenho uma mensagem para a sua filha — falou Cale. — Estou ligado a ela por amarras que nem mesmo Deus pode romper. Um dia, se ela sentir uma brisa suave no rosto, talvez seja meu hálito. Uma noite, se o vento gelado brincar com seus cabelos, talvez seja minha sombra passando.

E, com essa ameaça terrível, ele se voltou para a frente e a procissão retomou sua marcha. Em menos de um minuto, havia desaparecido. Na penumbra de seu quarto, Arbell Pescoço de Cisne ficou branca e gelada como alabastro.

Rápida e silenciosamente, o marechal e seu grupo se retiraram para remoer sua humilhação. Enquanto Vipond retornava para o seu *palazzo* acompanhado pelo capitão Albin, ele se virou e disse baixinho:

— Sabe de uma coisa, Albin, quanto mais velho fico, mais acredito que o amor, quando julgado pelos seus efeitos mais visíveis, se parece mais com o ódio do que com a amizade.

Meio dia depois, a procissão havia atravessado os limites de Memphis e virado na direção das Terras Crestadas e do Santuário mais além. Durante todo esse tempo, o Redentor General Bosco e Cale não trocaram uma só palavra.

De um pequeno bosque ligeiramente afastado da estrada, Henri Embromador, Kleist e IdrisPukke observaram a procissão sumir de vista. E então começaram a segui-la.

A Mão Esquerda de Deus é o primeiro volume de uma trilogia.
Para mais informações sobre os próximos livros, acesse
www.objetiva.com.br/amaoesquerdadedeus

Conheça mais sobre nossos livros e autores no site
www.objetiva.com.br

Disque-Objetiva: (21) 2233-1388

Este livro foi impresso na
LIS GRÁFICA E EDITORA LTDA.
Rua Felício Antônio Alves, 370 – Bonsucesso
CEP 07175-450 – Guarulhos – SP
Fone: (11) 3382-0777 – Fax: (11) 3382-0778
lisgrafica@lisgrafica.com.br – www.lisgrafica.com.br